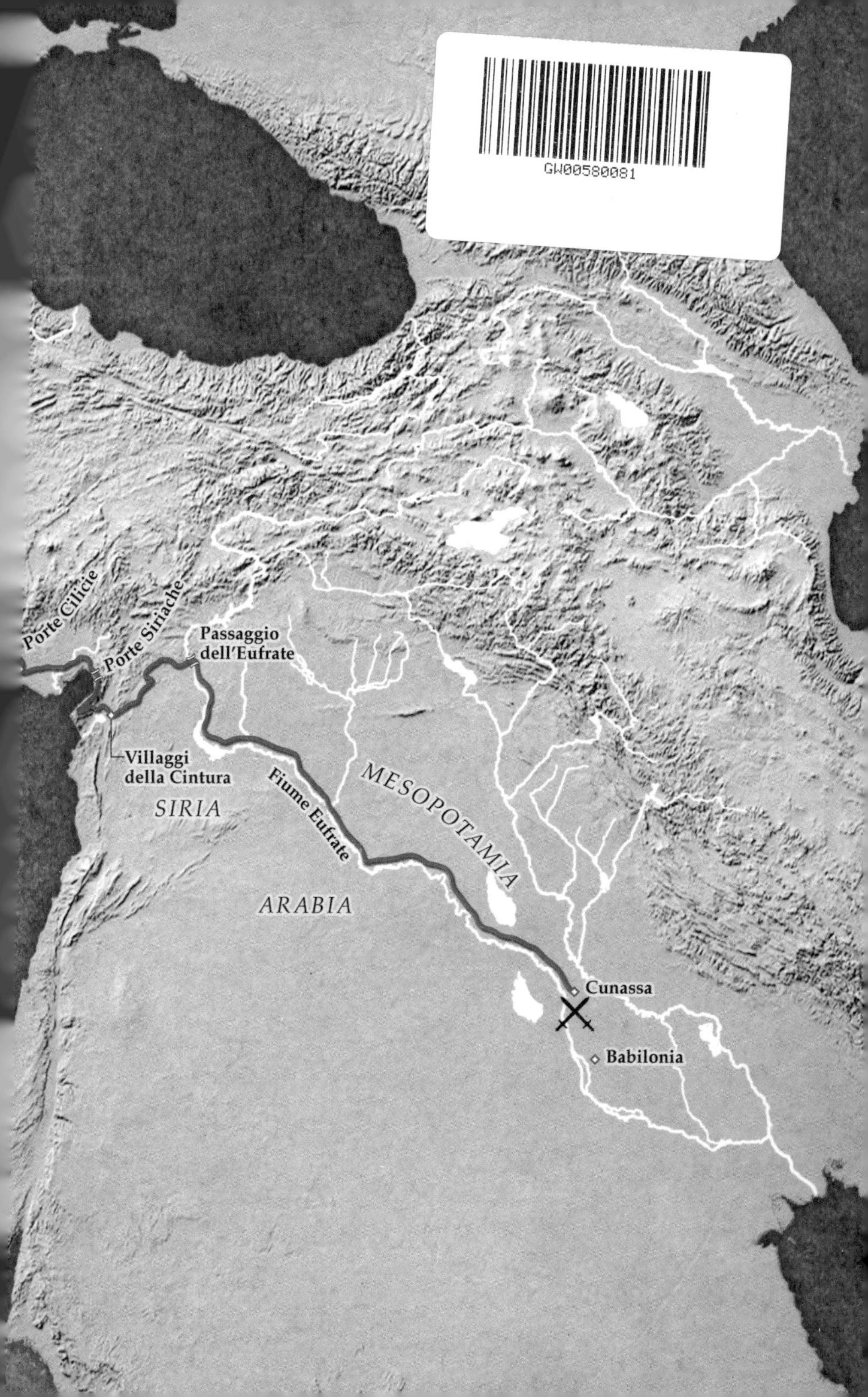

GW00580081
Porte Cilicie
Porte Siriache
Passaggio dell'Eufrate
Villaggi della Cintura
SIRIA
Fiume Eufrate
MESOPOTAMIA
ARABIA
Cunassa
Babilonia

OMNIBUS

Valerio Massimo Manfredi

# L'ARMATA PERDUTA

MONDADORI

www.librimondadori.it

ISBN 978-88-04-56210-8


I EDIZIONE OTTOBRE 2007
II EDIZIONE NOVEMBRE 2007

L'ARMATA PERDUTA

*A mia madre*

Se l'impresa dei Diecimila fu straordinaria,
quella delle donne che li seguirono fu incredibile.

W.W. Tarn

*Personaggi principali*

ABIRA è la voce narrante del romanzo.

ABISAG, ragazzina che soccorre Abira.

AGASÌAS di Stinfalo, comandante di una delle grandi unità dell'esercito greco.

AGHÌAS di Arcadia, comandante di una delle grandi unità dell'esercito greco.

ANAXIBIOS, ammiraglio spartano di stanza a Bisanzio.

ARKAGORAS, ufficiale greco.

ARIEO, comandante del contingente asiatico dell'esercito di Ciro.

ARISTONIMO di Metidrio, soldato greco, uno dei più valorosi dell'esercito.

ARTASERSE, il Gran Re, fratello di Ciro e Imperatore dei Persiani.

CALLIMACO, soldato greco.

CIRO, secondogenito del Re di Persia, governatore di Lidia.

DEMETRIO, giovanissimo soldato greco.

DEUXIPPO, soldato greco.

DURGAT, prigioniera persiana, un tempo al servizio della Regina Parisatis.

EPIKRATES, ufficiale greco.

EUPITO, tanagrino, luogotenente di Proxenos.

EURILOCO di Lusi, giovanissimo soldato greco.

GLUS, cavaliere alle dipendenze di Arieo.

KLEANOR di Arcadia, comandante di una delle grandi unità dell'esercito dei Diecimila.

KLEARCHOS, comandante spartano del corpo di spedizione dei mercenari.

KLEONIMOS di Metidrio, soldato greco fra i più valorosi.

KTESIAS, medico greco di Artaserse.

LICIO di Siracusa, comandante di cavalleria insieme a Xeno.

LYSTRA, giovane prostituta al seguito dell'esercito.

MASABATE, eunuco persiano.

MELISSA, concubina di Ciro.

MENON di Tessaglia, comandante di una delle grandi unità.

MERMAH, ragazzina che soccorre Abira.

MITRIDATE, generale persiano.

NEON di Asine, ufficiale del battaglione di Socrate e aiutante di campo di Sophos.

NETO (Sophainetos) di Stinfalo, ufficiale greco.

NICARCO di Arcadia, giovane soldato greco.

PARISATIS, Regina di Persia, madre di Artaserse e Ciro.

PHALINOS, messo del Gran Re.

PROXENOS di Beozia, comandante di una delle grandi unità, amico di Xeno.

SEUTE, re barbaro di Tracia.

SOCRATE di Achaia, comandante di una delle grandi unità.

SOPHOS (Cheirisophos), unico ufficiale regolare d'alto grado dell'esercito spartano.

TIMÀS (Timasion) di Dardania, comandante di una delle grandi unità.

TIRBAZ (Tiribazo), satrapo degli Armeni e "occhio del Gran Re".

TISSAFERNE, cognato di Artaserse e generale del suo esercito.

XANTHI (Xantikles) di Achaia, comandante di una delle grandi unità.

XENO (Xenophon), giovane guerriero ateniese, si arruola nell'esercito mercenario di Ciro per scrivere il diario della spedizione.

Per evitare l'uso di termini greci poco comprensibili da un pubblico di non specialisti ho fatto ricorso a espressioni più accessibili.

Gli *strateghi* sono chiamati "comandanti delle grandi unità", i *locaghi* sono connotati come "comandanti di battaglione", la parola *harem* di matrice araba sta qui per "gineceo". Ho conservato invece le unità di misura: stadi (circa settanta metri) e parasanghe (misura persiana equivalente a circa cinque chilometri).

*V.M.M.*

# 1

Il vento.

Soffia senza sosta attraverso le strettoie del monte Amano come dalla gola di un drago e si abbatte sulla nostra pianura con violenza disseccando l'erba e i campi. Per tutta l'estate.

Spesso per la maggior parte della primavera e dell'autunno.

Se non fosse per il ruscello che scende dai contrafforti del Tauro non crescerebbe nulla da queste parti. Solo stoppie per magri armenti di capre.

Il vento ha una sua voce, continuamente modulata. A volte è un lungo lamento che sembra non doversi placare mai; altre volte un sibilo che s'insinua di notte nelle crepe dei muri, nelle fessure tra i battenti delle porte e gli stipiti, avvolgendo ogni cosa con una foschia sottile e arrossando gli occhi e inaridendo le fauci anche quando si dorme.

A volte è un rombo che porta con sé l'eco del tuono sui monti e lo schioccare delle tende nomadi nel deserto. Un suono che ti penetra e fa vibrare ogni fibra del tuo corpo. I vecchi dicono che quando il vento romba a quel modo qualcosa di straordinario sta per accadere.

Ci sono cinque villaggi nella nostra terra: Naim, Beth Qadà, Ain Ras, Sula Him e Sheeb Mlech. In tutto vi abitano poche centinaia di persone e ognuno di essi sorge su un piccolo rialzo del terreno costituito dai resti di altri villaggi dissolti dal tempo, costruiti e poi abbandonati e di nuovo ricostruiti uno sull'altro nello stesso posto, con lo stesso fango seccato al sole. Ma gli amministratori del Gran Re li chiamano "I Villaggi di Parisatis" dal nome della Regina Madre.

Li chiamano anche "I Villaggi della Cintura" perché tutto il nostro lavoro, tutto quello che produciamo e riusciamo a vendere, tolto quanto ci serve per sopravvivere, è destinato ad acquistare ogni anno una nuova, preziosa cintura per la veste della Sovrana. Alla fine dell'estate arriva un persiano riccamente vestito scortato da numerose guardie del corpo a prelevare i guadagni che i nostri genitori hanno racimolato in un anno di durissimo lavoro. Ci lascia esposti al rischio della fame e alla certezza della miseria soltanto per comprare un'altra cintura a una donna che ne ha già a decine e sicuramente non ha bisogno di averne una in più. E ci dice anche che per noi è un onore e che ne dovremmo essere fieri. Non a tutti è dato di provvedere a un capo di vestiario per un membro così importante della casa reale.

Ho provato più volte a immaginarla, quella casa, ma non ci riesco, tali e tante sono le storie che circolano su quella dimora iperbolica. C'è chi dice che è a Susa, altri dicono che si trova a Persepoli, altri ancora a Pasargade sul grande altopiano. Forse si trova in tutti quei luoghi contemporaneamente, forse in nessuno. O forse sorge in un luogo a eguale distanza da tutte quelle città.

Io vivo in una casa con due stanze, una per dormire, una per consumare i pasti. Il pavimento è in terra battuta ed è forse per questo che tutto ciò che mangiamo sa di polvere; il tetto è fatto di tronchi di palma e di paglia. Quando andiamo al pozzo ad attingere acqua, le mie amiche e io, ci fermiamo a chiacchierare, a fantasticare, a costo di buscarle quando torniamo troppo tardi.

Spesso sogniamo a occhi aperti di vedere arrivare un giovane bello, nobile, amabile, che ci porti via da questo luogo dove ogni giorno è uguale all'altro, anche se sappiamo bene che ciò non potrà mai accadere. Ma sono contenta ugualmente: mi piace essere al mondo, lavorare, andare al pozzo con le mie amiche. Sognare non costa nulla e per un po' è come vivere un'altra vita: quella che tutte avremmo voluto e che non abbiamo né avremo mai.

Un giorno, mentre andavamo al pozzo, la forza del vento ci investì facendoci vacillare e piegare in avanti per reggerne la spinta potente. Lo conoscevamo: era il vento che romba!

Tutto fu immerso nella foschia per qualche tempo, una caligine densa che oscurava ogni cosa. Il disco del sole era l'unica cosa che si distingueva con chiarezza, ma il suo colore aveva una insolita tonalità rosata. Sembrava sospeso nel nulla, su una landa senza confine né forme definite, su un paese di spettri.

E apparve in quella nebbia una forma indistinta che sembrava muoversi fluttuando nell'aria.

Un fantasma.

Uno degli spiriti che al tramonto escono di sottoterra per addentrarsi nella notte appena il sole si nasconde oltre l'orizzonte.

– Guardate – dissi alle mie amiche.

La figura si delineava, ma il volto restava invisibile. Alle nostre spalle sentivamo i rumori della sera: i contadini che tornavano dai campi, i pastori che spingevano le greggi verso gli ovili, le madri che chiamavano i bambini. Poi, a un tratto, si fece silenzio. Il vento che romba tacque, la caligine lentamente si dissolse. Alla nostra sinistra apparve il gruppo di dodici palme che contornava il pozzo, alla destra la collina di Ain Ras.

Al centro lei.

Si poteva distinguere ormai con contorni netti: la sua figura, il volto incorniciato da lunghi capelli scuri. Una donna giovane, ancora bella.

– Guardate! – ripetei. Come se quella immagine non fosse già al centro dell'attenzione di ognuno. La figura esile procedeva lentamente quasi sentisse il peso degli sguardi gravare sempre di più su di lei a ogni passo che l'avvicinava al limitare di Beth Qadà.

Ci voltammo e vedemmo che molti uomini si erano radunati all'ingresso del villaggio facendo muro all'approssimarsi della donna. Vi fu chi gridò qualcosa: parole terribili, cariche di una violenza che non avevamo mai conosciuto. Accorsero anche le donne e una di loro urlò: – Vattene! Va' via finché sei in tempo! – ma lei non udì o non volle ascoltare. Continuò per la sua strada. Ora anche il peso di quell'odio gravava su di lei e l'opprimeva, ne appesantiva il passo.

Un uomo raccolse da terra una pietra e la scagliò. Fallì il bersaglio di poco. Altri raccolsero pietre e le lanciarono contro la donna che vacillò. Una pietra la colpì al braccio sinistro e, subito dopo, un'altra al ginocchio destro la fece cadere. Si rialzò a stento. Con lo sguardo cercava invano tra quella folla feroce un viso amico.

Gridai anch'io: – Lasciatela stare! Non fatele del male!

Ma nessuno mi ascoltò. Il lancio di pietre si trasformò in una gragnuola. La donna cadde in ginocchio.

Benché non la conoscessi, benché non sapessi nulla di lei, vedevo in quel suo resistere sotto una grandine di pietre qualcosa di miracoloso, un evento che mai si era manifestato in quell'angolo dimenticato dell'Impero del Gran Re.

La lapidazione continuò finché la donna non diede più segno di vita. Poi gli uomini si voltarono e rientrarono al villaggio. Pensavo che presto si sarebbero seduti a tavola e avrebbero spezzato il pane per i loro figli e mangiato il cibo preparato dalle loro mogli. Uccidere a sassate, da lontano, non macchia le mani di sangue.

Mia madre doveva essere fra quella folla perché mi sentii chiamare: – Vieni qui, stupida, muoviti!

Eravamo tutte impietrite per quello che avevamo visto: una cosa che non saremmo state nemmeno capaci di immaginare. Fui la prima a riscuotermi e mi avviai verso casa. Vincendo il ribrezzo passai non molto distante dal corpo di quella sconosciuta, abbastanza vicina da vedere un rivolo di sangue che usciva da sotto le pietre e tingeva la polvere di rosso. Potei vedere la sua mano destra e ambedue i piedi, anch'essi insanguinati, poi distolsi lo sguardo e mi allontanai in fretta, piangendo.

Mia madre mi accolse con due ceffoni e per poco non lasciai cadere la brocca dell'acqua. Non c'era motivo per picchiarmi, ma immaginai che volesse sfogare la tensione e l'angoscia che aveva provato nel veder uccidere a colpi di pietre una persona che non aveva fatto male a nessuno.

– Chi era quella donna? – chiesi senza badare al dolore.

– Non lo so – rispose mia madre. – E stai zitta. Capii che stava mentendo; non feci altre domande e mi diedi da fare per preparare la cena. Mio padre entrò mentre mettevo in tavola: mangiò a testa bassa con la faccia sulla scodella e senza proferire parola. Poi passò nell'altra stanza e subito dopo udimmo il suo respiro pesante. Mia madre lo raggiunse appena venne il tempo di accendere la lucerna e io chiesi di poter restare ancora alzata al buio. Non disse nulla.

Passò parecchio tempo. L'ultimo chiarore della sera si spense e scese la notte, una notte di luna nuova. Mi ero seduta vicino alla finestra che tenevo socchiusa per vedere le stelle. Si udivano abbaiare i cani: forse sentivano l'odore del sangue o la presenza di quel corpo sconosciuto che giaceva là fuori coperto di sassi. Mi chiedevo se il giorno dopo l'avrebbero seppellita o se l'avrebbero lasciata a marcire sotto le pietre.

Il vento invece taceva, come se quel delitto avesse ammutolito anche lui, e tutti dormivano ormai a Beth Qadà. Ma io no. Non avrei mai potuto cedere al sonno perché sentivo che lo spirito di quella donna vagava inquieto per le strade del villaggio assopito cercando qualcuno da affliggere con il suo stesso tormento. Incapace di reggere l'angoscia che mi assaliva nel buio della mia casa e incapace di addormentarmi sulla stuoia stesa in un angolo della cucina, alla fine uscii e la vista dell'immensa volta del cielo stellato mi diede un po' di pace. Trassi un lungo respiro e mi sedetti in terra accanto al muro ancora tiepido e lì restai con gli occhi spalancati nell'oscurità ad aspettare che il battito del mio cuore si calmasse.

Mi accorsi dopo qualche tempo di non essere l'unica a non poter prendere sonno nel villaggio: un'ombra mi passò a poca distanza, silenziosa, ma l'andatura era inconfondibile e riconobbi una delle mie amiche.

La chiamai: – Abisag.

– Sei tu?... Mi hai fatto morire di spavento.

– Dove vai?

– Non riesco a dormire.

– Nemmeno io.

– Vado a vedere quella donna.

– È morta.

– Perché allora i cani continuano ad abbaiare?

– Non lo so.

– Perché sentono che è viva e hanno paura.

– Forse temono che il suo spirito li tormenti.

– I cani non hanno paura dei morti. Solo gli uomini. Io vado a vedere.

– Aspetta, vengo anch'io.

Ci incamminammo assieme consapevoli che se le nostre famiglie lo avessero scoperto ci avrebbero massacrato di botte. Strada facendo, arrivate vicino alla casa di Mermah, l'altra nostra amica, la chiamammo a bassa voce da sotto la finestra e battemmo con le nocche contro l'imposta. Doveva essere sveglia perché ci aprì immediatamente e mentre stava per uscire arrivò anche sua sorella e si unì a noi.

Camminammo rasente ai muri fino a uscire dal villaggio e in pochi istanti raggiungemmo il punto in cui la straniera era stata lapidata. Un animale fuggì al nostro arrivo: uno sciacallo, probabilmente, che era stato attirato dall'odore del sangue. Ci fermammo davanti a quel mucchio informe di pietre.

– È morta – dissi. – Che cosa siamo venute a fare qui?

Non avevo finito di parlare che una pietra smossa rotolò sulle altre.

– È viva – disse Abisag.

Ci chinammo su di lei e cominciammo a toglierle di dosso le pietre una per una senza fare il minimo rumore finché la liberammo completamente. Con quel buio non riuscivamo nemmeno a vederla in faccia. Era comunque una maschera tumefatta, con i capelli raggrumati di sangue e di polvere. Ma la sua vena giugulare palpitava e dalla sua bocca usciva un lieve rantolo. Era indubbiamente viva, ma per quanto mi sembrava avrebbe potuto morire in qualunque istante.

– Portiamola via – dissi.

– E dove? – chiese Mermah.

– Al capanno vicino al torrente – propose Abisag. – Non lo usa più nessuno da molto tempo.

– E come facciamo? – domandò ancora Mermah.

Ebbi un'idea: – Toglietevi i vestiti. Tanto non ci vede nessuno.

Le ragazze fecero quello che avevo chiesto intuendo cosa avevo in mente e restarono quasi nude.

Stesi gli abiti, li annodai per formare una sorta di telo che poggiammo a terra vicino alla donna. Poi, con somma cautela, la prendemmo per le mani e per le braccia, la sollevammo e ve la deponemmo sopra. Lasciò udire un lamento quando la staccammo da terra perché le sue membra dovevano essere massacrate e noi cercammo di sollevare il telo con la massima delicatezza. Quella poveretta doveva essere sfinita perché non sembrò pesante nemmeno per delle ragazzine come noi. Riuscimmo a trasportarla fino al capanno senza sforzo eccessivo, fermandoci ogni tanto per riposarci e riprendere fiato.

Le preparammo un giaciglio con paglia, fieno e una stuoia. La lavammo con acqua fresca e la coprimmo con un telo di sacco. Non avrebbe avuto freddo in quella notte mite, ma questo era comunque l'ultimo dei problemi. Nessuna di noi sapeva se avrebbe passato la notte o se l'indomani l'avremmo trovata cadavere. Pensammo che non c'era altro che potessimo fare per lei a quel punto e che la cosa migliore fosse di rientrare prima che i genitori si accorgessero della nostra assenza. Lavammo anche le nostre vesti nel torrente perché si erano macchiate di sangue e le portammo a casa sperando che si sarebbero asciugate durante la notte.

Prima di separarci ci mettemmo d'accordo per soccorrere a turno la nostra protetta, se mai fosse sopravvissuta, per portarle cibo e acqua finché non fosse stata in grado di badare a se stessa. Giurammo che non l'avremmo detto a nessuno. Che quello sarebbe stato il nostro segreto e che non l'avremmo tradito per nulla al mondo, anche a prezzo della vita.

Non ci rendevamo bene conto di che cosa significasse, ma sapevamo che un giuramento per essere valido doveva contenere affermazioni tremende. Ci lasciammo con un lungo abbraccio; eravamo stanche, emozionate, stremate, ma al tempo stesso così eccitate che forse non saremmo più riuscite ad addormentarci.

Il vento riprese a soffiare e continuò fino all'alba quando il canto dei galli risvegliò gli abitanti di Beth Qadà e degli altri quattro Villaggi della Cintura.

La prima cosa che gli uomini notarono recandosi nei campi a lavorare fu che la donna lapidata era sparita e la cosa gettò tutti nella costernazione. Strane dicerie si diffusero fra la gente, la più parte terrificanti, cosicché nessuno volle indagare: preferivano dimenticare quel fatto di sangue che in qualche modo aveva contaminato tutti. Senza dare nell'occhio potemmo così prenderci cura della donna che avevamo salvato da morte sicura.

Eravamo allora poco più che delle bambine e avevamo compiuto un'impresa molto più grande di noi. Ora ci spaventavano le conseguenze. Saremmo riuscite a tenerla in vita? Non sapevamo come assisterla e nemmeno come avremmo procurato il cibo per nutrirla qualora fosse sopravvissuta. Mermah ebbe un'idea che ci trasse d'impaccio. Una vecchia canaanita viveva sola in una specie di tana scavata nel terrapieno che impediva al torrente di tracimare nei giorni di piena. Preparava unguenti e pozioni di erbe con cui curava le bruciature, la tosse e le febbri maligne in cambio di cibo e di qualche straccio con cui coprirsi. La chiamavano "la muta" perché non sapeva parlare o forse perché non aveva mai voluto farlo. Andammo a cercarla la sera dopo e la portammo al capanno.

La donna respirava ancora, ma ogni suo respiro sembrava l'ultimo.

– Puoi fare qualcosa per lei? – chiedemmo. La muta parve non aver udito quello che avevamo detto, ma si chinò sulla sconosciuta in fin di vita. Prese un sacchetto di cuoio dalla cintura e ne versò il contenuto nella ciotola che teneva appesa al suo bastone, poi fece per avvicinarsi alla donna ma s'interruppe. Si volse verso di noi e ci fece segno di andare via.

Guardai esitante le mie compagne, ma la vecchia ci minacciò con il bastone così che ci precipitammo fuori senza altri indugi. Aspettammo finché sentimmo provenire dal capanno un grido che ci raggelò. Nessuna di noi si mosse; restammo sedute per terra finché la vecchia uscì per lasciarci entrare. Sbirciammo dalla porta e vedemmo che la sconosciuta dormiva. La vecchia ci fece segno di tornare l'indomani e di portare qualcosa da mangiare: noi facemmo cenno di sì e ci allontanammo a malincuore voltandoci di tanto in tanto. La muta non usciva. Pensammo che forse sarebbe rimasta con lei tutta la notte.

L'indomani tornammo con latte di capra e minestra di orzo. La muta era sparita ma la sconosciuta aprì gli occhi tumefatti al nostro entrare e ci guardò con un'espressione intensa e dolente. L'aiutammo ad assumere quel poco di cibo e rimanemmo qualche tempo a vegliarla dopo che si fu riaddormentata.

Passarono così parecchi giorni durante i quali vedemmo più volte la muta entrare e uscire dal capanno e per tutto quel tempo non una parola uscì dalle nostre bocche.

Mantenemmo il nostro segreto tentando di comportarci in modo da non destare sospetti nelle nostre famiglie e negli abitanti del villaggio. La donna stava recuperando lentamente ma qualche miglioramento si vedeva. Le tumefazioni venivano pian piano riassorbite, i lividi si erano attenuati e le ferite tendevano a rimarginarsi.

Doveva avere delle costole rotte perché faceva respiri brevi ed evitava di espandere il torace. Probabilmente non c'era un palmo del suo corpo che non le facesse male, che non fosse stato martoriato dalla crudele lapidazione che aveva subito.

Ero sola con lei quando aprì gli occhi, un giorno di metà autunno alle prime luci. Le avevo portato un poco di minestra di orzo e del succo di melograno che avevamo preparato tutte assieme. Disse solo una parola: – Grazie.

– Sono contenta che tu stia meglio – risposi – lo dirò alle mie amiche. Saranno contente anche loro.

Sospirò e volse il capo verso la finestrella da cui entravano i raggi del sole.

– Puoi parlare? – chiesi.

– Sì.

– Chi sei? – domandai.

– Mi chiamo Abira e sono di questo villaggio, ma tu forse non ti ricordi di me.

Feci cenno di no con il capo.

– Perché ti hanno lapidata? Perché hanno cercato di ucciderti?

– Perché ho fatto una cosa che una ragazza onesta non dovrebbe mai fare e loro non l'hanno dimenticato. Mi hanno riconosciuta, mi hanno condannata e hanno cercato di farmi morire.

– Era così terribile quello che hai fatto?

– No. A me non sembrava. Non credevo di fare del male a nessuno, ma ci sono leggi accettate da tutti che regolano la nostra vita da tanto tempo e non è lecito infrangerle.

Soprattutto alle donne. Per noi la legge è spietata.

Era stanca e non insistetti oltre, ma a mano a mano che la vidi migliorare e riprendere le forze tornai da lei con le mie amiche per ascoltare, giorno dopo giorno, la sua storia.

Per una serie di strane circostanze Abira, nel corso della sua avventura, era venuta in contatto con persone delle più disparate provenienze, un giovane in particolare, bello e misterioso, quale tante volte avevamo sognato nelle nostre conversazioni al pozzo, e poi ancora uomini e donne che le avevano raccontato ciò che sapevano o che avevano appreso nel corso delle loro turbolente vicende e così in lei erano confluite tante storie diverse a formarne una sola grande e terribile, come quando nella stagione delle piogge ogni uadi diventa un torrente e ogni torrente si versa nel fiume che si gonfia e rugge e alla fine rompe gli argini e dilaga nella campagna travolgendo tutto: case, uomini, armenti.

Era una storia di avventura, di amore e di morte, vissuta da migliaia di persone che aveva sconvolto l'esistenza di Abira strappandola alla vita tranquilla e sempre uguale di Beth Qadà, il nostro villaggio, uno dei cinque Villaggi della Cintura. Ma all'inizio quella storia così grande e travolgente da coinvolgere quasi tutto il mondo era stata soltanto... la storia di due fratelli.

## 2

– Perché hanno voluto lapidarti? – le chiesi un giorno che sembrava aver ormai recuperato le forze.

– Fu a causa dei due fratelli di cui ci dicevi? – domandò Abisag.

– Fu a causa mia – rispose. – Ma non sarebbe accaduto senza la storia dei due fratelli.

– Non capisco – dissi.

– A quel tempo – cominciò lei – avevo poco più della tua età. Lavoravo nei campi per la mia famiglia, conducevo il gregge al pascolo e venivo al pozzo ad attingere acqua con le amiche, proprio come fate voi. La vita era sempre la stessa, cambiava solo il nostro lavoro al mutare delle stagioni. I miei genitori già avevano scelto per me uno sposo, un mio cugino dai capelli stopposi, con la faccia piena di foruncoli: un modo per tenere unito il modesto patrimonio del nostro clan. La cosa non mi sconvolgeva e mia madre mi aveva spiegato come sarebbero andate le cose: dopo sposata, intendo dire. Avrei lavorato nello stesso modo, in più mio cugino mi avrebbe ingravidata e avrei avuto dei figli. Da come me lo spiegava non sembrava terribile ed era una cosa che tante donne avevano già fatto: niente di cui preoccuparsi. Una volta, una delle rare volte, che mia madre era di buon umore, mi confidò anche un segreto: c'erano donne che provavano piacere a fare quella cosa con i loro uomini. Questa cosa era ciò che la gente chiama amore, che di solito non avveniva con il marito scelto dalla famiglia ma con altri uomini che a loro piacevano.

Non capivo bene che cosa intendesse dire ma mentre ne parlava gli occhi le si illuminavano e sembrava inseguire con lo sguardo immagini lontane ormai perdute.

«È successo anche a te, mamma?» le chiesi.

«No. A me no» rispose chinando il capo, «ma conosco donne a cui è successo e da come me ne hanno parlato deve essere la cosa più bella del mondo: una cosa di cui chiunque può godere. Non occorre essere ricchi, o nobili, o istruiti, occorre incontrare un uomo che ti piace. Ti piace così tanto che non provi vergogna a spogliarti davanti a lui e quando ti tocca non provi alcuna ripugnanza... anzi, il contrario. E anche tu desideri ciò che lui desidera e il suo desiderio si somma al tuo liberando un'energia potentissima che inebria più del vino e provoca un'estasi estrema, qualcosa che per pochi minuti, a volte per pochi istanti, rende simili agli Immortali e vale anni interi di una vita monotona e insulsa.»

Se avevo inteso bene, mia madre cercava di farmi capire che anche la vita di una donna poteva in certi momenti, anche se per poco, essere come quella di una dea.

Quelle parole mi riempirono di una strana eccitazione ma anche di una profonda tristezza, perché ero certa che il cugino con la faccia butterata non avrebbe mai suscitato in me quelle emozioni, mai in tutta la vita. Avrei sopportato perché così doveva essere. Niente di più, niente di meno.

Il giorno in cui sarei stata unita a lui per il resto della mia vita era ormai in vista e più si approssimava più diventavo distratta, incapace di prestare attenzione ai miei impegni quotidiani. La mia mente era altrove, non riuscivo a non pensare all'uomo che avrebbe potuto farmi sentire come mia madre aveva detto. L'uomo a cui avrei desiderato mostrare il mio corpo anziché nasconderlo, che avrei voluto mi stringesse fra le braccia, che avrei voluto contemplare al mio risveglio accanto a me sulla stuoia, accarezzato dalla luce del primo sole.

Piangevo a volte perché lo desideravo tanto e sapevo che non l'avrei mai incontrato. Mi guardavo attorno pensando che si nascondesse da qualche parte: uno dei molti giovani che vivevano nei nostri villaggi. Ma ero poi sicura? Quanti giovani potevano esserci nei Villaggi della Cintura? Cinquanta? Cento? Certo non più di cento e tutti quelli che incontravo o a cui mi ero avvicinata puzzavano di aglio e avevano i capelli pieni di pula. Finii per convincermi che si trattasse di fantasticherie di donne che desideravano qualcosa di diverso dalla vita sempre uguale di gravidanze, parti, fatiche, botte.

E invece accadde.

Un giorno, al pozzo.

Di primo mattino.

Ero sola e dopo aver calato l'anfora con la fune la stavo recuperando appoggiandomi all'altra estremità del bilanciere. Stavo armeggiando con una grossa pietra per fissarlo a terra quando sentii che dall'altra parte il peso dell'anfora era venuto meno e alzai il capo a guardare.

Era così che avevo sempre immaginato un dio: giovane, bellissimo, con la pelle levigata, il corpo scolpito e armonioso, le mani forti e delicate assieme e un sorriso che incantava, abbacinava come i raggi del sole che nasceva alle sue spalle.

Bevve dalla mia anfora e l'acqua gli inondò il petto rendendolo lucente come il bronzo, poi mi fissò intensamente negli occhi e io sostenni e ricambiai il suo sguardo con la stessa intensità.

In seguito ebbi modo di apprendere che è la vita che ci può rendere simili alle bestie o agli dèi, o il luogo dove il destino ci ha fatti nascere e dove ci farà morire umiliando i nostri sogni e deludendo le nostre speranze. È la vita che può levigare il corpo con le gare atletiche o con la danza e illuminare il nostro sguardo dell'ardore dei sogni e dell'avventura. Era quella luce che vedevo negli occhi del giovane che mi stava di fronte con l'anfora in mano, al pozzo di Beth Qadà, una mattina di fine estate del mio sedicesimo anno, ma in quel momento pensai che l'energia che vedevo brillare nel suo sguardo e la bellezza che risplendeva nella sua persona fossero aspetti di una natura diversa e superiore.

Era lui l'uomo che mia madre aveva dipinto nel suo discorso, l'unico che avrei potuto desiderare e dal quale avrei voluto essere desiderata. In un attimo, mentre mi alzavo lasciando il bilanciere sentii che la mia vita stava cambiando e non sarebbe stata più la stessa. Provai una gioia immensa e una grande paura a un tempo, un senso di vertigine che mi toglieva il respiro.

Si avvicinò e riuscì a pronunciare con molta fatica poche parole nella mia lingua mentre indicava il cavallo alle sue spalle da cui pendevano le armi. Era un guerriero e precedeva un grande esercito che avanzava dietro di lui a poche ore di distanza.

Ci parlammo solo con gli sguardi e con i gesti, ma capimmo entrambi l'essenziale. Mi accarezzò la guancia con la mano, indugiò un poco sui miei capelli e io non mi mossi. La vicinanza mi trasmetteva le sue emozioni, ne avvertivo la vibrazione e l'intensità nell'ora così tranquilla e silenziosa del mattino. Gli feci capire che dovevo andarmene e penso che dall'espressione del mio volto potesse rendersi conto di quanto ciò mi dispiacesse. Lui allora indicò un piccolo palmeto vicino al fiume e tracciò dei segni nella sabbia che rappresentavano la sua risposta: mi avrebbe aspettato là a metà della notte e io sapevo già che sarei andata all'appuntamento a ogni costo, qualunque cosa fosse successa. Prima di accogliere nella mia più gelosa intimità mio cugino e l'odore d'aglio che emanava volevo sapere che cosa significasse veramente fare l'amore e – fosse stato anche solo per pochi istanti – sapere cosa si provava a essere simile a un immortale, fra le braccia di un giovane dio.

L'esercito arrivò al calare della sera e lo spettacolo lasciò tutti nel più attonito stupore: vecchi e giovani, donne e bambini. Potrei dire che l'intera popolazione dei cinque Villaggi della Cintura era corsa a vedere quello che stava accadendo. Nessuno aveva mai visto un simile spettacolo. Migliaia di guerrieri a cavallo e a piedi vestiti di tuniche e pantaloni, con sciabole, picche e archi, avanzavano da settentrione verso meridione. Alla testa di ogni reparto c'erano ufficiali vestiti degli abiti più sfarzosi, con armi che scintillavano al sole, e davanti a tutti, circondato da guardie del corpo, un giovane dalla figura snella e slanciata, dal colorito olivastro e dalla barba nerissima e ben curata. Avrei saputo in seguito chi era, e non l'avrei mai più dimenticato: uno dei due fratelli di cui ho parlato. Fratelli nemici. La loro lotta sanguinosa avrebbe travolto il destino di innumerevoli esseri umani, come fuscelli nell'onda di piena.

Ma ciò che più mi colpì fu un reparto di quell'esercito: uomini vestiti di tuniche corte, coperti di bronzo sul petto. Imbracciavano scudi enormi dello stesso metallo e sulle spalle portavano mantelli rossi. In seguito avrei saputo che erano i più forti guerrieri al mondo: nessuno poteva fronteggiarli in battaglia, nessuno poteva nemmeno sperare di batterli. Erano instancabili, capaci di resistere alla fame e alla sete, alla calura e al gelo. Avanzavano a piedi a passo cadenzato, cantando una nenia ritmata dal suono dei flauti. Anche i loro comandanti marciavano assieme a loro e non si distinguevano dagli altri se non per il fatto che camminavano fuori dai ranghi. I reparti continuarono ad arrivare per ore e quando i primi avevano già piantato le tende e mangiato, gli ultimi erano ancora in marcia verso il punto di sosta: i nostri tranquilli villaggi.

Fu anche questo a propiziare la mia follia: tale era la curiosità degli uomini che non vollero nemmeno tornare alle loro case per la cena, ma si fecero portare dalle mogli qualcosa da mangiare per non perdersi nulla di quanto stava accadendo. Nessuno notò che mi allontanavo, o forse lo notò mia madre e non disse nulla.

C'era la luna quella sera, e il coro dei grilli si faceva udire sempre più forte man mano che mi allontanavo dai villaggi e dallo sterminato accampamento che cresceva continuamente e si estendeva su ogni superficie libera e aperta. Dovetti tenermi alla larga dal pozzo perché vi si era formata un'interminabile coda di uomini, asini e cammelli carichi di anfore e di otri per rifornire d'acqua l'immenso esercito. Vedevo in lontananza il palmeto sul fiume che ondeggiava nella brezza notturna e vedevo brillare sotto la luna l'acqua che correva a congiungersi con il grande Eufrate, lontano, a oriente.

Ogni passo che mi avvicinava all'appuntamento mi faceva tremare dall'emozione e dalla paura. Provavo qualcosa che non avevo mai provato in vita mia: un'apprensione che mi toglieva il respiro e un'eccitazione misteriosa che mi faceva sentire leggera, quasi potessi spiccare il volo a ogni passo. Coprii di corsa l'ultimo tratto che mi separava dal palmeto e mi guardai intorno.

Il luogo era deserto.

Forse mi ero immaginata tutto, o forse non avevo bene interpretato ciò che quel giovane aveva voluto dirmi con i suoi gesti, i suoi segni, le sue parole stentate in una lingua per lui straniera. Forse voleva farmi uno scherzo e si nascondeva dietro il tronco di una palma per spaventarmi. Guardai ancora dappertutto senza trovare nulla. Non volevo credere che non sarebbe venuto. Restai così ancora a lungo. Non ricordo quanto, ma vidi la luna scendere verso l'orizzonte e la costellazione della Leonessa affondare tra i gioghi lontani del Tauro. Inutile illudersi: mi ero sbagliata ed era ora che prendessi la strada di casa.

Sospirai e feci per tornare sui miei passi quando udii un rumore di galoppo alla mia sinistra. Mi volsi e in una nube di polvere attraversata dai raggi della luna vidi distintamente il cavallo e il giovane che lo spronava a grande velocità. In un attimo mi fu davanti, tirò le briglie del destriero e balzò a terra.

Forse anche lui aveva temuto di non trovarmi? Forse provava la stessa ansia, lo stesso desiderio, la stessa inquietudine che agitavano il mio spirito? Corremmo l'una nelle braccia dell'altro, ci baciammo con una frenesia quasi delirante.

Abira si fermò, rendendosi conto che stava parlando a delle ragazze che non avevano mai conosciuto un uomo e chinò il capo confusa. Quando lo rialzò piangeva con un abbandono accorato, le lacrime le velavano gli occhi e poi sgorgavano da sotto le palpebre, grosse come gocce di pioggia. Doveva aver amato come nemmeno potevamo immaginare. E sofferto, tanto. Improvvisamente sembrava che il pudore dei suoi sentimenti l'avesse sopraffatta, che non volesse più raccontare la storia della sua passione a giovani inesperte e ingenue. Rimanemmo a guardarla a lungo in silenzio non sapendo che dire né come consolarla. Alla fine fu lei a rialzare il capo. Si asciugò le lacrime e riprese il suo racconto:

– Quella notte compresi il senso delle parole di mia madre e mi resi conto che se fossi rimasta al villaggio, se avessi seguito il mio destino e sposato un essere insignificante, indegno del mio animo capace di tali slanci di passione, il solo intuire i suoi pensieri mi avrebbe offeso, qualunque intimità mi sarebbe parsa insopportabile. Compresi che quel ragazzo che mi aveva amato, travolto con la sua passione, aveva fatto vibrare il mio corpo e il mio spirito con la stessa intensità, mi aveva fatto toccare il volto della luna e il dorso del torrente.

Ci amammo ogni notte, per i pochi giorni che l'esercito sostò, e a ogni ora che passava sentivo crescere dentro di me l'angoscia del distacco imminente. Come avrei potuto vivere senza di lui? Come avrei potuto rassegnarmi alle capre e alle pecore di Beth Qadà dopo aver cavalcato quel destriero ardente? Come avrei sopportato il torpore sonnolento del mio villaggio dopo aver conosciuto il fuoco che bruciava le carni e illuminava gli occhi di follia? Avrei voluto parlargli, ma non mi avrebbe capito, e quando lui mi parlava nella sua lingua, soavissima e armoniosa, non sentivo che una musica confusa.

L'ultima notte.

Giacemmo sull'erba secca sotto le palme a guardare le miriadi di stelle che brillavano tra le foglie e sentivo montare dentro di me la voglia di pianto. Sarebbe partito e mi avrebbe presto dimenticata. La sua vita lo avrebbe obbligato a farlo: altre tappe, altri villaggi, altre città, fiumi, monti e valli e altre genti. Era un guerriero, fidanzato con la morte, e sapeva che ogni giorno poteva essere l'ultimo. Avrebbe goduto di altre donne, perché no? Ma io come avrei fatto? Per quanto tempo il suo ricordo mi avrebbe tormentato? Quante volte mi sarei alzata nella calura delle notti estive, madida di sudore, svegliata dal vento che sibila e piange sui tetti di Beth Qadà!

Sembrò che avesse intuito i miei pensieri e mi passò un braccio attorno alle spalle attirandomi a sé, trasmettendomi il suo calore. Gli chiesi come si chiamasse, per poter portare con me almeno il suo nome, ma mi rispose con una parola così difficile che non riuscii nemmeno a ricordarla. Gli dissi che mi chiamavo Abira e lui ripeté senza difficoltà: «Abira».

Di quella notte ricordo ogni istante, ogni fruscio, ogni mormorio del fiume, ogni stormire di foglie, ogni bacio e ogni carezza, perché sapevo che non avrei avuto mai più nulla di simile.

Tornai a casa prima dell'alba, prima che mia madre si svegliasse, quando ancora il vento copriva ogni altro suono.

Mentre scivolavo sotto la coperta udii uno strano rumore: uno scalpiccio confuso di migliaia di zoccoli sull'acciottolato, un sommesso sbuffare e nitrire e un rullo di carri da guerra. L'esercito aveva levato le tende e partiva!

Aprii uno spiraglio nella finestra nella speranza di vederlo un'ultima volta e rimasi a guardare il monotono sfilare di migliaia di fanti e cavalieri, di muli, asini e cammelli. Ma lui non c'era.

Cercai con lo sguardo anche fra i misteriosi guerrieri dal mantello rosso, ma i loro volti erano ora coperti da un elmo di strana foggia che lasciava vedere solo gli occhi e la bocca, una specie di maschera grottesca! Fosse stato uno di loro non avrei mai potuto riconoscerlo. Mi feci forza e uscii all'aperto appoggiandomi al muro esterno della mia casa; se non potevo vederlo io, forse lui avrebbe riconosciuto me e mi avrebbe fissato, forse mi avrebbe parlato o anche soltanto fatto un cenno di saluto e io sarei stata a guardarlo finché non fosse scomparso alla vista.

Non accadde nulla.

Tornai a sdraiarmi sulla mia stuoia e piansi in silenzio.

L'esercito sfilò per ore e anche gli abitanti del villaggio si disposero ai due lati della strada per osservare l'imponente spettacolo. I vecchi poi l'avrebbero confrontato con altre visioni della loro gioventù e i giovani l'avrebbero ricordato per raccontarlo ai figli quando fossero stati vecchi. Ma a me non importava nulla: di tutte quelle migliaia di uomini solo uno era importante per me, solo uno era vitale.

Dove andava quell'armata? Dove avrebbe portato morte e distruzione? Pensavo a quanto sono terribili gli uomini, quanto possono essere crudeli, violenti e sanguinari. Così diversi da noi, così diversi dalle donne. Ma il ragazzo che avevo conosciuto aveva uno sguardo soave, una voce calda e sonora: lui era diverso e separarmene mi dava una pena acuta, un dolore che mi lacerava l'anima.

Ebbene, sarebbe passata, l'avrei dimenticato come lui avrebbe dimenticato me. Avrei trovato altre ragioni per andare avanti e un giorno i figli mi avrebbero tenuto compagnia e dato un senso alla mia vita. Che importava con chi li avrei fatti?

Alla fine il vento sollevò una densa nube di polvere e l'esercito scomparve lontano, si dissolse nella foschia.

Per tutto il giorno sentii su di me gli occhi di mia madre, sospettosi e inquieti. Dovevo sembrarle strana: il mio comportamento, il mio sguardo, il mio stesso aspetto dovevano apparire così turbati da giustificare qualunque immaginazione. Ogni tanto chiedeva: «Ma che cos'hai?», non per avere una risposta quanto per scrutare la mia reazione.

«Nulla» rispondevo. «Non ho nulla.» E il timbro stesso della mia voce, che da un momento all'altro avrebbe potuto rompere in pianto, smentiva le mie parole.

Il vento si acquietò verso sera. Io presi l'anfora e andai al pozzo ad attingere acqua. Vi andai più tardi del solito per non incontrare le mie compagne: il loro chiacchiericcio e le loro domande mi avrebbero infastidito. Vi arrivai che il sole toccava ormai l'orizzonte, riempii il mio vaso e mi sedetti su un tronco secco di palma. Quella solitudine e quel silenzio mi davano un certo ristoro, placavano il tumulto del mio spirito. Piangevo, in silenzio, a calde lacrime, ma in fondo quel pianto era uno sfogo, una liberazione o almeno così speravo. Le gru passavano nel cielo in lunga teoria migrando a sud e riempiendo l'aria dei loro lamenti.

Avrei voluto essere come loro.

Si faceva scuro: sollevai l'anfora sulla testa e mi volsi per incamminarmi verso il villaggio.

Me lo trovai di fronte.

Sul momento pensai che fosse un'allucinazione, una visione che avevo creato per consolare la mia insanabile tristezza, ma era veramente lui. Era sceso da cavallo e veniva verso di me.

«Vieni via con me. Adesso» disse nella mia lingua.

Ero stupefatta. Aveva pronunciato quelle parole senza un'incertezza e senza un errore, ma quando io gli risposi: «E dove andremo? E mia madre, posso salutarla?», scosse il capo. Non capiva. Aveva imparato soltanto quelle parole nella giusta sequenza, con la giusta pronuncia perché voleva essere sicuro che io avrei capito.

Le ripeté ancora e io, che poco prima avrei dato qualunque cosa per udirle e mi sentivo disperata per la sua assenza, ora, di fronte a una scelta tanto immediata e drastica, avevo paura. Lasciare tutto: la mia casa, la mia famiglia, le mie amiche; seguire uno sconosciuto, un soldato che avrebbe potuto morire da un momento all'altro, al primo scontro, alla prima imboscata, alla prima battaglia. Che ne sarebbe stato di me?

Ma fu un istante. Il pensiero che restando non l'avrei rivisto mai più prese il sopravvento e risposi senza esitazione: «Vengo con te». E lui dovette aver capito perché sorrise. Anche quelle parole doveva aver imparato! Montò a cavallo, poi mi tese la mano perché l'afferrassi e mi issò in groppa dietro di lui. Spinse l'animale al passo, imboccando il sentiero che portava a meridione oltre i villaggi, ma subito dopo scorgemmo a poca distanza una ragazza del villaggio che andava al pozzo con l'anfora. Mi vide, mi riconobbe e si mise a gridare: «Il soldato porta via Abira! Il soldato porta via Abira, correte, correte!».

Un gruppo di contadini che tornava dai campi corse verso di noi agitando gli attrezzi da lavoro. Il mio giovane allora spronò il cavallo al galoppo e passò in mezzo a loro prima che si compattassero per sbarrargli il passo. Erano ormai molto vicini e videro bene che ero io ad aggrapparmi a lui e non viceversa. Non era un rapimento, era una fuga.

Abira tacque di nuovo liberando un gemito sordo. Quelle memorie sembravano pesare sul suo cuore e rievocarle riapriva in lei piaghe mai del tutto rimarginate. Avevamo capito perché era stata lapidata al suo ritorno a Beth Qadà. Aveva abbandonato la famiglia, i parenti, il villaggio, il promesso sposo per seguire uno sconosciuto a cui si era data senza pudore. Aveva infranto tutte le regole che una ragazza nella sua condizione può infrangere e la punizione che aveva subito doveva servire di lezione alle altre.

A un tratto mi fissò negli occhi e domandò: – I miei genitori, sono ancora nel villaggio? Come stanno?

Esitai a rispondere.

– Dimmi la verità – insistette, e sembrò prepararsi a udire notizie spiacevoli.

Strano, pensai, che solo allora le fosse venuto in mente

di chiedere dei genitori. Forse aveva dei presentimenti e non osava vederli confermati. Quali che fossero i suoi pensieri c'era qualcosa in lei che mi sfuggiva, una componente enigmatica e misteriosa che aveva a che fare con la sua sopravvivenza a un simile massacro. Lei aveva percorso la sottile linea di demarcazione fra la vita e la morte, lei, pensavo, aveva gettato lo sguardo oltre quella linea e aveva visto il mondo dei morti. Quella domanda era più che un presentimento, era la suggestione impressa nel suo animo da una visione.

– Tua madre è morta – rispose Abisag. – Di febbri maligne. Poco dopo che tu te ne andasti.

– Mio padre?

– Tuo padre era vivo quando tornasti.

– Lo so. Ho avuto l'impressione che ci fosse anche lui a tirare pietre con gli altri. Sono gli uomini a sentirsi disonorati.

– Morì la notte stessa della tua lapidazione – dissi. – Di morte improvvisa.

A quelle parole il corpo di Abira s'irrigidì, gli occhi si fecero fissi e vitrei. Sono certa che dietro il suo sguardo opaco ci fossero visioni degli Inferi.

Abisag le appoggiò una mano sulla spalla quasi a richiamarla alla realtà: – Dicesti che la tua avventura, la tua fuga con il soldato, il passaggio del grande esercito dai Villaggi della Cintura, tutti quegli eventi furono generati dalla storia di due fratelli. Raccontaci quella storia, Abira.

Si riscosse con un brivido e si strinse il mantello attorno alle spalle:

– Un'altra volta – sospirò. – Un'altra volta.

## 3

Passarono diversi giorni prima che Abira si sentisse ancora di parlare con noi. Nel frattempo le avevamo trovato dei piccoli lavori da fare di nascosto perché potesse guadagnarsi da vivere. A lungo andare la sparizione di cibo dalle nostre case non sarebbe passata inosservata. In ogni caso tutte le volte che ci mandavano fuori con il gregge cercavamo di portare provviste in abbondanza per il pranzo in modo che ne restasse a sufficienza per lei.

L'aiutammo a riparare il capanno perché potesse passarvi l'autunno e l'inverno e andammo da lei ogni volta dopo aver attinto acqua al pozzo. Così apprendemmo ancora tante cose. Il suo innamorato dal nome molto complicato le disse di chiamarlo semplicemente Xeno e la tenne sempre con sé per tutta la durata della grande avventura. Fu lui a raccontarle la storia dei due fratelli che avrebbero cambiato la storia del nostro mondo. Altre notizie le ebbe da persone incontrate nel corso di quell'interminabile viaggio.

Da lei avemmo conferma di ciò che già avevamo udito in parte raccontare dai nostri genitori nelle lunghe notti d'inverno: che uno di quei due fratelli era un principe reale dell'Impero ed era lui che guidava l'armata in transito dai nostri villaggi quando Abira aveva incontrato il suo amore. Quella storia che era passata attraverso tante vite e tante bocche alla fine era divenuta patrimonio di quella donna fragile e spaurita che avevamo liberato da un cumulo di pietre e che sul finire dell'autunno cominciò a raccontarla a noi: tre ragazze di quindici anni che non avevano visto mai altro che i loro villaggi e non avrebbero visto altro per il resto della loro vita.

La Regina Madre Parisatis aveva avuto due figli: il più grande si chiamava Artaserse, il più giovane si chiamava Ciro come il fondatore della dinastia. Quando il Gran Re morì lasciò il trono al primogenito secondo l'uso. Ma la Regina Madre era dispiaciuta perché Ciro era il suo preferito: era più bello, più intelligente, più affascinante del fratello e somigliava a lei; aveva la stessa grazia flessuosa di lei quando era ragazza, di quando era andata sposa a un uomo che detestava. A quell'uomo somigliava il figlio maggiore, Artaserse. Per Ciro la Regina ottenne il governo di una provincia molto ricca, la Lidia, situata sulla sponda del mare occidentale, ma in cuor suo continuava a sperare che un giorno o l'altro si sarebbe presentata l'occasione per portarlo più in alto.

Le donne di potere sono capaci di azioni che una donna normale non oserebbe concepire.

Sapeva comunque dissimulare i suoi pensieri e i suoi progetti; era capace di usare tutta l'influenza di cui disponeva per conseguire gli scopi che si era prefissa. L'intrigo era il suo passatempo preferito dopo il gioco degli scacchi in cui era abilissima. Le cinture erano la sua passione.

Ne indossava una diversa ogni giorno, tessute e ricamate: di seta, di bisso, d'argento e d'oro, adorne di fibbie di straordinaria fattura, opera di artigiani d'Egitto e di Siria, di Anatolia e di Grecia. Si diceva che volesse solo l'argento della lontanissima Iberia per l'inimitabile colore lattiginoso e solo i lapislazuli della remota Battriana per il gran numero di pagliuzze d'oro che contenevano.

Ciro arrivò nella provincia di Lidia quando aveva solo ventidue anni, ma la sua innata sagacia e l'acuta intelligenza di cui disponeva gli fecero immediatamente capire quale comportamento tenere e come muoversi nel complicato scacchiere di quella regione dove le due più potenti città della Grecia, Atene e Sparta, si combattevano da quasi trent'anni senza che l'una potesse prevalere sull'altra.

Decise di aiutare gli Spartani per un solo motivo: erano i più formidabili guerrieri esistenti nel mondo conosciuto e un giorno li avrebbe voluti in campo a combattere per lui. Erano loro i guerrieri dai mantelli rossi e dagli elmi simili a maschere di bronzo dall'aspetto terrifico. Atene invece era la regina del mare e per sconfiggerla era necessario armare flotte poderose, riempirle di arcieri e frombolieri, di equipaggi esperti guidati dai migliori comandanti. Unite, quelle due città avevano sconfitto ottant'anni prima il Gran Re Serse al comando dell'armata più grande di tutti i tempi. Ora bisognava aizzarle l'una contro l'altra, spingerle a logorarsi in un conflitto estenuante finché non fosse venuto il momento di far pendere la bilancia a vantaggio di Sparta e legarla a sé nell'impresa che gli avrebbe dato ciò che desiderava più di ogni altra cosa al mondo: il trono!

Grazie al suo appoggio Sparta vinse la guerra, Atene dovette piegarsi a una pace umiliante. Migliaia di uomini, da una parte e dall'altra, si ritrovarono in una terra devastata, storditi, incapaci di rendersi conto della realtà e di intraprendere qualsiasi attività per guadagnarsi da vivere.

Così sono fatti gli uomini: per una ragione misteriosa sono presi a intervalli regolari di tempo da una frenesia sanguinaria, un'ebbrezza violenta a cui non riescono a resistere. Si ritrovano in vasti campi aperti schierati uno a fianco dell'altro e poi a un segnale, a uno squillo di tromba, caricano lo schieramento avversario dove sono riuniti altri uomini che non hanno fatto loro nulla di male e si lanciano all'attacco urlando con tutta la forza di cui sono capaci. Urlano per vincere la paura che li attanaglia. Nell'istante prima dell'attacco molti di loro tremano, sudano freddo, altri piangono in silenzio, altri ancora non riescono a trattenere l'orina che scorre tiepida lungo le gambe fino a bagnare il terreno.

In quel momento aspettano la morte, la Chera ammantata di nero che passa invisibile tra le file adocchiando dalle sue orbite vuote coloro che dovranno cadere subito, poi quelli che dovranno morire in seguito e infine quelli che moriranno qualche giorno dopo per le ferite subite. Sentono il suo sguardo su di loro e rabbrividiscono.

Quel momento è così insopportabile che se durasse di più li ucciderebbe. Nessun comandante lo prolunga più del minimo necessario: appena possibile scatena la mischia. Coprono il terreno che li separa dall'avversario correndo velocissimi e poi si abbattono contro i nemici come marosi contro le scogliere. La collisione è spaventosa. Nei primi istanti lo spargimento di sangue è tale che il terreno ne è completamente imbevuto. Il ferro affonda nella carne, le mazze fracassano i crani, le lance trapassano scudi e corazze spaccando il cuore, squarciando il petto o il ventre. Impossibile resistere a lungo a una simile bufera di furore.

L'orrenda carneficina si protrae di solito per un'ora o poco più, dopo di che uno dei due schieramenti cede e comincia ad arretrare. Spesso la ritirata diventa una fuga disordinata ed è allora che l'eccidio si trasforma in mattanza. I fuggiaschi vengono massacrati senza pietà finché bastano le energie ai vincitori. Al tramonto i rappresentanti dei due schieramenti si incontrano in campo neutro e negoziano una tregua, poi ognuno raccoglie i propri morti.

Ecco, questa è la follia degli uomini. Episodi come quello che ho descritto e a cui ho assistito tante volte nel corso della mia avventura si erano ripetuti all'infinito durante i trent'anni della guerra fra gli Ateniesi e gli Spartani falciando la migliore gioventù.

Per anni e anni i giovani delle due potenze contendenti e anche gli uomini più maturi avevano fatto una sola cosa, e solo quella i sopravvissuti sapevano fare: combattere. Fra loro c'era il giovane di cui mi ero innamorata mentre attingevo acqua al pozzo di Beth Qadà: Xeno.

Quando ci incontrammo lui aveva già percorso assieme all'esercito di Ciro oltre duecento parasanghe e a quel punto conosceva esattamente dove era diretto l'esercito e quale era l'obiettivo della spedizione. Eppure non era un soldato come avevo pensato vedendo le sue armi. Non all'inizio almeno.

La notte che fuggii con lui sapevo che la mia gente mi avrebbe ripudiata e maledetta. Avevo tradito la promessa di matrimonio fatta al mio fidanzato, rotto il patto fra le due famiglie, disonorato mio padre e mia madre, ma ero felice. Mentre correvamo a cavallo nella pianura illuminata dall'ultimo riverbero del tramonto e dalla luna nascente non pensavo che a lui che stringevo fra le braccia, a quanto sarebbe stata bella la mia vita accanto al giovane che mi aveva voluta con sé. E anche se fosse durato poco non mi sarei pentita.

L'intensità e la potenza dei sentimenti che avevo provato in quei giorni valeva anni di torpore e di monotonia. Non pensavo alle difficoltà né a che cosa avrei fatto se mi avesse lasciata, dove sarei andata, come sarei sopravvissuta. Pensavo solo al fatto che in quel momento stavo con lui, e null'altro aveva importanza. C'è chi ritiene che l'amore sia una specie di malattia che ti assale all'improvviso e forse è vero, ma dopo tutto questo tempo e tutto quello che ho passato penso che si tratti del sentimento più alto e più potente di cui è capace un essere umano. Penso anche che in virtù di questo sentimento una persona sia in grado di superare ostacoli talmente difficili da scoraggiare o spaventare chiunque non sia capace di provarlo.

Raggiungemmo l'esercito quando ormai era buio, tutti avevano finito di mangiare e si preparavano per la notte. Ogni cosa era nuova per me e difficile. Mi chiedevo come sarei riuscita a tenere legato a me un uomo con il quale non potevo nemmeno parlare, ma pensavo che avrei imparato la sua lingua il più presto possibile, avrei cucinato per lui e lavato i suoi panni, avrei custodito la sua tenda e non mi sarei lamentata né per la fatica né per la fame o la sete. Il fatto che avesse sentito il bisogno di imparare anche soltanto un paio di frasi nella mia lingua significava che gli stavo a cuore e che non voleva perdermi. Ma sapevo anche di essere bella, più bella di qualunque donna lui avesse mai incontrato prima. Anche se non era vero, il pensiero mi dava coraggio e sicurezza.

Xeno amava molto la bellezza. A volte mi guardava, a lungo. Mi chiedeva di atteggiare il mio corpo in un certo modo e mi osservava da diversi punti di vista muovendosi a sua volta intorno a me. Poi mi chiedeva di nuovo di atteggiarmi in un modo diverso. Di distendermi o di sedermi o di camminare davanti a lui o di sciogliermi i capelli. All'inizio con i gesti, poi man mano che imparavo la sua lingua, anche con le parole. Mi resi conto che quegli atteggiamenti e quelle posture che mi indicava corrispondevano a opere d'arte che lui aveva visto nella sua città e nella sua terra. Statue e dipinti, oggetti che io non avevo mai visto perché nei nostri villaggi non ne esistevano. Però tante volte avevo osservato i bambini creare figurine con il fango e farle seccare al sole. E anche noi ci costruivamo bambole che poi vestivamo con scampoli di stoffa. Le statue erano qualcosa di simile, ma molto più grandi, grandi come una persona vera o anche di più, fatte di pietra o di argilla o di metallo, ed erano un ornamento per le città e i santuari. Mi disse una volta che se lui fosse stato un artista, ossia uno di quegli uomini capaci di creare immagini, mi avrebbe voluto ritrarre come i personaggi delle antiche storie che si raccontavano nella sua patria.

Scoprii presto che non ero l'unica donna a seguire l'esercito: ce n'erano tante altre. Molte erano giovani schiave, la più parte di proprietà di impresari siriani e anatolici che le affittavano ai soldati. Alcune erano anche molto graziose, venivano nutrite a sufficienza, ben vestite e truccate per essere attraenti. Ma la loro vita non era facile. Non potevano mai esimersi dalle richieste dei clienti, nemmeno quando erano ammalate. L'unico vantaggio era che non andavano a piedi ma viaggiavano su carri coperti e non soffrivano la sete e la fame. Non era cosa di poco conto.

Ve n'erano anche altre che facevano lo stesso mestiere ma incontravano solo alcuni uomini oppure sempre lo stesso, personaggi importanti: comandanti dei reparti dell'esercito, nobili persiani, medi, siriaci e anche ufficiali dei guerrieri con i mantelli rossi. Quel tipo di uomini non ama bere nella tazza da cui bevono tutti.

I guerrieri con i mantelli rossi non si mescolavano agli altri. Si esprimevano in una lingua diversa, avevano le loro abitudini, i loro dèi, il loro cibo e parlavano poco. Nelle soste lucidavano gli scudi e le armature perché fossero sempre splendenti e si esercitavano a combattere. Sembrava non sapessero fare altro.

Xeno non era uno di loro. Lui veniva da Atene, la città sconfitta nella grande guerra di trent'anni, e, quando fui in grado di conversare nella sua lingua, seppi anche il motivo per cui seguiva la spedizione. Solo allora, soltanto quando parlai il greco di Atene, la sua storia diventò la mia, il caso e la sorte che mi avevano strappato al mio villaggio divennero parte di un destino molto più grande: il destino di migliaia di persone e di interi popoli. Xeno divenne il mio maestro oltre che il mio amante, colui che provvedeva a tutto: al mio cibo, al mio letto, alle mie vesti, in una parola alla mia vita. Per lui non ero solo una femmina: ero una persona a cui poter insegnare molte cose, ma da cui anche apprenderne molte altre.

Mi parlava di rado della sua città benché fosse evidente quanto ero curiosa di sapere. E quando insistetti perché mi spiegasse il motivo venne fuori una verità inaspettata.

Dopo che Atene era caduta nelle mani del nemico aveva dovuto accettare nella cittadella un presidio dei vincitori Spartani: i guerrieri dai mantelli rossi!

«Se hanno sconfitto la tua città, perché ora stai con loro?» gli chiesi.

«Quando un popolo è sconfitto» cominciò, «la gente si

divide, gli uni accusano gli altri di essere stati la causa del disastro perché la vittoria ha molti padri, la sconfitta è orfana. Questa divisione può diventare così acuta e profonda che le due fazioni arrivano a combattersi con le armi in pugno. Così accadde ad Atene. Io mi schierai dalla parte sbagliata, dalla parte di quelli che ebbero la peggio, e come altri dovetti prendere la via dell'esilio.»

Xeno era dunque fuggito dalla sua città, da Atene, come io ero fuggita da Beth Qadà.

Aveva vagato a lungo da un luogo all'altro senza avere il coraggio di lasciare la Grecia. Un giorno ricevette una lettera da un amico che gli diceva di raggiungerlo in una località sul mare perché doveva parlargli di una cosa importante: una grande occasione per ottenere gloria e ricchezze e per vivere una meravigliosa avventura. L'incontro avvenne una notte sul finire dell'inverno in un porticciolo di pescatori, periferico e non molto frequentato. L'amico, di nome Proxenos, lo aspettava in una casetta su un promontorio, sola e isolata.

Xeno arrivò poco prima della mezzanotte, a piedi, tenendo per le briglie il suo cavallo, e bussò alla porta. Non ottenne risposta. Allora legò l'animale, mise mano alla spada ed entrò. C'era solo una lucerna appoggiata su un tavolo e due sedili. Proxenos stava seduto di fronte a lui fuori dall'alone di luce e si fece riconoscere solo dalla voce.

«Sei entrato senza aver avuto una risposta. Rischioso.»

«Mi hai convocato in questo luogo» ribatté Xeno, «ho pensato che non ci fosse pericolo.»

«E hai fatto male. Il pericolo è dappertutto di questi tempi e tu sei un fuggiasco, forse un ricercato. Avrebbe potuto essere una trappola.»

«Infatti ho una spada in mano» rispose Xeno.

«Siediti. Ma non ho nulla da offrirti.»

«Non importa. Dimmi di che si tratta.»

«Prima di tutto sappi che quello che sto per dirti deve rimanere fra me e te.»

«Puoi starne certo.»

«Bene. In questo momento cinque comandanti in varie regioni di questo paese stanno arruolando gente disposta a menare le mani.»

«Non mi sembra una novità.»

«E invece lo è. La ragione ufficiale è che bisogna radunare un corpo di spedizione per mettere tranquilli certi barbari all'interno dell'Anatolia, che fanno razzie e saccheggi in Cappadocia.»

«E la ragione vera?»

«Ho l'impressione che non sia questa, ma di più non si sa.»

«Perché dovrebbe esserci un'altra ragione?»

«Perché la consegna è di arruolare dai dieci ai quindicimila uomini, tutti dal Peloponneso, il più possibile dalla Laconia; il meglio del meglio che c'è sulla piazza. Non ti sembra troppo per dare quattro legnate a dei montanari rubagalline?»

«È strano in effetti. C'è dell'altro?»

«L'ingaggio è generoso e sai chi paga?»

«Non ne ho idea.»

«Ciro di Persia. Il fratello dell'Imperatore Artaserse. Ci aspetta a Sardi in Lidia. E corre voce che anche lui stia arruolando truppe: cinquanta, c'è chi dice centomila uomini.»

«Sono parecchi.»

«Troppi per una missione del genere.»

«È quello che penso. Tu hai un'idea?»

«Penso che miri a un bersaglio più grosso. Un esercito del genere non può che avere un significato e uno scopo: conquistare un trono.»

Xeno rimase silenzioso dopo quelle parole, temendo egli stesso di avanzare ipotesi troppo audaci e troppo inquietanti. Alla fine disse: «E in tutto questo io che cosa c'entro?».

«Nulla. A meno che tu non abbia voglia di combattere. Ma in un viaggio del genere ci sono molte opportunità per uno come te. So che sei nei guai, che i tuoi concittadini ti cercano per processarti. Vieni con noi e sarai nella ristretta cerchia di quelli che possono parlare con Ciro. È giovane, ambizioso, intelligente, proprio come noi, sa riconoscere chi ha qualità e determinazione e sa anche dargli il valore che merita.»

«Ma se non mi arruolo in una unità combattente dovrò pur avere una qualche funzione, un motivo per cui mi trovo lì.»

«Sarai il mio consigliere personale e l'uomo che tiene relazione di quello che succede, un diario di viaggio, insomma. Pensaci: l'Oriente! Luoghi fantastici, città di sogno, belle donne, vino, profumi...»

Xeno rinfoderò la spada che aveva appoggiato sul tavolo e si alzò in piedi voltandogli le spalle: «E gli Spartani? Che ruolo hanno in questa faccenda?».

«Non ne sanno nulla. Il governo non lo sa o più probabilmente non ne vuole sapere. E questo non fa che confermarmi nei miei sospetti. Comunque non c'è un solo ufficiale regolare spartano in tutta la spedizione. È chiaro che non vogliono essere sospettati. Neppure lontanamente sospettati. E quindi si parla di cose grosse, altrimenti tutta questa prudenza non avrebbe senso.»

«Può essere. Ma sembra assurdo che questo avvenga senza che loro non possano controllarlo in nessun modo.»

«Un sistema l'avranno di sicuro trovato. Allora che cosa decidi?»

«Va bene» rispose Xeno. «Vengo.»

«Ottima risoluzione» commentò Proxenos. «Ti aspetto fra tre giorni al molo. Dopo la mezzanotte. Porta con te tutto quello che ti serve.»

Xeno non fu invitato a restare per la notte, il che significava che nemmeno Proxenos voleva dare occasione di essere visto con un fuoruscito, un fuggiasco ricercato. Questo particolare rafforzò ulteriormente Xeno nella sua decisione di partire. Una decisione amara, in ogni caso.

Per i Greci sembra non esserci vita al di fuori delle loro città, l'unico luogo in cui valga la pena di vivere. Solo gli Spartani hanno un re, anzi due, che regnano contemporaneamente. Tutti gli altri Greci non ne hanno. Il popolo si fa rappresentare da persone di qualunque condizione: può essere un gran signore, un ricco proprietario, ma anche qualcuno non particolarmente in vista, uno che fa un mestiere per vivere: il medico, l'armatore, il mercante, ma anche il carpentiere o il calzolaio. Xeno raccontò che uno dei loro più grandi condottieri, colui che aveva sconfitto sul mare la flotta del Gran Re Serse, era figlio di un bottegaio che vendeva legumi.

Così facendo si sentono più liberi. Ognuno può dire quello che vuole e anche parlare male o offendere quelli che governano la città. Questi ultimi poi, se non hanno operato bene, possono essere cacciati dal loro ufficio in qualunque momento e anche condannati a pagare danni se i cittadini subiscono perdite a causa della loro inettitudine. Ognuno crede che la propria città sia la migliore, la più bella, la più desiderabile, la più antica e illustre, e pensa quindi di avere diritto ai migliori terreni e alle coste più belle e assolate, a espandere il proprio territorio al di là dei monti e anche al di là del mare. Il risultato di queste convinzioni è che ci si fa la guerra in continuazione raggruppandosi gli uni contro gli altri: e una volta che una coalizione ha vinto si spacca al suo interno e quelli che erano alleati diventano nemici alleandosi a loro volta con quelli che avevano sconfitto.

All'inizio mi era difficile capire cosa rendesse queste città tanto più desiderabili dei nostri villaggi di Naim o di Beth Qadà, ma Xeno mi raccontò di luoghi chiamati "teatri" in cui la gente siede per ore o intere giornate a guardare altri uomini che agiscono come personaggi scomparsi da secoli, rappresentandone in modo fittizio le avventure e le vicissitudini con tale realismo da farle sembrare vere. E la gente si emoziona incredibilmente: piangono e ridono e si sdegnano e gridano per l'ira e per l'entusiasmo. Insomma è come se vivessero altre vite che altrimenti non avrebbero mai l'occasione di sperimentare. Ne possono vivere una diversa ogni giorno o anche di più. E questa è veramente una cosa meravigliosa. Quando mai un uomo che nasce in uno dei Villaggi della Cintura avrà l'opportunità di affrontare mostri, di combattere contro inganni e sortilegi, di innamorarsi di donne così belle da fare smarrire il senno e la ragione, di assumere cibi e bevande dai profumi sconosciuti e dagli effetti impensabili? Vivono tutti la stessa vita con la stessa gente e gli stessi odori e lo stesso cibo sempre. Sempre.

Guardando quelle azioni svolgersi davanti ai propri occhi chi assiste alla rappresentazione parteggia inevitabilmente per i buoni contro i cattivi, per gli oppressi contro gli oppressori, per coloro che hanno subito ingiustizia contro coloro che l'hanno inflitta e in questo modo diventano migliori di quello che non siano e si vergognano di compiere le azioni malvagie che hanno visto nel luogo che chiamano "teatro".

E non solo. In quelle città vivono dei sapienti che vanno per le strade e nelle piazze a insegnare ciò che hanno studiato o investigato: il senso della vita e della morte, del giusto e dell'ingiusto, che cosa sia bello e che cosa brutto, se gli dèi esistano e dove si trovino, se sia possibile un'esistenza senza gli dèi, se i morti siano proprio morti o se vivano da qualche altra parte dove noi non li vediamo.

Vi sono poi altri uomini che vengono chiamati "artisti" che dipingono sui muri o su tavole di legno scene meravigliose con splendidi colori e costruiscono altre immagini che hanno esattamente la forma e l'aspetto di dèi o di esseri umani o di animali: leoni, cavalli, cani, elefanti. Queste immagini vengono esposte nelle piazze, nei templi o anche nelle case dei privati per renderle più belle e piacevoli.

E poi vi sono i templi: le dimore degli dèi. Sono costruzioni grandiose, fatte di colonne di marmo dipinte, dorate, splendenti, che sorreggono travi scolpite con scene dei loro miti e della loro storia. E anche sulle facciate immagini meravigliose narrano la nascita della loro città o altri straordinari eventi. Nel tempio, all'interno c'è l'immagine della divinità che protegge la città: grande dieci volte la statura di un essere umano, d'avorio e d'oro, che brilla nella semioscurità colpita dal raggio di sole che scende dall'alto.

Pensando a tutto questo si può ben capire quanto sia duro e triste per un uomo abbandonare un luogo simile e la gente che l'abita, che parla la tua stessa lingua, che crede negli stessi dèi e ama le stesse cose che ami tu.

Xeno partì il terzo giorno dal molo del piccolo paese di mare. E assieme a lui altri cinquecento uomini, guerrieri armati di tutto punto giunti nel porto alla spicciolata, in gruppi di cinquanta, o cento, da varie direzioni. C'era una piccola flotta di imbarcazioni ad aspettarli, all'apparenza barche di pescatori.

Salparono di notte senza attendere l'alba che li sorprese quando erano già al largo e quando il profilo della loro terra era scomparso all'orizzonte.

Nessuno sapeva ancora chi li avrebbe comandati, chi li avrebbe condotti a vivere e ad affrontare la più grande avventura della loro vita. Un'avventura che li avrebbe portati a conoscere luoghi, città e popoli di cui nemmeno immaginavano l'esistenza.

Altri gruppi di guerrieri si erano trovati in località segrete, di nascosto, per poi concentrarsi nello stesso punto, di là dal mare, dove li aspettava un giovane principe posseduto dall'ambizione più grande che si possa provare: essere l'uomo più potente di tutta la terra.

Intanto, a Sparta, era stato preparato, addestrato e istruito colui che avrebbe comandato l'intero corpo di spedizione, colui che avrebbe obbedito agli ordini del principe e realizzato le sue ambizioni. In realtà avrebbe obbedito agli ordini della sua città, la città dei guerrieri dai mantelli rossi, ma nessuno, per nessuna ragione, avrebbe dovuto saperlo. Per i comuni mortali era uno dei tanti fuorusciti, sbandati e senza fissa dimora, ufficialmente ricercato per omicidio con una condanna a morte e una taglia che pendeva sul suo capo. Era un uomo duro e tagliente come il ferro che gli pendeva al fianco anche quando dormiva. Lo chiamavano Klearchos, ma è possibile che anche il nome fosse falso, come tutto il resto che si diceva a proposito di quei guerrieri che avevano venduto la spada e la vita per un sogno.

# 4

Klearchos era di media statura, sulla cinquantina. Aveva i capelli neri con qualche filo bianco sulle tempie e li teneva sempre molto curati. Quando non calzava l'elmo li raccoglieva sulla nuca con un laccio di cuoio. Era sempre armato; portava schinieri, corazza e spada da quando si alzava a quando si coricava: sembrava che quei bronzi fossero diventati parte del suo corpo. Parlava il minimo indispensabile e non ripeteva mai due volte un ordine. Ben pochi degli uomini che guidò lo avevano conosciuto prima.

Apparve dal nulla.

Una mattina all'inizio della primavera si presentò ai reparti schierati che si erano concentrati nella città di Sardi in Lidia e parlò salendo con un balzo su un muro di mattoni.

«Soldati!» cominciò. «Siete qui perché il principe Ciro ha bisogno di un esercito per combattere contro i barbari dell'interno. Ha voluto i migliori: per questo siete stati reclutati da ogni parte della Grecia. Non siamo agli ordini della nostra città o del nostro governo, ma di un principe straniero che ci ha ingaggiati. Combattiamo per denaro, non per altro: un'ottima ragione, anzi, vi dirò che non ne conosco di migliori.

Non pensate per questo di poter fare i vostri comodi. Chiunque trasgredirà un ordine o si renderà colpevole di insubordinazione o di codardia sarà messo a morte immediatamente e io eseguirò di persona la sentenza. Vi giuro che avrete presto più paura di me che del nemico. I vostri comandanti saranno ritenuti i primi responsabili di qualunque errore commesso nell'esecuzione dei miei ordini.

Nessuno può starvi alla pari per valore, resistenza e disciplina. Se vincerete sarete ricompensati con tale generosità che potrete lasciare questo mestiere e vivere bene per il resto della vita. Se sarete sconfitti di voi non rimarrà nulla. E d'altra parte nessuno vi rimpiangerà.»

Gli uomini ascoltavano quelle parole senza batter ciglio e quando ebbe finito di parlare non lasciarono il posto. Stettero immobili e in silenzio finché i loro ufficiali non ordinarono di sciogliere i ranghi.

Klearchos non aveva apparentemente alcun titolo per comandare quell'armata, ma tutti gli obbedivano. La sua faccia scavata, incorniciata da una corta barba nera, gli occhi nerissimi e penetranti, l'armatura splendente, il mantello nero che gli copriva le spalle componevano l'immagine stessa del comandante.

Anche lui era sproporzionato all'impresa: troppo duro, troppo autoritario, troppo drammatico nell'aspetto e nel portamento. In tutto e per tutto era il tipo di uomo concepito e forgiato per condurre a termine imprese impossibili, non certo per guidare una trascurabile azione di contrasto di qualche tribù turbolenta dell'interno.

Non si sapeva se avesse una famiglia e di sicuro non aveva amici. Non aveva nemmeno schiavi: solo due attendenti gli servivano il pasto che consumava sempre da solo sotto la tenda. Sembrava incapace di sentimenti o, se ne aveva, riusciva a dissimularli completamente, con l'unica eccezione della collera che a volte gli prendeva la mano.

Klearchos era una macchina più che un essere umano, una macchina concepita e costruita per uccidere. Xeno nel corso di questa avventura gli fu vicino qualche volta e lo vide in azioni di combattimento: colpiva e abbatteva i nemici con instancabile, bilanciata potenza, senza fallire, senza mostrare stanchezza. La vita che toglieva agli altri sembrava alimentare la sua. Non mostrava piacere nell'uccidere, solo la misurata soddisfazione di chi compie un lavoro con metodo e precisione. Tutto del suo aspetto incuteva timore, ma al momento del combattimento quella sua grinta impassibile, quella calma glaciale infondeva un senso di tranquillità e la sicurezza della vittoria. Ai suoi ordini aveva tutti i guerrieri dai mantelli rossi, i migliori in assoluto. Nessuno poteva provocarli senza pagarne le conseguenze.

Fra i comandanti di reparto Xeno conosceva personalmente Proxenos di Beozia che era un suo amico, quello che gli aveva proposto di seguirlo in Asia. Era un uomo attraente e ambizioso: sognava di conquistare grandi ricchezze, onori, fama, ma nel corso della lunga marcia che ci attendeva avrebbe dimostrato di non valere granché come comandante e il rapporto di Xeno con lui prese a deteriorarsi. Una cosa è incontrarsi nella piazza di una città passeggiando sotto i portici o sorseggiare una coppa di vino in un'osteria discutendo di politica o di cavalli o di cani o scambiarsi battute di spirito. Altra cosa affrontare marce estenuanti, patire la fame e la paura, competere per la sopravvivenza. Poche amicizie resistono a prove tanto dure. La loro s'indebolì presto e si trasformò in una fastidiosa indifferenza, se non addirittura in un'evidente antipatia.

Xeno conobbe anche gli altri comandanti delle grandi unità: uno in particolare lo affascinò dapprima e in seguito lo disgustò profondamente. Credo che lo odiasse e desiderasse la sua morte. Arrivò a tal punto di insofferenza da attribuirgli, io credo, colpe che non aveva e bassezze che forse non commise mai.

Quest'uomo si chiamava Menon di Tessaglia.

Anch'io lo conobbi quando seguii con Xeno l'avanzata dell'esercito e ne rimasi impressionata. Era di poco più attempato di lui, circa sui trent'anni, aveva capelli biondi e lisci che gli scendevano sulle spalle e spesso gli ombreggiavano il viso lasciando trasparire solo gli occhi grigio azzurri, quasi taglienti per l'intensità dello sguardo. Aveva un corpo asciutto e muscoloso e gli piaceva esibirlo: braccia possenti, mani affusolate più da musicista che da guerriero. Eppure quando quelle mani si serravano sull'impugnatura della spada o della lancia se ne poteva capire tutta la terribile potenza.

Era facile vederlo, la sera, aggirarsi per l'accampamento con la lancia in una mano e una coppa di vino nell'altra, lasciandosi ammirare sia dalle donne sia dagli uomini. Non portava nulla sul corpo: si gettava sulle spalle soltanto un corto mantello di tela leggera, aperto sul fianco destro, e al suo passaggio lasciava un sentore di profumi orientali. Quando invece cominciarono i combattimenti si trasformò in una specie di belva sanguinaria. Ma questo accadde molti mesi dopo che l'esercito si radunò a Sardi.

Più volte mi sono chiesta quale possa essere stato il motivo dell'odio di Xeno per Menon: so per certo che il giovane comandante tessalo non si scontrò mai apertamente con lui, non ci furono litigi né risse. Alla fine mi sono convinta di essere stata io, senza volerlo, la causa.

Una sera, mentre i soldati piantavano le tende per la notte, io andai ad attingere acqua a un ruscello portando sulla testa un'anfora, come quando andavo al pozzo di Beth Qadà. Menon apparve improvvisamente sulla riva a poca distanza e mentre io immergevo l'anfora nell'acqua lui si slacciò la fibbia del mantello restando nudo davanti a me per qualche istante. Non so se mi abbia osservata perché io chinai subito il capo ma sentii il suo sguardo su di me, in un certo modo. Appena ebbi riempito l'anfora feci per incamminarmi verso l'accampamento ma lui mi chiamò.

Udivo alle mie spalle lo sciacquio dell'acqua mentre entrava nel fiume e mi arrestai senza voltarmi. «Spogliati» disse, «fai un bagno con me.» Ebbi qualche istante di incertezza non perché desiderassi un'intimità di quel genere con lui, ma solo perché mi intimidiva il suo rango, la sua importanza, e volevo mostrare almeno di prestare orecchio a quello che diceva.

Penso che Xeno abbia assistito a quella scena senza che io me ne accorgessi nel momento in cui ero ferma ad ascoltare le parole di Menon e non c'erano altre persone con noi. Deve aver avuto qualche sospetto che l'inquietava. Non mi disse mai nulla perché era troppo orgoglioso per farlo, ma da molti piccoli particolari mi resi conto che c'era fra di noi una certa tensione.

Non molto lontano, in un accampamento separato, c'era il resto delle truppe di Ciro, la maggior parte: parecchie migliaia di asiatici dalla costa e dall'interno, fanti e cavalieri, una turba variopinta di gente raccogliticcia che parlava lingue diverse e obbediva ai propri capi tribali. A loro Ciro non dedicava la minima attenzione: s'incontrava soltanto con il loro comandante, un gigante irsuto di nome Arieo che portava sempre la stessa casacca di cuoio e i capelli lunghi fino alla vita legati in lunghe trecce.

Emanava un odore pesante e doveva esserne cosciente, perché quando conferiva con Ciro lo faceva sempre da una distanza opportuna.

Menon di Tessaglia lo frequentava recandosi non di rado nell'accampamento degli asiatici per motivi che non conosco, ma Xeno diceva sempre che fra i due c'era un rapporto fisico, che Menon era l'amante di Arieo. «Se la fa con un barbaro!» gridava. «Ma ci pensi?»

Non lo scandalizzava certo il fatto che potesse andare a letto con un uomo, ma che quell'uomo fosse un barbaro. «Anch'io lo sono» esclamai, «eppure ci vieni a letto con me e mi sembra anche che ti piaccia.»

«È una cosa diversa. Tu sei una donna.»

"Che incongruenza!" pensavo fra me. E non riuscivo a capire, ma poi con il tempo compresi. Per Xeno e per quelli come lui era del tutto normale che due uomini facessero l'amore fra di loro. Ma dovevano essere entrambi greci, farlo con un barbaro era degradante. Di questo accusava

Menon, di andare a letto con uno che puzzava, che non si lavava tutti i giorni, che non usava lo strigile e il rasoio. Per lui era una questione di civiltà. Ma credo che con quella insinuazione volesse farmi credere che Menon era la femmina di quell'essere irsuto che puzzava di caprone. Voleva distruggere la sua virilità ai miei occhi perché lo avvertiva come un rivale.

Non provavo attrazione per Menon – benché fosse il più bell'uomo che avessi mai visto in vita mia – perché ero talmente innamorata di Xeno che non vedevo nessun altro; però mi incuriosiva, mi affascinava: avrei voluto parlargli, fargli, forse, delle domande. Quel mondo di uomini preparati e costruiti soltanto per uccidere mi dava i brividi. Da un certo punto di vista erano simili fra di loro, quasi identici si potrebbe dire. Forse era per questo che alcuni facevano l'amore assieme. Pensai che il condividere la professione dell'orrore, il mestiere di infliggere la morte li rendesse speciali, così unici che non potevano tollerare nel loro letto qualcuno che rischiasse di vanificare il loro lavoro: una donna, per esempio, una donna capace di produrre vita anziché morte.

Ma forse erano solo mie fantasie, miei pensieri. Tutto era così strano, nuovo e diverso per me. Ed era solo l'inizio.

C'erano altri a comandare i grandi reparti di quell'esercito; uno di loro si chiamava Socrate di Achaia: era sui trentacinque anni, robusto, bruno di capelli e di barba e aveva folte sopracciglia. Lo vidi in linea ogni volta che Klearchos passava in rassegna le truppe. Stava sempre sul lato sinistro. Qualche volta pranzò nella nostra tenda e mi fu possibile captare qualche frase della sua conversazione con Xeno mentre portavo le vivande o toglievo le mense. Mi parve di capire che avesse una moglie della quale disse anche il nome e dei figli piccoli. Mentre parlava della sua famiglia il suo sguardo si faceva serio, sui suoi occhi scendeva la malinconia. Socrate aveva dei sentimenti dunque, degli affetti. Forse faceva quel mestiere perché non aveva scelta o forse perché aveva dovuto obbedire a qualcuno più potente di lui.

Aveva anche un amico, anche lui comandante di una delle grandi unità: Aghìas di Arcadia. Era facile vederli assieme. Avevano combattuto sugli stessi fronti, negli stessi teatri di guerra. Aghìas gli aveva salvato la vita una volta coprendolo con il suo scudo mentre era caduto con una freccia piantata in una coscia. Poi lo aveva trascinato al riparo sotto il grandinare dei dardi. Erano molto legati l'uno all'altro e lo si notava da come parlavano, da come scherzavano e si scambiavano le loro esperienze. Tutti e due speravano di concludere abbastanza presto e senza troppi danni la missione per cui erano stati ingaggiati e di tornare alle loro famiglie. Anche Aghìas aveva una sposa e dei figli: un maschio e una femmina, di cinque e sette anni, e li aveva affidati ai suoi genitori che coltivavano la terra.

Mi fece piacere vedere che anche i guerrieri più implacabili erano degli umani con sentimenti simili a quelli delle persone che avevo conosciuto nella mia vita. E mi accorsi in seguito che ve ne erano molti altri. Giovani che sotto la corazza e l'elmo nascondevano un cuore e un volto come tutti i ragazzi che avevo conosciuto nei miei villaggi, ragazzi che avevano paura di ciò che li aspettava e al tempo stesso tanta speranza di cambiare radicalmente la loro esistenza.

Per il resto Socrate e Aghìas erano persone semplici e abbastanza riservate. Con Xeno ebbero buoni rapporti, ma non di personale amicizia anche perché lui non era inquadrato nei ranghi, non dipendeva da nessuno e non aveva né responsabilità di comando né doveri di ubbidienza. Era lì perché non poteva essere altrove, perché la sua città non lo voleva.

«Ti manca?» gli chiesi una volta. «Ti manca la tua città?»

«No» mi rispose. Ma i suoi occhi dicevano il contrario.

Xeno assolveva al suo compito con scrupolo: ogni sera, quando si piantava il campo, accendeva la lucerna sotto la tenda e si metteva a scrivere, non molto a dire la verità, il tempo che serviva a me per preparare la cena e non di più. Una volta gli chiesi di leggermi quello che aveva scritto e rimasi delusa. Erano annotazioni scarne e sommarie: la distanza percorsa, il punto di partenza, il punto di arrivo, la presenza dell'acqua, la possibilità di rifornirsi di cibo, le città e poco altro.

«Ma abbiamo visto cose bellissime» gli dissi, e ricordavo i ruscelli, i colori delle montagne e dei prati, le nubi incendiate dai tramonti, i monumenti di antiche civiltà corrosi dal tempo, per non parlare di quello che doveva aver visto prima di incontrarmi attraversando l'Anatolia sterminata di cui avevo sentito raccontare da qualcuno del villaggio che c'era stato.

«Quelle sono per i miei ricordi. Quello che scrivo è da tramandare alla memoria di tutti.»

«E che differenza fa?»

«È semplice. La bellezza di un paesaggio, di un monumento, sono punti di vista di ciascuno di noi. Quello che per me è bello, a qualcun altro può essere indifferente. La distanza fra una città e l'altra è un dato valido e indiscutibile per tutti.»

Era tutto vero, ma a me sembrava triste. Non capivo che lo scopo del suo scrivere era particolare e non comprendeva le emozioni. Quel diario che lui scriveva avrebbe potuto essere utilizzato da qualcuno che in futuro avesse voluto ripercorrere quella strada. Ciò che mi colpiva era comunque lo scrivere. Ai miei villaggi nessuno sapeva scrivere. Le storie erano tramandate a voce e ognuno le raccontava a modo suo: ero sicura che il passaggio dell'esercito di Ciro e la mia fuga da Beth Qadà dovevano già essere materia di narrazione e che i vecchi del villaggio, specialmente alcuni di loro molto versati in quest'arte, dovevano raccontarla in molti modi diversi. Un fatto questo abituale in comunità tanto piccole dove non accade mai nulla e dove la naturale curiosità delle persone ha assai di rado di che trovare soddisfazione.

Lo osservavo di nascosto: come intingeva la penna nel vasetto dell'inchiostro, come la faceva scorrere rapida sul foglio bianco di papiro. Quei fogli erano preziosi, più costosi del cibo e del vino, più costosi del ferro e del bronzo: per questo Xeno scriveva di solito su una tavoletta di pietra bianca con un carboncino e solo quando era sicuro di ciò che voleva veramente fermare sul foglio prendeva la penna e ricopiava. Scriveva fitto e piccolo per occupare meno spazio e tracciava quei segni con straordinaria precisione, sì che le sequenze che formavano erano perfettamente dritte e allineate. Una volta che i segni erano fissati sul foglio potevano ridiventare parole in qualunque momento lui vi posasse lo sguardo. Era meraviglioso e lui si era accorto del mio interesse e del fascino che la scrittura esercitava su di me. Sapevo che nei templi degli dèi e nei palazzi dei re c'erano gli scribi, ma non avevo mai visto una persona qualsiasi esercitare quell'attività. Molti di quei guerrieri, per non dire la maggior parte, sapevano scrivere e molte volte li vidi tracciare i segni, anche sulla sabbia, o sulla corteccia degli alberi. La loro scrittura era semplice come l'alephbeth dei Fenici della costa: per questo era facile impararla e per questo un giorno mi feci coraggio e chiesi a Xeno se me la insegnava.

Sorrise: «Perché vuoi imparare a scrivere? A che ti serve?».

«Non lo so, ma mi piace pensare che le mie parole rimangano vive anche quando la mia voce sarà spenta.»

«È una buona ragione, ma non credo sia una buona idea.» E l'argomento fu chiuso così.

Ma l'arte di Xeno aveva su di me un tale fascino che mi misi comunque a tracciare segni sulla sabbia, sul legno, sulle rocce e fui consapevole che alcuni sarebbero stati cancellati dal vento, altri dall'acqua, altri ancora, invece, sarebbero durati per anni, forse per secoli.

Dopo che l'esercito era partito da Sardi aveva risalito il fiume Meandro, era giunto sull'altopiano e aveva fatto sosta in un luogo bellissimo dove c'era uno dei palazzi estivi di Ciro. Lì c'era una sorgente all'interno di una grotta dal cui soffitto pendeva una pelle, la pelle scuoiata di una creatura selvaggia. Xeno mi raccontò una storia che non avevo mai sentito prima.

In quella grotta viveva un satiro, un essere mezzo uomo e mezzo capro chiamato Marsya. Era una creatura dei boschi che proteggeva i pastori e le loro greggi e nei caldi meriggi d'estate si sedeva lungo il ruscello a suonare il flauto, un semplice strumento di canna. La melodia che ne traeva era sublime, più soave e profonda del canto dell'usignolo. Un canto che sapeva d'ombra e di muschio, suoni che ricordavano il gorgogliare delle fonti montane, un'armonia che si confondeva con il fruscio del vento tra le foglie dei pioppi. A tal punto si era innamorato della sua musica da ritenere che nessuno potesse stargli alla pari, nemmeno Apollo, che per i Greci è il dio della musica. Apollo l'udì e gli apparve d'improvviso in un pomeriggio di tarda primavera, splendente come la luce del sole.

«Mi hai sfidato?» chiese adirato.

Il satiro non si tirò indietro: «Non era questa la mia intenzione, ma sono orgoglioso della mia musica e non ho paura di cimentarmi con nessuno. Nemmeno con te, o Splendente».

«Sfidare un dio non è cosa che puoi fare senza grave rischio, perché se tu vincessi la tua gloria diverrebbe smisurata. La pena in caso di sconfitta dovrebbe essere adeguata.»

«E quale sarebbe?» chiese il satiro.

«Verresti scorticato vivo. E sarei io in persona a farlo.» E così dicendo mostrò un pugnale affilatissimo fatto di un metallo meraviglioso, accecante.

«Perdona, o Splendente» disse allora il satiro. «Come posso essere certo dell'imparzialità del giudizio? Tu non rischi nulla. Io rischio la vita e una fine atroce.»

«A giudicare saranno le nove Muse, le divinità supreme dell'armonia, della musica, della danza, della poesia, di tutte le manifestazioni più alte degli uomini e degli dèi: le uniche che possono congiungere il mondo dei mortali a quello degli immortali. Sono in numero dispari, così il verdetto non potrà essere di parità.»

Marsya era così affascinato dal pensiero di gareggiare con un dio che non pensò ad altro e accettò i termini della sfida. O forse il dio, geloso della sua arte, gli tolse il senno.

La gara ebbe luogo il giorno dopo, sul fare della sera, sulla vetta del monte Argeo ancora bianca di neve.

Cominciò per primo Marsya. Accostò le labbra al suo flauto di canna e vi soffiò la più soave e la più intensa delle melodie. Il gorgheggio degli uccelli si fermò, perfino il vento si placò e una profonda calma scese sui boschi e sui prati. Le creature della foresta ascoltavano rapite il canto del satiro, la musica incantevole che interpretava tutte le loro voci, tutti i suoni e i fruscii della selva, il suono argentino delle cascate e lo stillicidio delle grotte, il trillo delle allodole e il lamento dell'assiolo, la sinfonia della pioggia d'aprile sulle foglie e sui rami. L'eco rifletteva quel suono, lo rimodulava e lo moltiplicava sulle balze e sulle forre della grande montagna solitaria e la madre terra ne vibrava fino alle più nascoste profondità.

Il flauto di Marsya emise un ultimo squillante acuto che si attenuò in una nota più fonda e scura, poi un tremolo che si spense in un attonito silenzio.

Fu quindi la volta di Apollo. La sua immagine si poteva appena distinguere nel fiammeggiante fulgore dell'aura che lo circondava, ma la cetra si manifestò d'un tratto nella sua mano, le dita si posarono sulle corde, il suono divampò.

Marsya conosceva il suono della cetra e sapeva che il suo flauto aveva più colori e più toni, più picchi e più profondità, ma lo strumento del dio aveva tutto ciò in una singola corda e molto di più. Udì sprigionarsi dalle sue dita il fragore del mare e lo schianto dei tuoni con una potenza che fece tremare l'Argeo fino alle radici, sollevò dalle chiome degli alberi stormi di uccelli in un fitto crepitare d'ali. E subito, allo spegnersi di quel rombo, un'altra corda vibrò e poi un'altra e un'altra ancora e le loro vibrazioni si mescolarono e si accavallarono in una rincorsa anelante, si unirono in un coro di mirabile nitore, di maestosa potenza. Gli squilli si rincorrevano e si fondevano con una velocità sempre più incalzante con spruzzi iridescenti d'argento percosso, con cupi echi di corni, con luminose impennate di acuti che si distendevano in solenni vastità sonore.

Lo stesso Marsya ne restò ammaliato, i suoi occhi si riempirono di lacrime, il suo sguardo d'incantata meraviglia. E fu questa la sua condanna. Nulla, della sua musica, era trapelato dallo sguardo impassibile del dio, tutto invece si riversava negli scuri occhi del satiro. Le Muse non ebbero dubbi nell'assegnare la vittoria ad Apollo. Tutte, tranne una, la bella Tersicore, signora della danza. Commossa dalla sorte della creatura dei boschi non si unì al voto delle compagne sfidando l'ira del dio luminoso. Ma il suo gesto non evitò la punizione crudele di chi aveva osato una sfida sacrilega.

Due geni alati apparvero d'un tratto a fianco del dio e misero le mani su Marsya legandolo al ramo di un grande albero, poi gli bloccarono i piedi perché non sfuggisse. Implorò pietà, invano. Il dio lo scuoiò, vivo e urlante, con sereno distacco, gli strappò dalle membra la pelle umana e ferina e lo lasciò sfigurato e sanguinante alle fiere del bosco.

Non si sa come la sua pelle fosse finita a pendere, secca, nella grotta sopra le sorgenti del ruscello che prende il suo nome o se quella non fosse piuttosto una falsa reliquia messa assieme con arte dalla pelle di un uomo e dalla pelle di un capro. Ma la storia è comunque terribile, straziante, e non ha che un significato possibile: gli dèi sono gelosi della loro perfezione, della loro bellezza e della loro infinita potenza. Il pensiero che qualunque altro essere possa anche solo avvicinarsi a loro li adombra e li spinge a spaventose vendette perché le distanze restino, comunque e per sempre, invalicabili. Ma se le cose veramente stessero così vorrebbe dire che ci temono, che la scintilla dell'intelligenza nata dalla nostra materia effimera e deperibile li spaventa, li induce a pensare che un giorno, forse molto lontano, potremmo diventare come loro.

Sull'altopiano le storie fiorivano altrettanto rigogliose dei papaveri che macchiavano di rosso i prati e le pendici dei colli e molte di esse riguardavano il re Mida, il re dei Frigi che aveva chiesto al dio Dioniso di trasformare in oro ciò che toccava e rischiò così di morire di fame. Il dio gli tolse quel dono esiziale, ma gli fece crescere due orecchie d'asino per ricordargli la sua stoltezza, una deformità che il re nascondeva sotto un ampio berretto e che solo il suo barbiere conosceva, ma non poteva raccontare a nessuno, pena la morte. Il segreto era talmente grande e intollerabile che il pover'uomo doveva assolutamente confidarlo e non potendo dirlo a nessuno, ben sapendo che di bocca in bocca sarebbe presto giunto alle orecchie asinine del re, lo confidò alla terra. Scavò una buca sulle rive del fiume, mormorò all'interno «Mida ha le orecchie d'asino» e la ricoprì allontanandosi guardingo. Ma su quella buca crebbero delle canne che a ogni soffiare di vento mormoravano quella frase all'infinito: «Mida ha le orecchie d'asino...».

Più avanti, alle soglie della Cappadocia, l'esercito si fermò nei pressi di una fonte per approvvigionarsi d'acqua e anche lì si raccontava una storia del re Mida. C'era un sileno che seguiva Dioniso ed era dotato di straordinaria saggezza, ma era quasi impossibile costringerlo a insegnare i suoi segreti se non attirandolo con il vino di cui era un bevitore insaziabile. Mida allora mescolò vino all'acqua della fonte, il sileno bevve tanto che si ubriacò e Mida riuscì a legarlo e a tenerlo con sé abbastanza da farsi raccontare i suoi segreti.

Evidentemente l'esercito in questo periodo era molto tranquillo. Nessuno si preoccupava, i nemici non si vedevano, lo stipendio veniva pagato con regolarità. C'era dunque il tempo di occuparsi di favole. Ma oltre centomila uomini non si muovono senza essere notati. Ben presto si sarebbero manifestati eventi preoccupanti, segnali che l'avanzare dell'armata aveva destato una potenza tremenda e corrucciata. Il Gran Re, a Susa, sicuramente sapeva.

## 5

Mi sono chiesta quante storie abitino i villaggi del mondo, storie di re e di regine, di umili popolani, di creature misteriose dei boschi e dei fiumi. Ogni grumo di case o di capanne ha la sua, ma solo alcune possono crescere e diffondersi ed essere conosciute. Xeno me ne raccontò molte della sua terra nelle sere in cui restavamo a lungo sdraiati uno accanto all'altra dopo aver fatto l'amore. Mi raccontò di una guerra durata dieci anni contro una città dell'Asia chiamata Ilio e poi la storia di un piccolo re delle isole occidentali che si faceva chiamare "Nessuno", che aveva viaggiato per tutti i mari, aveva sconfitto mostri, giganti, ammaliatrici ed era sceso anche nel mondo dei morti. Alla fine era tornato nella sua isola e aveva trovato la casa piena di pretendenti che divoravano le sue ricchezze e insidiavano sua moglie. Li aveva uccisi tutti tranne uno: il poeta.

Aveva fatto bene a risparmiarlo: i poeti non dovrebbero mai morire perché ci regalano quello che altrimenti non potremmo mai avere. Essi vedono molto oltre il nostro orizzonte, come se abitassero sulla cima di una montagna altissima, odono suoni e voci che noi non udiamo, vivono molte vite contemporaneamente, e soffrono e gioiscono come se queste vite fossero reali e concrete. Vivono l'amore, il dolore, la speranza con un'intensità sconosciuta anche agli dèi. Sono sempre stata convinta che siano una stirpe a sé stante: ci sono gli dèi, ci sono gli umani. E ci sono i poeti. Essi nascono quando il cielo e la terra sono in pace fra loro o quando scocca la folgore nel cuore della notte e colpisce la culla di un bambino senza ucciderlo, sfiorandolo soltanto con una carezza di fuoco.

Mi piaceva la storia di quel re vagabondo e ogni sera me ne facevo raccontare una parte. Io mi immedesimavo nel personaggio della sua sposa, la regina che aveva un nome lungo e impronunciabile. Aveva aspettato il marito vent'anni non per servile devozione, ma perché non poteva accontentarsi di niente di meno dell'eroe dalla mente multiforme.

«Provate a curvare quest'arco, se siete capaci, e io sceglierò quello che ci riesce» aveva detto. E poi si gettava fra le braccia del suo sposo finalmente tornato perché lui sapeva il segreto che solo loro due conoscevano: il letto nuziale incastrato fra i rami di un olivo. Che meraviglia quel letto fra le braccia dell'olivo come un nido di passeri. Solo lui poteva aver avuto un simile pensiero. Quanto dovevano essere stati felici in quel letto, giovani principi di una terra serena, a pensare il futuro del loro bambino appena nato. E pensavo agli orrori della guerra che era seguita.

Ero certa che anche a noi sarebbe accaduta la stessa cosa. Era solo questione di tempo.

Le prime avvisaglie si erano avute quando Xeno e io non ci eravamo ancora incontrati, quando l'esercito attraversava l'immenso altopiano. Si stava diffondendo un certo malumore fra le truppe, sia fra i Greci che fra gli asiatici. Xeno riuscì a comprenderne il motivo: mancavano i soldi; Ciro non pagava gli uomini da qualche tempo. Era una cosa molto strana. Ciro era ricchissimo: come mai non aveva abbastanza denaro per sostenere i costi di una spedizione contro una tribù indigena? Xeno ne intuiva il motivo, ma i soldati no e nemmeno la maggior parte degli ufficiali. Qualcuno però cominciava a sospettare qualcosa e a diffondere nell'accampamento voci che creavano inquietudine e tensione. Per fortuna si verificò un evento che, almeno per qualche tempo, riportò il sereno.

Un giorno i soldati si erano fermati al centro di una grande spianata circondata da boschetti di pioppi e di salici e verso sera si era presentato al campo un grande corteo di armigeri, che scortava un carro coperto da veli fluttuanti. All'interno c'era una donna di incredibile bellezza. Una regina. La regina di Cilicia, la terra che confina con la mia, ma molto più bella e rigogliosa, affacciata sul mare spumeggiante, ricca di olivi e di viti. Suo marito, sovrano di quella terra bellissima, doveva essere preoccupato. Era sottomesso al Gran Re anche se in teoria indipendente e il suo regno si trovava sulla direttrice di marcia del principe Ciro, di cui si poteva ormai indovinare l'obiettivo. Se resisteva Ciro lo avrebbe travolto. Se non resisteva il Gran Re avrebbe potuto chiedergli conto di non averlo fermato, e non era uomo con cui si potesse discutere. Probabilmente pensò di dover affrontare un problema per volta e quello di Ciro era il più vicino e impellente. L'unica vera arma che aveva a disposizione era la bellezza di sua moglie, un'arma invincibile, più forte di qualunque esercito. Bastava mandare dei soldi e infilarla nel letto del principe e tutto si sarebbe risolto. Denaro e belle donne smuovono anche le montagne e le due cose assieme fanno crollare qualunque baluardo.

Ciro era giovane, bello, audace e potente. Lei lo era altrettanto ed era disposta ad accontentarlo in tutto. Gli portò una grossa somma da parte del marito con cui poté pagare gli stipendi ai soldati e portò se stessa al principe. Per qualche giorno sembrò che il mondo si fosse fermato. L'esercito era accampato, le tende solidamente piantate. Il padiglione reale era stato adornato con le stoffe più fini e i tappeti più preziosi, con vasche di bronzo per il bagno della bella. Si diceva che lui assistesse mentre lei si spogliava e s'immergeva nell'acqua calda e profumata e la guardasse mentre si faceva lavare e massaggiare da due ancelle egiziane vestite soltanto di un minuscolo perizoma. Lui stava seduto su uno sgabello rivestito di porpora e accarezzava un ghepardo accucciato ai suoi piedi. Le forme sinuose della belva dovevano ricordargli quelle della regina che stendeva mollemente le sue membra nella vasca di bronzo.

Il terzo giorno volle mostrarle uno spettacolo eccitante, lo spiegamento della sua potenza: il suo gioiello militare.

Domandò a Klearchos di schierare tutti i guerrieri con i mantelli rossi coperti delle loro armature splendenti con al braccio i grandi scudi rotondi. Dovevano marciare a passo cadenzato al suono dei tamburi e dei flauti davanti al principe e alla sua bellissima ospite, ritti sui loro carri da parata. E così avvenne. La regina era felice, eccitata come una bambina che assiste a uno spettacolo di giocolieri di strada.

A un tratto uno squillo di tromba, acuto, prolungato. I guerrieri rossi rallentarono il passo, eseguirono una lunga, perfetta conversione a destra, poi, a un secondo squillo, caricarono a lance basse verso l'accampamento delle truppe asiatiche di Arieo. L'attacco era talmente realistico che quelli si diedero alla fuga in tutte le direzioni, spaventati a morte. Quando un terzo squillo li richiamò, i guerrieri di Klearchos se ne tornarono indietro ridendo e facendosi beffe dei soldati di Arieo che non avevano certo dato gran prova di resistenza né di coraggio.

Stranamente Ciro fu contento di quel comportamento perché gli confermava quale effetto dirompente avesse sugli asiatici una carica di fanteria pesante dei mantelli rossi.

La regina lasciò il campo dopo una settimana e dopo aver ottenuto da Ciro che suo marito non avrebbe subito nessun danno e nessuna vessazione. In cambio il re non avrebbe opposto resistenza al valico detto delle "Porte Cilicie". Si trattava di un passaggio tanto stretto che non potevano transitare contemporaneamente due cavalli bardati. In effetti chi avesse disposto in quel luogo poche truppe scelte e ben addestrate avrebbe potuto impedire a chiunque di attraversarlo, fosse stato il più potente esercito della terra, ma sembrava che il re di Cilicia non avesse nessuna voglia di ingaggiare un conflitto e preferisse lasciar passare Ciro invece di fermarlo. Si trattava di fidarsi della sua parola: chi teneva "Le Porte" aveva comunque il coltello dalla parte del manico. Era questione di pochi giorni e le cose sarebbero state chiare per tutti. "Le Porte" distavano alcune giornate di cammino.

La regina ripartì colma di doni preziosi e forse Ciro le diede un appuntamento segreto in Cilicia. Una bellissima donna e per di più una regina non può essere considerata come l'oggetto di un fugace rapporto di due o tre notti.

Qualche giorno dopo l'esercito passò vicino al monte Argeo dove si diceva che Marsya fosse stato scuoiato vivo da Apollo. Una montagna solitaria, altissima, che incombeva come un gigante su tutto l'altopiano. Molte altre leggende circolavano su quella montagna. Si diceva che nelle sue viscere fosse incatenato un titano e che di tanto in tanto scuotesse le sue catene e spirasse fiamme dalla bocca. Dalla sommità del monte erompevano allora fiumi di fuoco, nubi incandescenti, e l'intera regione risuonava di boati spaventosi. Per la maggior parte del tempo però l'Argeo se ne stava tranquillo, perennemente incappucciato di candida neve.

Trascorsero ancora una quindicina di giorni senza che accadesse nulla degno di nota finché si giunse in una città chiamata Tyana. Di fronte si profilava imponente la catena del Tauro. Là su quei picchi nevosi finiva l'Anatolia: oltre cominciava la Cilicia. Mentre l'esercito si apprestava a salire verso il valico, Ciro fece imprigionare il governatore persiano della città e lo fece mettere a morte. Un altro personaggio il cui nome fu tenuto segreto venne arrestato allo stesso modo e passato per le armi. Nessuno dei due aveva fatto nulla che potesse meritare una simile punizione.

Xeno non conosceva il persiano e c'era un solo interprete a tenere i contatti fra gli ufficiali greci e Ciro. E la ragione era evidente: non si potevano diffondere colloqui riservati a troppe persone, e in questo caso troppe persone significava più di una.

Allo stesso modo a conferire con Ciro era il solo Klearchos. Gli altri ufficiali superiori: Menon, Aghìas, Socrate, Proxenos erano ogni tanto invitati ai banchetti e qualche volta anche alle riunioni del consiglio di guerra, ma in quest'ultimo caso Ciro parlava personalmente con l'interprete e questi riferiva personalmente a Klearchos sottovoce. Klearchos poi trasmetteva gli ordini ai suoi ufficiali, probabilmente secondo quanto riteneva opportuno.

Chiunque si fosse avvicinato all'unico interprete avrebbe sollevato sospetti e attirato su di sé l'attenzione di personaggi poco raccomandabili. Xeno non poteva fare nulla se non raccogliere voci difficili da controllare. Era però verosimile che Ciro volesse nascondere il più possibile la sua presenza in quell'area, segno evidente che non avrebbe dovuto trovarsi lì per nessuna ragione. Alla spedizione contro i montanari che minacciavano la Cappadocia non credeva più nessuno.

Anzi Xeno era anche convinto che la marcia di un esercito così grande fosse ormai nota nelle capitali: a Susa, forse, e a Sparta. Di questo saremmo venuti a conoscenza più tardi e in effetti Xeno seppe, in seguito, che stava succedendo in Grecia qualcosa di importante che avrebbe influito sulla sorte di tutti noi.

Qualcuno a Sparta aveva a suo tempo preso una decisione che avrebbe potuto cambiare gli equilibri del nostro mondo, ma a quel punto non sapeva come controllare gli eventi che aveva messo in moto. Lo strumento era l'armata mercenaria che stava ora attraversando l'Anatolia, ma come gestire la situazione? Come restare fuori dal gioco ed esserne dentro allo stesso tempo?

Era notte inoltrata a Sparta quando i due re vennero svegliati uno dopo l'altro nelle loro case da un portaordini: dovevano recarsi al più presto nella sala del consiglio dove i cinque efori, gli uomini che governavano la città, erano già riuniti in seduta.

Probabilmente si discusse a lungo, si cercò di stabilire, con l'aiuto di informatori, dove si trovasse l'esercito in quel momento e dove fosse possibile intercettarne l'itinerario al confine fra la Cilicia e la Siria.

Appariva ormai evidente che l'obiettivo di Ciro era quello che tutti immaginavano benché ufficialmente nessuno ne sapesse nulla: un attacco al cuore dell'Impero per rovesciare Artaserse.

«Contro il suo stesso fratello» concluse qualcuno. «Difficile immaginare una diversa possibilità.»

Per qualche istante nella sala del consiglio calò un silenzio greve, poi i due re si scambiarono qualche frase sottovoce e anche gli efori fra di loro.

Alla fine parlò il più anziano degli efori: «Quando abbiamo preso la decisione di soddisfare la richiesta di Ciro abbiamo considerato tutto con cura e prudenza e riteniamo di aver fatto la scelta migliore secondo l'interesse della città.

Potevamo dire di no, ma Ciro avrebbe potuto farsi aiutare da qualcun altro: dagli Ateniesi, per esempio, o dai Tebani, o dai Macedoni. Meglio non perdere questa occasione: se Ciro sta veramente marciando contro suo fratello, ci sarà debitore del trono se dovesse vincere e il nostro potere in questa parte del mondo non avrà limiti. Se perderà, l'esercito andrà distrutto, i superstiti passati per le armi o venduti come schiavi in luoghi lontani: nessuno potrà accusarci di aver mai tramato contro il Gran Re o di aver sostenuto l'azione di un usurpatore, perché nessuno degli uomini arruolati conosce il motivo per cui si sono radunati a Sardi agli ordini di Ciro, a parte uno che non parlerà mai. E non c'è fra loro un solo ufficiale regolare spartano».

Qualcuno, forse i re, dovette pensare a come erano cambiati i tempi in tre generazioni. Allora Leonida e i suoi avevano combattuto alle Porte Ardenti in trecento contro trecentomila, gli Ateniesi sul mare con cento navi contro cinquecento, e poi tutte le città di Grecia, insieme, in campo aperto. Fianco a fianco avevano sconfitto l'Impero più grande, ricco e potente del mondo e salvato la libertà di tutti i Greci. Ora la penisola era una distesa di rovine e di devastazioni. La migliore gioventù era stata falciata da trent'anni di guerre intestine. Sparta aveva l'egemonia su un cimitero, su città e nazioni che erano l'ombra di se stesse, e per mantenere questa larva di potere continuava a mendicare il denaro dei barbari, i nemici di un tempo. E questa spedizione costituiva un punto di non ritorno. Si arrivava al limite di lanciare in una impresa quasi sicuramente disperata un corpo scelto di oltre diecimila straordinari combattenti, con buone probabilità che venissero tutti sterminati. Ma che città era mai quella su cui regnavano? E che razza di uomini erano quei cinque bastardi chiamati efori che avevano la responsabilità di governo?

Forse questo avrebbero voluto gridare, loro che erano i discendenti degli eroi di un tempo, ma si limitarono a un discorso più realistico: poteva succedere qualcosa di imprevisto, verificarsi una terza eventualità per cui la situazione avrebbe potuto andare fuori controllo. Era una eventualità da prevedere.

Il capo degli efori ammise che l'osservazione era giusta e infatti era già stata presa in considerazione. Per questo un ufficiale regolare, uno dei migliori in assoluto, avrebbe raggiunto l'esercito con consegne precise che non furono rivelate. Si trattava di una missione segreta che doveva rimanere tale a ogni costo. Solo quando tutto fosse stato risolto, i re ne sarebbero stati informati.

L'uomo scelto per una missione così delicata che esigeva coraggio ma anche intelligenza e soprattutto una fedeltà assoluta alle consegne, sarebbe partito l'indomani, con una nave da Gythion. La sua identità sarebbe stata resa nota ai re sei giorni dopo la sua partenza.

La seduta venne tolta subito dopo e i due re rientrarono alle loro case, preoccupati e inquieti, nel pieno della notte.

Poche ore dopo l'inviato di Sparta fu svegliato da un ilota e accompagnato al suo cavallo già pronto e sellato. L'uomo gli balzò in groppa, fissò la sua sacca ai finimenti e spronò. Il sole sorgeva dal mare quando arrivò in vista delle prime case di Gythion. Una triera della marina da guerra aspettava all'ancora con uno stendardo azzurro issato a poppa: il segnale che era atteso.

L'uomo salì a bordo su una passerella, tenendo il cavallo per le briglie.

L'esercito lasciò i suoi acquartieramenti di Tyana all'alba, ma prima di muovere Ciro aveva chiesto a Klearchos di mandare un distaccamento dei suoi per un altro valico da cui potevano giungere alle spalle di Tarso, la città più grande della regione, capitale del regno di Cilicia. Se i Cilici avessero opposto resistenza al suo ingresso il distaccamento avrebbe attaccato da occidente e tutto si sarebbe risolto.

Klearchos scelse Menon di Tessaglia e lo inviò con il suo battaglione verso un valico del Tauro che lo avrebbe portato nella pianura a ovest di Tarso, mentre il grosso dell'esercito avrebbe affrontato le strettoie delle Porte Cilicie arrivando sulla capitale da nord.

Menon partì per primo quando era ancora buio seguendo una guida indigena mentre Ciro si mosse all'alba diretto a un punto di sosta ai piedi delle montagne. Dal momento in cui la strada cominciava a salire non c'era alcuna possibilità di accamparsi fin dopo il valico, non solo per un esercito così grande ma anche per una semplice carovana. Era quindi necessario dividere il tragitto in due tappe. Dopo essersi accampato alla base della catena del Tauro, Ciro riprese la marcia all'alba per essere alle Porte prima del tramonto. La strada era poco più che una tortuosa mulattiera spesso a precipizio su una valle.

Se il re di Cilicia avesse voluto opporre resistenza li avrebbe tenuti in scacco senza difficoltà per giorni e giorni, forse anche per mesi.

C'era molta tensione tra le file dell'esercito: i soldati continuavano a guardare in alto, verso i picchi rocciosi che li sovrastavano. Per di più la strada, abitualmente trafficata per il transito di tutte le carovane che dalla Mesopotamia salivano verso l'Anatolia e il mare e di quelle che la percorrevano in senso inverso, era deserta: né un asino né un cammello, solo qualche contadino passava con la gerla in spalla diretto alla sua fattoria. Altri si fermavano ai bordi della strada a guardare il passaggio della lunghissima colonna. Sicuramente si era diffusa la voce che qualcosa di pericoloso poteva accadere lungo quella strada e nessuno si era mosso, né lo avrebbe fatto finché tutto non fosse finito.

Prima di avventurarsi sul valico che era tagliato nella viva roccia e permetteva il passaggio di un solo animale da soma per volta, il principe inviò degli esploratori in ricognizione: quelli tornarono a riferire che lassù non c'era nessuno e che dall'altra parte avevano notato un accampamento deserto. Forse c'era stato un progetto di resistenza che poi era stato abbandonato. In quell'accampamento si fermò lo stesso Ciro con i suoi uomini ma per tutta la notte la colonna continuò a salire: quando l'ultimo fu arrivato in cima era già ora di ripartire.

Intanto Menon stava attraversando con il suo battaglione l'altro valico più a occidente. Andava assai spedito e senza troppo preoccuparsi anche perché la guida gli aveva detto che da quella parte era tutto tranquillo.

Il passo si trovava allo spartiacque fra due torrenti: uno andava verso l'altopiano anatolico, l'altro scendeva verso il mare. La prima parte dell'itinerario saliva con una pendenza abbastanza costante e moderata, il paesaggio era aperto e si poteva dominare agevolmente con lo sguardo, ma quando, superata la sella, Menon si affacciò all'altro versante vide che la valle dell'altro torrente era molto scavata: una gola aspra e accidentata che si snodava fra pareti alte e scoscese. Da quella parte infatti la pendenza era maggiore e la velocità dell'acqua più forte.

All'inizio sembrò andar tutto bene poi, man mano che il battaglione si addentrava nella gola, cominciarono a manifestarsi segni preoccupanti: prima uno stormo di corvi si alzò d'improvviso da una macchia di vegetazione, poi si udì il rumore di un sasso che rotolava a valle. Menon fece appena in tempo a gridare: «Attenti! Copritevi! C'è qualcuno lassù!» che piovve dall'alto un nugolo di frecce. Tre dei suoi uomini caddero trafitti. Poi seguirono altri lanci, fittissimi e senza tregua, che continuarono a colpire nel mucchio.

Menon gridò: «Gli scudi in alto! Copritevi! Via di qui! Via, via!».

I suoi uomini alzarono gli scudi sulla testa per ripararsi dalla grandine di dardi e contemporaneamente si misero a correre, ma il pendio era ripidissimo e la gola stretta. Molti inciampavano e cadevano, chi stava dietro premeva su chi era davanti creando intralcio gli uni agli altri. Seminavano, avanzando, il loro cammino di morti e di feriti. Per un momento sembrò che la pioggia letale fosse cessata ma era solo la calma che preannunciava una nuova tempesta. Subito dopo si udì un gran fragore e valanghe di pietre e di grossi ciottoli precipitarono a valle mietendo altre vittime. Quando finalmente poterono fermarsi in uno slargo fuori dal tiro dei nemici, Menon contò i suoi uomini. Settanta mancavano all'appello, massacrati dai dardi e dalle pietre.

«Non possiamo tornare indietro e recuperare i loro corpi» disse. «Altri di noi cadrebbero. Ma possiamo vendicarli.» E mentre pronunciava quelle parole i suoi occhi azzurri si fecero di ghiaccio.

# 6

Piombarono su Tarso inattesi.

Erano poco più di mille ma sembravano centomila; erano quasi dovunque e subito dopo, ancora, altrove: colpivano, incendiavano, massacravano.

Ciò che più terrorizzava era il silenzio. Non gridavano, non imprecavano, non inveivano. Uccidevano senza mai fermarsi.

Entravano, uscivano. E dietro restava solo morte.

Sembravano tutti uguali, con la maschera spettrale dell'elmo a celata, dentro le corazze di bronzo e con gli scudi neri orlati d'argento: erano gli uomini di Menon di Tessaglia che vendicavano i loro compagni caduti e rimasti insepolti.

Quando ebbero finito, la città era ai loro piedi, sanguinante e sfigurata. Il re era fuggito sulle montagne.

Klearchos arrivò la sera dopo ed entrò per le porte aperte e incustodite. Avanzò seguito dai suoi uomini lungo la via principale sbigottito alla vista del gran numero di cadaveri che giacevano qua e là davanti alle porte delle case, o sulle soglie, o dentro. Era passata la Chera di morte brandendo la falce che non risparmia nessuno.

Si aspettava di incontrarla avvolta nel suo mantello nero: trovò Menon di Tessaglia seduto in mezzo alla piazza vuota, coperto solo del suo mantello bianco.

«Arrivi tardi» disse.

Klearchos si guardò intorno, attonito. Sembrava fosse giunto in una città morta. Non un lume, non una voce. L'ultimo bagliore del tramonto tingeva tutto di rosso.

«Che cosa è successo?» domandò.

«Ho perso settanta dei miei» rispose come se parlasse d'altro. Klearchos allargò le braccia ruotando su se stesso a indicare la devastazione presente ovunque intorno a loro: «E tutto questo? Che cosa significa tutto questo?».

«Significa che chi uccide gli uomini di Menon di Tessaglia paga un prezzo alto.»

«Io non ti ho dato ordine di prendere d'assalto la città.»

«Non mi hai nemmeno ordinato di non farlo.»

«Dovrei punirti per insubordinazione. Tu devi fare solo quello che io ti comando e niente di più.»

«Punirmi, dici. A me non sembra una buona idea.» E mentre parlava si alzò in piedi e piantò i suoi occhi azzurri in quelli di Klearchos.

«Conduci fuori i tuoi uomini e accampati lungo il fiume. Restaci fino a che lo dico io.»

Menon si alzò e attraversò la piazza. Nel silenzio che gravava sulla città ferita si udì per pochi istanti il pianto di un bambino, poi restò solo il rumore del suo passo, dilatato a dismisura dalla piazza deserta, come il passo di un gigante.

Ciro arrivò per ultimo sul far della notte e alla vista del massacro di Tarso andò su tutte le furie, ma appena gli dissero che quel disastro era stato compiuto solo dal battaglione di Menon cambiò di umore: se una sola unità era stata capace di tanto che cosa non avrebbe fatto l'intero contingente quando fosse venuto il momento di scatenarlo? Ricevette poi un messaggio dalla regina che lo invitava a un incontro privato e questo contribuì a migliorare ulteriormente il suo stato d'animo. L'incontro avvenne in una villa non lontano dal mare dove Ciro si recò accompagnato da una numerosa scorta.

Non si è mai saputo cosa si siano detti in quell'incontro benché anche all'interno Ciro fosse accompagnato dalle sue guardie del corpo personali. Si sa solo che lei era incredibilmente bella, che indossava un abito leggero e quasi trasparente alla maniera ionia, era truccata all'egiziana e portava al collo una perla nera dell'India incastonata fra i seni e due orecchini di meravigliosa fattura acquistati da un mercante della lontana Taranto.

Non c'è dubbio che Ciro dovette avere il mattino dopo una ragione in più per trattare nel migliore dei modi il re Siennesis di Cilicia che era andato a rintanarsi come un coniglio fra le sue montagne.

Avvertito da un messaggero che non c'era più pericolo scese a valle e scambiò ogni tipo di convenevoli con il principe dell'Impero. L'onore per lui era evidentemente l'ultima cosa da salvare.

La notte dopo, una notte con il cielo coperto, una nave da guerra senza insegne né stendardi accostò fino quasi ad arenarsi sul basso fondale davanti alle foci del fiume Kydnos. L'equipaggio calò la passerella e ne scese un uomo tenendo per la briglia un cavallo. Appena l'animale toccò il fondo con le zampe, l'uomo gli balzò in groppa e lo spinse verso terra. In lontananza si vedevano i fuochi di un grande accampamento e l'uomo vi si diresse al passo, senza fare il minimo rumore.

La nave ritirò la passerella e, silenziosa come era venuta, riprese il largo per ricongiungersi alla squadra che attendeva all'ancora a luci spente.

Ciro si trattenne per qualche giorno e si adoperò affinché le ferite della città fossero in qualche modo curate ma ormai si era arrivati sul mare. A quel punto il problema non erano più i Cilici o gli abitanti di Tarso. Il problema erano i suoi mercenari "Iauna", come lui li chiamava: i Greci. Aveva tenuto il segreto per quanto era stato possibile: fra i soldati e fra gli ufficiali ce n'erano fin troppi che sapevano che cosa significava essere arrivati sul mare dalle Porte Cilicie. L'Anatolia era alle loro spalle e l'itinerario volgeva verso sud, e cioè verso il cuore dell'Impero. Si diffusero fra gli uomini le più strane dicerie e la più strana di tutte la diffuse Xeno in persona affrontando Proxenos di Beozia, il suo amico Proxenos. Non nell'intimità della sua tenda ma apertamente, mentre consumava la cena seduto in mezzo ai suoi uomini.

Apparve all'improvviso nell'alone di luce diffuso dal fuoco del bivacco e domandò a voce alta e senza nemmeno sedersi: «Hai idea di che cosa accadrà nei prossimi giorni?».

«Che domanda è questa?» rispose Proxenos.

«Ne hai idea?» ripeté.

«Non credo che la cosa mi riguardi.»

«Oh, sì, invece. Ti riguarda e come e riguarda voi tutti, uomini!»

«Chi si vede!» esclamò uno dei luogotenenti di Proxenos, un tanagrino di nome Eupito. «Lo scrittore! Come mai non sei nella tua tenda a lavorare di penna?»

Xeno non gli badò e continuò con il suo discorso: «Andiamo a cacciarci nella bocca del leone!».

Molti smisero di ridere, altri diedero di gomito a chi ancora stava scherzando, altri ancora si fecero piuttosto seri.

«Ehi, ma che accidente vai dicendo?» disse Proxenos alterato.

«Sto dicendo la verità ed è bene che ognuno di voi se ne renda conto: Ciro ci ha mentito e ci ha mentito anche il comandante Klearchos che certo è al corrente di tutto. La Pisidia non c'entra nulla con questa spedizione: ce la siamo lasciata alle spalle da un pezzo perché qui siamo nel golfo di Cilicia. Sapete che cosa c'è da quella parte?» gridò indicando alle sue spalle. «C'è l'Egitto. E sapete che cosa c'è al di là di quella catena montuosa? La Siria! E dopo la Siria, Babilonia.»

«E tu come fai a saperlo?» chiese uno dei soldati.

«Lo so perché lo so. E le cose stanno come vi ho detto. E noi ci stiamo dirigendo da quella parte, ne sono certo!»

«E chi te lo ha detto che andiamo da quella parte?» domandò un altro.

«Il cervello, idiota!»

«Bada a come parli!»

«Bada tu a come parli. Se non sai quello che dici stai zitto e ascolta chi ne sa più di te!»

Stavano per venire alle mani quando il tanagrino li fermò: «Basta! Io voglio sentire che cosa ha da dire lo scrittore. Parla dunque: sono tutt'orecchi».

Xeno si calmò e prese a dire: «È da un pezzo che mi sono reso conto che l'obiettivo di questa spedizione era un altro e che Ciro ci aveva mentito. Ma pensavo a una ipotesi plausibile: immaginavo che il Gran Re avesse chiesto il suo aiuto per un'impresa di conquista in Oriente; tuttavia, per quello che ne so, non corre buon sangue fra i due e quindi sarebbe strano che Artaserse chiedesse proprio a suo fratello di affiancarlo in un'impresa così difficile e impegnativa, di cui peraltro non si sa nulla. In un secondo momento ho pensato che Ciro volesse ritagliarsi un dominio personale, un regno tutto suo, che so, l'Egitto per esempio: facile da difendere, forse anche facile da conquistare se uno accetta le loro credenze. Ma poi ho pensato che la posta in gioco deve essere ben maggiore. Ciro è troppo ambizioso, intelligente, abile. Sa di essere migliore di suo fratello e non potrà mai sopportare di essergli sottomesso, di vivere nella sua ombra. Ciro vuole il trono di Persia. Ciro vuole condurci contro il Gran Re!».

«Sei pazzo!» disse Proxenos. «Non è possibile.»

«Allora dimmi che cosa ci facciamo qui in Cilicia. E perché Ciro ha messo a morte il governatore di Tyana e il comandante militare senza che fossero colpevoli di nulla. Lo ha fatto perché li sapeva fedeli a suo fratello. Forse gli hanno chiesto conto di quello che stava accadendo, forse gli hanno chiesto a cosa gli serviva un esercito così grande e dove si stava dirigendo. Probabilmente avevano messo al corrente il Gran Re di questa strana spedizione. Ecco perché sono morti!»

La disputa aveva richiamato altri soldati, molti si facevano largo a gomitate per capire meglio di che cosa si stava discutendo. Altri avevano cominciato a gridare al tradimento: «I comandanti devono spiegarci dove vogliono condurci! È un nostro diritto! Vogliamo sapere cosa sta succedendo. Non possono tenerci all'oscuro di tutto!».

La ressa aumentava, alcuni volevano recarsi alla tenda di Klearchos. In quel momento Xeno notò uno strano personaggio che non aveva mai visto prima passare a cavallo, al passo, dietro l'assembramento di soldati. Era armato e portava i capelli lunghi, raccolti in un concio dietro la nuca, fermati con una spilla, alla maniera spartana. Si dirigeva verso la tenda di Klearchos.

Xeno si rivolse agli uomini che stavano attorno al bivacco: «Lasciate in pace Klearchos» disse. «Ha visite.»

Gli uomini lo guardarono stupiti e per qualche tempo ci fu una certa calma, poi la voce che si marciava contro il Gran Re, il Signore dei quattro angoli del mondo, si diffuse dappertutto e con le dicerie si diffusero turbolenze di ogni tipo. Scoppiarono disordini e risse. I comandanti ebbero del bello e del buono per mantenere un minimo di ordine, ma i tumulti continuarono per tutta la notte. Alla fine del secondo giorno di disordini Klearchos cercò di mettere in movimento l'esercito come se niente fosse successo, ma gli uomini lo affrontarono a muso duro. Qualcuno addirittura lanciò delle pietre. Klearchos diede ordine di fermarsi per il momento dicendo che avrebbe convocato un'assemblea, poi si presentò alla tenda di Ciro.

«Principe» gli disse, «gli uomini vogliono sapere dove stiamo andando; sono infuriati perché si sentono ingannati, molti vogliono tornare indietro. È una situazione difficile.»

«È dunque questa la tanto decantata disciplina dei tuoi uomini? Comanda di tornare nei ranghi e di rimettersi agli ordini.»

«Non è possibile, principe» rispose Klearchos. «La disciplina per loro è tenere il posto di combattimento in battaglia ed eseguire gli ordini durante la campagna, ma sono dei mercenari e quindi tutto dipende dalle regole del loro ingaggio. Sono stati arruolati per una spedizione in Anatolia, non per...»

«Per che cosa?»

«Per un obiettivo differente: sanno benissimo di non essere in Anatolia. E ormai corre voce che si vada contro tuo fratello, contro il Gran Re.»

«La voce è giusta. Andiamo contro mio fratello. Non mi dire che non lo sapevi.»

«Questo è secondario: io ho disposizione di seguirti.»

«E allora convinci i tuoi uomini.»

«È difficile. Non posso garantire nulla.»

«Provaci. A questo punto non si può tornare indietro.»

«Ascolta, principe: queste sono cose che non posso imporre da un momento all'altro. Devo convocare un'assemblea.»

«Un'assemblea... in un esercito? Ma che senso ha?»

«Da noi usa così. È il solo modo che ho per convincerli, ammesso che ci riesca. Tu aspetta che io abbia cominciato a parlare e poi mandami uno dei tuoi uomini. Dovrà interrompermi e dire che tu vuoi vedermi immediatamente. Deve parlare ad alta voce in modo da farsi sentire almeno dai più vicini. Gli dirò io com'è la situazione e che cosa deve fare.»

Klearchos uscì, scuro in volto e raggiunse il suo alloggiamento. Appena entrato chiamò il suo aiutante di campo: «Fra poco convocherò l'esercito in assemblea. Tu ora raggiungerai alcuni dei miei uomini. Quando lascerò libertà di intervenire dovranno parlare, esattamente come ora ti spiegherò. Stammi bene a sentire perché tutto dipende da come andranno le cose nelle prossime ore».

«Ti ascolto, comandante» rispose l'aiutante.

Poco dopo uscì dalla tenda e si addentrò nell'accampamento in cerca degli uomini a cui doveva dare istruzioni su come intervenire nell'assemblea. Klearchos aspettò camminando su e giù, sperimentando sottovoce ciò che avrebbe dovuto dire. Appena l'aiutante di campo ebbe fatto ritorno fece suonare l'adunata.

Non sarebbe stata un'assemblea facile. I volti degli uomini erano accigliati, qua e là c'erano focolai di discussioni e alterchi. Molti, al suo passaggio, gridavano: «Ci hai ingannati! Vogliamo tornare indietro! Non ci siamo arruolati per questo!». Ma quando Klearchos salì sulla piccola tribuna apprestata per l'allocuzione alle truppe, si fece silenzio. Il comandante supremo si presentò a testa bassa, cupo. Sentiva su di sé gli sguardi di tutti. Anche quello di Xeno che doveva essere da qualche parte, defilato, tanto lui che cosa aveva da perdere? E sicuramente osservava per poi scrivere.

«Uomini!» esordì. «Questa mattina quando ho dato l'ordine di marciare vi siete rifiutati, avete disobbedito, mi avete persino lanciato delle pietre...»

Un mugugno corse tra le file dei guerrieri.

«Dunque non volete più proseguire. Questo significa che io non potrò mantenere la parola che ho dato al principe Ciro, cioè che lo avremmo seguito in questa sua spedizione.»

«Nessuno ci ha detto che avremmo dovuto seguirlo fino all'inferno!» gridò uno.

«Sono il comandante, ma anche un mercenario» proseguì Klearchos, «come voi, e quindi non posso esistere senza di voi. Dove siete voi devo essere anch'io. E inoltre sono greco. Ed è evidente che se devo scegliere se stare con i Greci o con i barbari non ho dubbi che starò con i Greci. Volete andarvene? Non volete più seguirmi? Va bene, sono con voi. Siete i miei uomini, per Zeus! Molti di voi hanno già combattuto con me in Tracia. A parecchi ho salvato la pelle, giusto? E almeno un paio di voi hanno salvato la mia. Non vi abbandonerò mai! Mi avete capito bene? Mai!»

Esplose un applauso fragoroso. Gli uomini erano fuori di sé dalla gioia. Si tornava a casa finalmente. Gli applausi non si erano ancora spenti che arrivò un messo da parte di Ciro: «Il principe vuole vederti immediatamente».

«Digli che non posso» rispose Klearchos sottovoce, «che

non si preoccupi, risolverò la situazione, ma digli di continuare a mandarmi dei messaggeri anche se io rifiuterò di venire.»

L'uomo lo guardò senza capire, ma assentì e si allontanò in fretta.

«Quell'uomo era un messo di Ciro, ma l'ho rimandato indietro!»

Esplose un altro applauso.

«Ora però dobbiamo vedere come tornare a casa. Purtroppo le cose non sono così semplici e soprattutto non dipendono solo da noi. Ciro ha un esercito di asiatici dieci volte più numeroso del nostro...»

«Non ci fanno paura!» gridò un altro.

«Lo so, ma possono farci molto male. Anche se vincessimo, tanti di noi morirebbero.»

Uno degli uomini di Klearchos, sparsi in mezzo all'assemblea prese allora la parola:

«Potremmo chiedergli di darci la flotta per tornare indietro.»

«Potremmo» rispose Klearchos, «ma io non lo farei.»

«Perché?»

«In primo luogo la flotta non è ancora arrivata e non è detto che arrivi subito. In secondo luogo è chiaro che da questo momento Ciro non ci darà più un soldo. Con che cosa paghiamo il passaggio? Possiamo immaginare che la flotta, scaricati i viveri e l'equipaggiamento, torni indietro vuota e quindi potrebbe darci un passaggio, ma scordatevi che lo faccia per niente. Come credete che si senta Ciro nei nostri confronti dopo che abbiamo mandato a monte i suoi progetti? Io lo conosco bene. È uno che se vuole, se ti sei acquistato dei meriti, può essere generoso, ma se gli hai fatto un dispetto ti massacra. Non dimentichiamo che ha soldati, mezzi, navi da guerra. E noi siamo soli.»

Un brusio di sconcerto passò tra le file.

«E se anche accettasse, chi mi dice che alla fine non ci abbandonerebbero in mare o non ci farebbero affondare per non lasciare tracce di questa spedizione?»

Si fece avanti un altro: «Allora chiediamogli una guida che ci riporti indietro via terra. Intanto potremmo mandare delle avanguardie a occupare i passi sulle montagne per non farci incastrare sulla via del ritorno».

«Tu ti fideresti? Io no!» esclamò Klearchos. «Una guida potrebbe condurci in un'imboscata o su una falsa pista e poi sparire. Dove finiremmo? Come troveremmo la strada di casa in mezzo a gente che non ci capisce? Quanto al resto, non ci penso nemmeno. Volete imbarcarvi in un'avventura del genere? Benissimo. Ma non chiedete a me di guidarvi, di guidare i miei uomini incontro a morte sicura.

Quello che posso garantirvi è che sono pronto a morire con voi, a condividere la vostra stessa sorte. Se volete, eleggete un altro comandante e io gli obbedirò.»

Non era un grande sollievo. Aveva fatto la sua mossa: ora toccava a loro dichiarare che cosa avessero escogitato per togliersi d'impaccio. Formidabili in battaglia, resistenti a qualunque difficoltà e privazione, erano facile preda dello scoramento quando capivano di non avere prospettive.

Il brusio diventò di nuovo silenzio. Gli uomini si rendevano conto di non avere scelta, che in quella condizione erano esposti a qualunque ricatto. Klearchos aveva peggiorato il quadro della situazione con un espediente oratorio e senza darlo a vedere passava con lo sguardo sull'assemblea per rendersi conto dell'effetto che le sue parole avevano provocato. E mentre volgeva lo sguardo intorno notò sul fondo quel personaggio con cui aveva già conferito che passava lentamente a cavallo, in apparenza disinteressato a ciò che stava succedendo. Adesso portava l'elmo a celata che gli copriva il volto, un mantello rosso sulle spalle e un grande scudo appeso ai finimenti del cavallo. Mostrava tutti i caratteri di un uomo di rango.

Arrivò al momento giusto il messaggero di Ciro che bisbigliò qualcosa all'orecchio di Klearchos e sparì.

«Ciro vuole sapere che cosa vogliamo fare. Non abbiamo più tempo. Che cosa devo rispondere?»

Si fece avanti l'ultimo fra gli uomini che Klearchos aveva già istruito per manipolare l'assemblea: «Sentite» disse, «mi sembra chiaro che da soli non abbiamo probabilità di cavarcela e sfidare Ciro è l'ultima delle possibilità da prendere in considerazione. Io direi di mandargli un messaggio con una richiesta chiara: se pensa di poterci convincere si faccia avanti e valuteremo la sua proposta. Se invece non ci metteremo d'accordo gli chiederemo di trovare comunque un'intesa per potercene andare ciascuno per la propria strada senza pericoli, né problemi, senza doverci guardare le spalle. Che ve ne pare?».

«Giusto, bene! Facciamo così!» risposero tutti.

«Benissimo» riprese quello. «Che il comandante Klearchos vada da Ciro a trattare e a sentire che cosa ha da proporci.»

Investito di una missione ufficiale da uno degli uomini che aveva egli stesso istruito, Klearchos si presentò da Ciro.

«Che si può fare?» domandò il principe quando lo ebbe ascoltato.

«Secondo me, se gli riveli l'obiettivo della spedizione non ti seguiranno. Ricordati che per un greco allontanarsi tanto dal mare è inconcepibile. È preso come da un senso di vertigine, si sente mancare il respiro. Un greco nelle vene ha sangue misto ad acqua di mare, credimi. Ora il mare ce l'hanno davanti. Sanno che in un modo o nell'altro potrebbero tornare a casa, ma affondare per tante migliaia di stadi nel corpo di un enorme impero li spaventa. Schiera di fronte a loro un nemico dieci volte più numeroso e non batteranno ciglio: mettigli davanti una distesa sterminata senza città e senza strade e saranno presi dal panico come bambini nel buio.»

Ciro non disse nulla e per qualche tempo misurò camminando avanti e indietro lo spazio della sua tenda mentre Klearchos restava immobile con lo sguardo fisso davanti a sé. Alla fine Ciro si fermò e disse: «Credo di avere la soluzione giusta: dirai loro che c'è un uomo che mi ha tradito, il governatore Abrocoma accampato sull'Eufrate a dodici tappe da qui. Di' che quello è l'obiettivo della spedizione, di' che aumento loro lo stipendio della metà esatta di quello che prendono e che avranno un premio se riusciremo a sbaragliare Abrocoma. Poi potranno andare dove vogliono».

«Questo posso farlo» ribatté Klearchos, «ma poi?»

«Poi non avranno scelta. Dovranno seguirmi per forza fino al compimento della missione. Li radunerò, parlerò loro, li convincerò, ne sono certo.»

«Questo è possibile» rispose Klearchos, «ma prima di andare permettimi di ricordarti una cosa importante. I miei uomini sono soldati straordinari, i migliori senza dubbio che tu potessi arruolare, ma ricorda: sono mercenari. Combattono per i soldi.»

«Lo so bene» rispose Ciro. E Klearchos si avviò all'uscita.

«Aspetta» disse Ciro. «So che l'ultimo contingente è sbarcato ora a poca distanza da qui. Pensi che anche loro ci seguiranno?»

«Uno è venuto da me ieri sera a salutarmi e mi è parso di averlo visto passare a cavallo intorno al campo poco fa. Se è chi penso non credo che avremo problemi.»

Ciro accennò con il capo e Klearchos tornò a riferire all'assemblea.

I soldati si lasciarono convincere anche perché non avevano in realtà altra scelta, ma molti di loro continuarono a pensare che si andasse contro il Gran Re e mugugnavano a bassa voce.

Alcuni avevano notato che lo sconosciuto apparso a cavallo nel campo si era messo in una posizione da cui poteva dominare tutta la scena e da cui avrebbe potuto contare uno per uno quelli che eventualmente si fossero dissociati. Non ve ne fu bisogno: nessuno si staccò dalla massa dei guerrieri che ora erano pronti a marciare per dodici tappe fino alle sponde dell'Eufrate. Nessuno aveva mai visto quel fiume che si diceva fosse non meno importante del Nilo. Altri avevano osservato che il personaggio si era avvicinato a Klearchos e gli aveva sussurrato qualche cosa. Parole a cui il comandante aveva risposto con un cenno affermativo del capo.

Ma chi era il nuovo arrivato? Quel giorno e quella notte non pochi lo notarono e non pochi si posero la stessa domanda. Xeno fu il primo ad avvicinarglisi mentre in disparte si era acceso un fuoco e abbrustoliva del pane sulla punta del pugnale. Si era tolto l'elmo e mostrava una chioma di capelli neri e occhi chiari.

«Chi sei?» gli chiese.

Rispose dichiarando il suo nome. Un nome per me impronunciabile tanto era complicato e che io, per comodità, ho chiamato e continuerò a chiamare per il resto del mio racconto, Sophos.

«Una buona lama» aggiunse senza molto sbilanciarsi. «E se ho capito bene le parole del vostro comandante, sono capitato nel punto giusto.»

«Come mai conosci Klearchos?»

«Sei un osservatore attento» rispose Sophos. «Sai bene che chi ha tenuto in mano una spada negli ultimi dieci anni è crepato o, se è vivo, ha conosciuto quasi tutti gli altri addetti al mestiere dalla stessa parte o in campi avversi. Per quanto mi riguarda ho combattuto con Klearchos in Tracia per qualche mese. E tu?»

«Io ho combattuto dalla parte sbagliata quando i fuorusciti democratici sono tornati a prendere il controllo del governo ad Atene. Mi chiamo Xenophon.»

«Di che unità fai parte?»

«Nessuna. Sto con il comandante Proxenos di Beozia. Scrivo il diario di questa spedizione.»

«Uomo di penna o uomo di spada?»

«Di penna, per il momento. Con la spada le cose non mi sono andate molto bene. Ma se si rendesse necessario ho con me quello che mi serve.»

«Mi stupirei del contrario. E scriverai anche di me?»

«Dovrei?»

«Dipende. Se crederai che io sia abbastanza importante. Allora dove si va?»

«A sud. Verso la Siria ma poi, secondo me, verso la Mesopotamia. Ciro in realtà va contro suo fratello, nessuno me lo toglie dalla testa. Quindi punterà su Babilonia e di là verso Susa.»

Lo straniero aggrottò le ciglia: «Come sai tutte queste cose?».

«Non le so. Le immagino. D'altra parte l'Eufrate è l'unica strada che porta a Babilonia.»

Sophos gli offrì un pezzo del suo pane abbrustolito.

«Per Zeus! Si va contro il Gran Re dei Persiani, dunque! Niente meno! Ah, bella avventura, non c'è dubbio... A proposito, la sai quella di quel tale che era stato catturato dai persiani ed era finito con un palo nel culo?»

«No, non la so.»

«Meglio per te» rispose Sophos, «è una di quelle che non fanno ridere.»

Poi si alzò, distese la sua coperta sotto un albero e si sdraiò per dormire. Xeno tornò alla sua tenda.

Il giorno dopo l'esercito si rimise in marcia. Sembrava tutto tranquillo. Molti reparti avevano caricato le armi sui carri e camminavano spediti senza pesi addosso. C'era un drappello di esploratori davanti, tre o quattro lungo i fianchi e un paio dietro. Per diverse ore si procedette lungo la riva del mare, un mare di un azzurro intenso che frangeva sui ciottoli della riva con larghe bordature di schiuma candida, con uno sciabordare sonoro e continuo che teneva compagnia. I soldati camminavano dentro l'acqua; qualcuno, con la lancia, riuscì persino a infilzare qualche pesce tanto il mare ne era pieno. Sembrava una passeggiata più che una spedizione militare. C'era chi schiamazzava, altri ridevano.

Ciro non diceva niente, sembrava soddisfatto di quello che vedeva.

Xeno notò che Sophos, il guerriero arrivato dal nulla, cavalcava da solo in coda alla colonna. A volte smontava da cavallo e camminava a lungo a piedi lungo la riva del mare tenendo il suo animale per le briglie. Una situazione che sembrava irreale. Benché fosse giunto con il nuovo contingente non si era aggregato a nessun reparto, non si era presentato a nessuno dei comandanti delle grandi unità. Sembrava che conoscesse soltanto Klearchos.

# 7

L'esercito continuò a marciare lungo la costa; attraversò un fiume e poi un altro di cui non ricordo il nome ma che furono accuratamente annotati da Xeno, finché giunse in un posto chiamato Isso: una piccola città con un porto naturale. Lì arrivò la flotta di Ciro. Xeno pensò che forse il luogo convenuto in un primo momento doveva essere stato Tarso e che poi Ciro, non vedendo arrivare le navi, fosse andato avanti per guadagnare tempo e aspettarle nel porto successivo.

La flotta, guidata da un ammiraglio egiziano, sbarcò circa settecento guerrieri che portarono il numero a tredicimila e trecento.

Non ho mai capito perché in seguito, quando diventarono famosi, tutti li abbiano chiamati "I Diecimila". Di fatto non furono mai diecimila, oppure nel momento in cui lo furono nessuno probabilmente lo notò con particolare attenzione. Forse perché è un bel numero che fa impressione. Dà l'idea di una massa consistente e compatta, un gruppo forte ma non grande, proporzionato, come tutte le cose dei Greci.

Di là l'esercito andò ancora avanti fino a uno sbarramento che chiudeva il passaggio fra i monti e il mare, chiamato "Le Porte Siriache". Era una fortezza imponente, una doppia muraglia che un esercito determinato a resistere avrebbe potuto tenere indefinitamente. Invece cadde senza colpo ferire. Il generale persiano che la presidiava preferì ritirarsi benché disponesse di un'armata possente e temibile.

Quando Xeno mi raccontò questa storia gli chiesi che senso avesse una simile mossa: se avesse tenuto la fortificazione, se avesse respinto l'esercito di Ciro, non si sarebbe guadagnato enormi meriti agli occhi del suo signore?

Xeno mi rispose che chi si assume una così grande responsabilità mette in gioco la sua fortuna e tutto il suo destino con una sola mossa. Se è sconfitto non gli resta che uccidersi perché la sua punizione sarebbe terribile. Unendo le forze a quelle del Gran Re dimostrava la sua fedeltà e il rischio ricadeva soltanto sulle spalle del Sovrano in persona. Forse era questo che il generale voleva fare: ricongiungersi al suo Re e sbarazzarsi di una responsabilità troppo pesante.

Si arrivò così a una bella città sulla costa, l'ultima prima di affrontare il valico sul monte Amano che separa la Cilicia dalla Siria. Da quel momento in poi i Greci avrebbero lasciato il mare e nessuno poteva dire quanto tempo sarebbe passato prima che potessero rivederlo.

Il mare.

Gli Egiziani lo chiamano "Il Grande Verde", un'espressione meravigliosamente poetica. Quando incontrai Xeno per la prima volta al pozzo di Beth Qadà non c'ero mai stata e non conoscevo nessuno fra gli abitanti dei cinque Villaggi di Parisatis che lo avesse visto. Solo qualcuno che lo aveva sentito descrivere da qualche mercante. Xeno me lo dipinse quando fui capace finalmente di comprendere la sua lingua: una liquida immensità, insonne, dalle mille voci, dagli infiniti riflessi, specchio del cielo e delle sue nubi galoppanti, tomba di tanti audaci navigatori che lo avevano sfidato andando alla ventura in cerca di una vita migliore, solcando la sua superficie ingannevole, inseguendo il suo orizzonte sfuggente. Il mare: dimora d'infinite creature squamose, di mostri enormi, capaci d'ingoiare una nave intera, tutti soggetti a una divinità misteriosa d'infinita potenza, che ne abitava gli abissi più profondi. Una divinità anch'essa liquida, verde, trasparente. Infida.

Mi disse che colui che vede il mare ne prova paura ma anche un'invincibile attrazione, l'ansia di conoscere cosa celi la sua sterminata vastità, quali isole e genti sconosciute abbraccino le sue onde, se abbia un inizio e una fine, se sia un golfo del grande fiume Oceano che circonda tutte le terre, oltre il quale nessuno sa che cosa ci sia.

La notte in cui ci si accampò presso il porto, due ufficiali del contingente greco disertarono e fuggirono su una nave. Forse avevano pensato che presto avrebbero superato il punto di non ritorno. Forse furono presi da un'angoscia incontenibile, dall'unico terrore che avrebbe potuto vincere quei soldati indomabili: il terrore dell'ignoto.

Ciro fece sapere a tutti che se avesse voluto avrebbe potuto lanciare all'inseguimento le sue navi più veloci o stanarli dal luogo dove sapeva che avrebbero cercato rifugio, o annientare le loro famiglie che teneva in ostaggio in una città della costa. Che se ne andassero pure: non voleva trattenere nessuno contro la sua volontà, ma certamente si sarebbe ricordato di coloro che gli erano stati fedeli. Una mossa abile: in questo modo i soldati sapevano che restava comunque loro una via d'uscita senza grave rischio se avessero deciso di abbandonare un'avventura che a ogni passo si profilava più rischiosa. Il pensiero era sempre lo stesso: non avevano nessuna considerazione del contingente di asiatici che marciava con loro e quindi facevano affidamento solo su se stessi. Allo stesso tempo l'idea che in realtà si stesse marciando contro il Gran Re li portava immancabilmente a pensare che in tredicimila sarebbero giunti a sfidare il più grande Impero della terra.

Abituata da quando ero nata alla piccola dimensione del mio villaggio, ai sentimenti modesti e contenuti della sua gente – le aspettative del raccolto, i timori della siccità o dei freddi tardivi, delle epidemie che decimavano le greggi, i matrimoni, le nascite e i funerali –, quando finalmente mi unii a Xeno e ai suoi compagni di viaggio fui attratta dalle sensazioni di quegli uomini costretti quasi ogni giorno a confrontarsi con la morte. Che cosa provavano veramente? Come sopportavano il pensiero che non avrebbero visto il sole del giorno successivo o che avrebbero dovuto affrontare una lunga agonia?

Dopo aver attraversato il monte Amano e distrutto un insediamento nemico, l'esercito raggiunse proprio i miei villaggi e fu allora che io incontrai Xeno al pozzo.

Da quel momento fui anch'io parte di quel modo di sentire, anch'io fui partecipe di sentimenti estremi, di angosce notturne e di improvvisi soprassalti. Il mondo dei soldati divenne anche il mio.

Quando Ciro si decise a scoprire il suo gioco, dato che tutti se lo aspettavano da tempo e si erano adattati all'idea, l'impatto di quella rivelazione non ebbe su di loro che un effetto limitato. Non fu difficile per il giovane e affascinante principe convincerli definitivamente. Garantì loro il pagamento immediato di un compenso equivalente al valore di cinque buoi, e in più immense ricchezze se avessero vinto.

Cinque buoi. Conoscevo bene quegli animali dai grandi occhi umidi e dal passo grave. Per quel valore gli uomini di Klearchos cedevano il loro diritto a vivere scambiandolo con la disponibilità a morire. Era il loro lavoro, il loro destino, l'unico valore che potevano scambiare e mettere sul piatto della bilancia.

In realtà non temevano la morte: l'avevano vista troppe volte, ci erano abituati. Temevano altre cose: le atroci sofferenze e le mostruose torture che avrebbero dovuto sopportare se fossero caduti vivi in mano al nemico, o la schiavitù perpetua, o le mutilazioni deturpanti o tutte queste cose assieme.

Come si salvavano dalla pazzia? Me lo sono chiesto tante volte. Come potevano guardare in sogno gli spettri sanguinanti dei loro caduti o di coloro che avevano massacrato, senza smarrire il senno?

Standο assieme. Gli uni accanto agli altri. In marcia, in

linea di combattimento, accanto al fuoco del bivacco. Certe notti li sentivo cantare. Un canto grave, a tratti simile a un lamento, un suono cupo e solenne, corale, che aumentava di volume man mano che altre voci si aggiungevano. Poi quel canto si arrestava d'un tratto per lasciare il silenzio da cui sarebbe sorta una voce solitaria, la voce limpida di uno solo di loro: quello che meglio di tutti, nel timbro e nella potenza, nel colore e nella vibrazione, sapeva interpretare la loro angoscia, il loro coraggio crudele e senza speranza, la loro malinconia stralunata e dolente.

A volte mi sembrò che la voce fosse quella di Menon di Tessaglia.

Menon, biondo e feroce.

I Villaggi della Cintura detti anche i Villaggi di Parisatis. Che incontro fu mai quello! Nei giorni e nei mesi seguenti più volte domandai a Xeno come aveva vissuto quel momento, cosa lo aveva colpito di me, che cosa pensava che avremmo fatto assieme, oltre l'amore. E ogni volta la storia che mi raccontava mi affascinava e mi sconvolgeva allo stesso tempo. Nemmeno lui aveva pensato, o riflettuto, o calcolato possibili conseguenze. Forse perché ero una donna barbara e avrebbe sempre potuto vendermi al primo mercato di schiavi quando si fosse stancato di me, o cedermi a un compagno, o invece – così mi piaceva pensare – perché la passione e il desiderio non gli avevano lasciato altra scelta. Ma era difficile farglielo ammettere.

Dovevo decifrare il suo sguardo, interpretare le sue carezze, dare un significato ai suoi piccoli doni.

Per me erano segni di amore, ma il modo di ragionare dei Greci in questa materia era complesso e difficile da capire. Nel loro paese sposavano una donna e di solito frequentavano il suo letto finché non partoriva un figlio maschio, poi non più. Per questo il fatto che facessimo l'amore così spesso mi sembrava un segno inequivocabile del suo attaccamento. E lo faceva in modo che non nascessero figli, e anche questo era giusto. Ciò che dovevamo affrontare era una prova tremenda, che avrebbe spezzato uomini di fortissima tempra. Anche questo, secondo me, Xeno lo faceva per amore.

Mi accadeva spesso di pensare al mio villaggio, alle mie amiche al pozzo, a mia madre, alle sue mani indurite dal lavoro incessante. Il cuore mi diceva che non l'avrei rivista più ma pensavo, forse per illudermi, che a volte il cuore può sbagliare.

Dai Villaggi di Parisatis cominciava la Siria, il mio paese, e per tutto il tempo in cui l'attraversammo i colori della terra assolata, il sapore del pane, il profumo dei fiori selvatici e delle erbe aromatiche mi fecero sentire a casa. Poi, con il passare del tempo e con il mutare del paesaggio capii che entravamo in un mondo diverso. Si cominciavano a vedere animali selvaggi: gazzelle e struzzi che ci guardavano incuriositi. I maschi degli struzzi avevano bellissime piume nere e sorvegliavano attentamente il gruppo di femmine che pasturava attorno. I Greci chiamano gli struzzi con una parola che significa "uccello-cammello". Non è priva di senso: il dorso ricurvo di quei pennuti fa pensare alla gobba di un cammello. I soldati non li avevano mai visti prima, a parte pochissimi che erano stati in Egitto, e marciavano additandoli gli uni agli altri o fermandosi a guardarli.

Non sapevo che Xeno fosse un cacciatore e invece quella era la sua grande passione. Appena vide gli struzzi balzò a cavallo con arco e frecce e cercò di portarsi a tiro di un grosso maschio. Ma quello si lanciò in una corsa così veloce che il cavallo di Xeno non solo non riuscì a guadagnare terreno, anzi, dopo un poco cominciò a rallentare fino a perdere contatto con la preda. Le guide asiatiche dissero che quell'animale apparentemente timido e innocuo poteva essere molto pericoloso e che un colpo dei suoi unghioni avrebbe potuto sfondare agevolmente il torace di un uomo.

Xeno non tornò dalla sua cavalcata a mani vuote: riportò un uovo di quegli uccelli grande almeno come dieci uova di gallina. Una volta un mercante della costa era arrivato al nostro villaggio con un poco di stoffe e di modesti ornamenti e aveva sciorinato in terra tutte le sue meraviglie per attirare l'attenzione degli abitanti. Aveva esposto anche un uovo di struzzo, dipinto con bellissimi colori, ma nessuno aveva nulla di così pregevole da scambiare con quell'oggetto inutile eppure tanto attraente.

L'uovo riportato da Xeno era stato deposto da poco e lo cuocemmo sul fuoco. Era buono, e con l'aggiunta di sale e di odori, accompagnato dal pane che avevo cotto sulle pietre, costituì una cena appetitosa. Xeno ne mandò una porzione in dono a Ciro e ne ricevette un gentile ringraziamento.

Il giorno dopo incontrammo un gruppetto di onagri, asini selvatici, e Xeno tentò di dare la caccia anche a quelli, ma di nuovo senza successo. Il suo magnifico destriero che lui chiamava Halys venne umiliato nella corsa da animali sgraziati e irsuti.

Ai compagni che lo stuzzicavano per il suo fallimento rispose che aveva già pensato a come fare per catturarne uno e che l'indomani avrebbe portato a termine la sua impresa. Gli servivano soltanto due o tre volontari a cavallo. Si fecero avanti in tre, due achei e un arcade, e Xeno si mise a istruirli. Tracciava dei segni nella polvere e piazzava delle pietruzze a una certa distanza l'una dall'altra.

Il giorno dopo compresi che cosa significavano quei sassolini: erano i punti successivi di appostamento dei tre cavalieri; uno cominciava l'inseguimento, poi quando il cavallo aveva esaurito le sue energie, subentrava il secondo e infine il terzo che sospingeva l'animale ormai stanco verso il punto in cui Xeno aspettava al riparo di un ciuffo di sicomori. Quando l'onagro arrivò Xeno spronò il suo destriero a tutta andatura e gli arrivò a tiro. Il primo lancio fallì perché l'asino scartò all'improvviso cambiando repentinamente direzione alla sua corsa e tornando indietro verso di noi. Il secondo andò a segno ma senza abbatterlo. Era però solo questione di tempo.

Esausto, ferito, l'animale rallentò la sua corsa fino a fermarsi: teneva la bocca aperta per respirare, la testa penzoloni. Le gambe cedettero un poco alla volta fino a piegarsi del tutto. L'animale adesso era in ginocchio ad attendere il colpo di grazia. Xeno afferrò un giavellotto, lo scagliò con forza fra le scapole e gli trapassò il cuore. L'onagro si rovesciò su un fianco scalciando con le zampe all'indietro per qualche istante, poi s'irrigidì nella morte. Era un maschio.

A una certa distanza il gruppo delle sue femmine osservava con aria distaccata non certo consona alla sventura che si era appena consumata e mentre Xeno, afferrato il suo pugnale, cominciava a scuoiare l'animale, quelle ripresero a pascolare, brucando qua e là fra le stoppie del grano selvatico.

Mi fece tristezza osservare quella scena e la vittoria dell'uomo, per astuzia, su quel generoso animale che correva come il vento flagellando l'aria con la coda ispida. Mi parve un'azione brutale cui avrei preferito non assistere.

Quel giorno Xeno divenne invece improvvisamente popolare fra i soldati avendo dato una pubblica lezione di tattica elementare della cavalleria e avendo fatto mostra di essere senz'altro un uomo d'azione. Quando poi, la sera stessa, imbandì le carni dell'asino ben arrostite a una numerosa cerchia di invitati fra cui lo stesso Klearchos, Socrate di Achaia e Aghìas di Arcadia con i loro aiutanti di campo e i loro ufficiali subalterni, la sua popolarità aumentò ulteriormente. Menon che non era stato invitato non si fece neppure vedere nelle vicinanze, mentre apparve, sul tardi, Sophos a gettare uno sguardo ai resti del banchetto ormai concluso.

«Che sapore ha?» domandò. E senza attendere la risposta si allontanò sparendo nel buio.

Xeno disse fra sé: «Per me sa di cervo». Era un modo per dire che sapeva di selvatico, ma con un maschio qual era l'animale abbattuto non c'era da aspettarsi niente altro.

Sophos continuava a essere abbastanza sfuggente e Xeno tentava invano di impegnarlo in varie conversazioni. Lo teneva d'occhio, soprattutto quando lo vedeva avvicinarsi a Klearchos, e a volte cercava di passare di lì come per caso, evidentemente per captare qualche brandello di conversazione, ma per quello che ne so non riuscì mai nel suo intento.

Durante la notte udimmo più volte i guaiti degli sciacalli che si contendevano la carcassa. All'alba riprendemmo il cammino e per la prima volta fui avvicinata da altre donne che forse volevano fare amicizia o conoscermi. Ma io non capivo quello che dicevano. Non ancora.

Le colline a settentrione si allontanavano sempre di più e cominciava a distinguersi il verde delle piante che bordavano l'Eufrate.

Il Grande Fiume.

Ci accampammo su alcune modeste alture prospicienti le sue rive e quella notte restai sveglia a lungo, seduta su un tronco di palma a contemplare le acque che luccicavano in basso sotto la luna. Se vedevo un ramo o un tronco portato dalla corrente cercavo di immaginare da dove venisse, quanta distanza avesse percorso prima di passare davanti ai miei occhi. Al mio villaggio pochi avevano visto l'Eufrate – che noi chiamiamo nella nostra lingua *Purattu* – e ne esageravano le dimensioni fino a descriverlo così largo che l'altra sponda si poteva vedere a malapena.

L'indomani con la luce del sole apparve anche la città che si trovava sul guado. Era l'unico punto in cui si poteva attraversare il fiume a quell'altezza e tutte le carovane vi si accalcavano per passare da una riva all'altra. C'erano anche dei traghetti, ma chi aveva grandi animali, cavalli, muli, asini, cammelli, passava a guado. La confusione era incredibile, i costumi, le lingue, i colori, le grida e i richiami, le risse anche, le discussioni creavano un rumore diffuso e dissonante. Erano uomini che avevano percorso montagne e deserti per portare mercanzie di ogni sorta dai paesi dell'Asia interna verso il mare e le città portuali dove sarebbero state imbarcate per altre destinazioni. Il nome di quella città significava appunto "guado", ed era abitata prevalentemente da Fenici che ne avevano fatto il loro avamposto verso l'interno.

«Vedi quell'acqua?» disse Xeno avvicinandosi a me. «Vedi come corre veloce? Fra due giorni al massimo passerà sotto i ponti di Babilonia. Noi invece impiegheremo ancora un mese. L'acqua è insonne, viaggia anche di notte, non teme ostacoli, nulla la può fermare finché non raggiunge il mare che è la sua ultima destinazione.»

Già, il mare. «Perché tutti i fiumi vanno al mare?» chiesi.

«È semplice» mi rispose, «perché i fiumi nascono in alto, sulle montagne, e il mare è in basso, nelle cavità della terra che vengono così riempite.»

«Quindi basta seguire un corso d'acqua, qualunque corso d'acqua, per essere certi di arrivare al mare?»

«È così. Non c'è modo di sbagliarsi.»

Quelle parole di Xeno mi rimasero profondamente impresse, non so perché. Forse certe frasi che noi pronunciamo sono involontariamente profetiche, in un modo o nel modo esattamente opposto, come pare siano gli oracoli.

«Posso farti un'altra domanda?» gli chiesi.

«Sì, se è l'ultima. Dobbiamo prepararci al guado.»

«E il mare? È uno solo o sono molti e sono in comunicazione fra di loro o sono come dei bacini chiusi?»

«Sono in comunicazione con il fiume Oceano che circonda la terra.»

«Tutti?»

«Avevo detto una domanda sola. Sì, è così.»

Avrei voluto chiedergli come sapeva che tutti comunicavano con l'Oceano, ma avevo già fatto una domanda di troppo.

Dall'alto della collina potemmo assistere al guado: il fiume era particolarmente basso benché si fosse alla fine della primavera e l'esercito lo attraversò senza alcuna difficoltà. Prima un gruppo di esploratori a cavallo e poi tutti gli altri. Anche qui non ci fu nessuna resistenza dall'altra parte e a me la cosa parve strana ma non dissi nulla.

«Non ti sembra curioso?» risuonò in quel momento una voce alle nostre spalle, come se i miei pensieri fossero stati amplificati. «Anche qui nessuna resistenza. Il generale Abrocoma non combatte e si dilegua.»

Xeno si volse e si trovò di fronte Sophos, l'uomo apparso improvvisamente al campo presso Tarso.

«No non mi sembra strano più di tanto. Semplicemente Abrocoma non se la sente di affrontare Ciro. Tutto qui.»

«Lo sai che non è vero» rispose Sophos. Poi spronò il cavallo spingendolo per il pendio verso il guado.

Proseguimmo il viaggio dall'altra parte del fiume puntando verso meridione. Il paesaggio era piatto e uniforme ma, quando il sole scendeva sull'orizzonte diventando una enorme sfera rossa, quel territorio vuoto, arido e abbandonato si trasformava. La steppa, che di giorno, con il sole a picco, sembrava una landa calcinata e abbacinante, si trasfigurava. Le più piccole pietre o i cristalli di sale divenivano superfici dai riflessi preziosi e cangianti. Tante erbe invisibili di giorno prendevano forma, gli steli, mossi dal vento della sera, vibravano come corde di cetra, e le loro ombre si allungavano smisurate man mano che il sole scendeva fino a sparire in un attimo quando s'immergeva nell'orizzonte.

Più ci allontanavamo dai miei villaggi più mi sentivo preda di una strana vertigine, della paura del vuoto. In quei momenti cercavo Xeno, l'unica persona che conoscevo fra quelle migliaia e migliaia che mi passavano davanti, che scorrevano sotto lo sguardo, ma anche lui era come la steppa: di giorno arido e asciutto, non diverso da tutti gli altri. Né avrebbe potuto essere altrimenti: nessun uomo nell'esercito dei Greci avrebbe mai mostrato attenzione per una donna alla luce del giorno per non essere deriso dai suoi compagni.

Ma dopo che il sole era calato, quando scendeva l'oscurità e la sterminata distesa della steppa si animava di ombre sfuggenti, di fruscii d'ali invisibili, quando sul campo sembrava distendersi una strana serenità e dovunque attorno ai bivacchi gli uomini conversavano in decine di dialetti diversi, allora anche lui cambiava. Mi stringeva la mano nel buio o mi sfiorava i capelli con una carezza o le labbra con un bacio leggero.

In quei momenti sentivo di non dovermi pentire di avere abbandonato la mia famiglia e le mie amiche, la quiete delle sere d'estate, le atmosfere sospese e senza tempo attorno al pozzo di Beth Qadà.

## 8

L'ultima carne fresca per lungo periodo di tempo la mangiammo durante le prime tappe sul fiume Eufrate e anche questa volta grazie alle capacità venatorie di Xeno. C'erano una quantità di uccelli grandi come una gallina che si lasciavano prendere con una certa facilità. Spiccavano voli brevi e affannati e bastava inseguirli un poco per stancarli e poi catturarli con le mani. Ce n'erano a centinaia. All'inizio non riuscivo a capire perché non si alzassero in volo e non fuggissero dal pericolo. Poi mi resi conto: erano tutte femmine con il nido e simulando quel volo sgraziato e breve tentavano di attirare gli intrusi lontano dalle loro covate. Si sacrificavano, in altre parole, per salvare i loro pulcini. Seguendo l'esempio di Xeno molti soldati gettarono le armi e si misero a correre dietro a quegli uccelli. C'era chi, non proprio agile, alla prima scartata finiva a rotolare nella polvere, altri si affannavano inutilmente senza mai riuscire ad afferrare la loro preda. Ma si divertivano, ridevano e schiamazzavano. Ogni volta che uno riusciva a catturare il suo pennuto si alzavano grida di giubilo e ovazioni dal resto dell'armata come se assistessero a una gara di lotta o di corsa. Gridavano il nome del vincitore che alzava il suo trofeo perché tutti potessero vederlo.

Io stavo a guardarli, quasi incredula. I più temibili guerrieri del mondo conosciuto ruzzavano come bambini nella polvere. Altri, avvicinandosi alle rive del fiume, finivano in acqua o affondavano nella melma emergendone imbrattati dalla testa ai piedi.

La carne di quegli uccelli era molto gustosa e saporita benché si fosse nel periodo della nidificazione. Dopo si dovette ricorrere soltanto alle provviste, alla farina, al grano e all'olio d'oliva che ogni reparto aveva con sé o alle derrate che si potevano comprare, a carissimo prezzo, al mercato che avevamo al seguito.

Il paesaggio cambiava. Più procedevamo verso sud e più si faceva arido e deserto. Persino le sponde dell'Eufrate erano nude. Scavate entro un letto di arenaria non offrivano spazi in cui potesse crescere un po' d'erba e men che meno piante. Per un certo tempo bastarono il fieno e la biada che avevamo con noi per nutrire le bestie da soma ma poi il foraggio venne a mancare e gli animali cominciarono a morire. A quel punto venivano macellati e la carne distribuita alle truppe: era dura e stopposa, ma non c'era scelta.

Ciro si mostrava sempre più di frequente e più di una volta vidi Xeno scambiare qualche parola con lui assieme a Proxenos di Beozia e Aghìas di Arcadia. Abitualmente il principe era attorniato dai suoi nobili e dalle sue guardie del corpo. Giovani robusti e aitanti vestiti splendidamente, con braccialetti d'oro ai polsi e al fianco spade con l'impugnatura e il fodero d'oro. I loro sguardi erano costantemente rivolti a lui perché nemmeno un suo minimo cenno venisse disatteso. Ricordo una volta che ci trovammo in un punto in cui il fiume descriveva un'ansa. C'era vegetazione, erba, fiori e piante, e la colonna quasi d'istinto si avvicinò, come per cercare ristoro dalla calura abbacinante. Poco dopo uno dei carri s'impantanò. Era un trasporto importante: armi da getto, finimenti per i cavalli e forse anche denaro. Ce ne doveva essere parecchio nei sacchi perché Ciro aggrottò improvvisamente la fronte. Bastò un suo cambio di espressione perché tutti i nobili balzassero da cavallo e, così com'erano vestiti con i pantaloni ricamati e le casacche trapunte d'argento e di seta, si gettassero nella melma a spingere il carro, a evitare che affondasse.

Le giornate di marcia erano sempre più dure e difficili, soprattutto per le donne. Io viaggiavo su un carro trainato da due muli perché ero la donna di Xeno, ma ormai non pochi animali erano morti e spesso si potevano vedere le altre, le schiave e le prostitute, che camminavano nella polvere dietro ai loro padroni e questo mi creava disagio. Anche fra loro c'erano differenze. Le più belle e attraenti a dorso di mulo o sui carri perché non si sciupassero, le altre a piedi.

La notte portava refrigerio a tutti. Il fiume offriva il ristoro di un bagno. Negli alvei asciutti dei suoi affluenti c'erano molti cespugli e arbusti secchi che servivano per accendere il fuoco di sera e consumare un magro pasto. Il cielo stendeva sull'accampamento la sua cupola nera punteggiata d'infiniti palpiti luminosi, il richiamo degli uccelli notturni e l'ululato dello sciacallo si facevano udire dalle profondità della notte, dagli abissi di un'immensità sconfinata. Quasi nessuno dei nostri uomini aveva mai visto il deserto. Venivano da una patria di piccole valli e di aspre montagne, di profonde insenature e di spiagge dorate, una terra che mutava quasi a ogni passo del viandante, al trascorrere di ogni giorno e di ogni ora. Il deserto invece era sempre uguale, dicevano, vasto e piatto come il mare in bonaccia. Anche l'atmosfera era diversa e inquietante: nelle notti di luna il bianco gessoso del terreno e il blu cupo del cielo si stemperavano in una luce azzurrina e irreale, immobile, angosciosa nella sua meravigliosa stranezza.

Più ci allontanavamo dal mare più i soldati sentivano di notte il bisogno di cantare assieme o di parlare sottovoce, fino a tardi. Non capivo il significato dei loro canti ma ne intuivo il sentimento. Era nostalgia. Quei guerrieri di bronzo sentivano acuta la lontananza delle loro famiglie, dei figli e delle mogli, forse, del villaggio a cui speravano di tornare ricchi e rispettati, a raccontare da vecchi un'avventura formidabile ai ragazzi seduti attorno al focolare nelle sere d'inverno. Il mormorio del fiume da una parte e il brusio di migliaia di uomini seduti attorno al bivacco dall'altra creavano un rumore diffuso e indistinguibile, eppure la voce del fiume era il fremito di infinite piccole onde e increspature appena visibili, così come l'altro suono era in realtà quello di tante voci che raccontavano mille storie diverse, le storie di ognuno dei Diecimila che si erano spinti fin dove nessuno della loro razza aveva mai osato avventurarsi.

Da quando l'esercito era partito non aveva combattuto una sola volta, a parte l'incursione di Menon di Tessaglia a Tarso, e la spedizione somigliava per il momento più a un viaggio, a una esplorazione, che a un'impresa militare. Ma ogni mattina che il sole si alzava, ogni volta che i guerrieri riprendevano le armi e si mettevano in cammino i loro occhi scrutavano l'orizzonte da ogni parte, cercavano un segno, un indizio di presenza umana, di qualunque movimento in quel territorio sterminato e monotono. Quando sarebbe apparso il nemico? Perché ormai non c'era dubbio che sarebbe arrivato. Di giorno, di notte, all'alba o al tramonto, ma sarebbe arrivato. Forse alle spalle, forse di fronte a sbarrare il passo, forse con un'incursione di cavalleria velocissima. Mille ipotesi, mille congetture, una sola certezza. Eppure i giorni passavano e non succedeva nulla. La polvere, il sole, la calura soffocante, il tremolio dell'aria sulla superficie arroventata della terra, i fantasmi meridiani erano la loro costante compagnia: quando sarebbe arrivato il nemico?

Anch'io lo chiedevo a Xeno e mentre gli rivolgevo la domanda ero presa da una sommessa frenesia, come se fossi uno dei guerrieri che si accingevano al più formidabile cimento della loro esistenza.

Poi, un giorno, un gruppo di esploratori tornò indietro a riferire che aveva trovato molti escrementi di cavallo e tracce di passaggio in una zona di deserto nei pressi di Cunassa, un villaggio non molto distante da Babilonia.

Disse anche di aver visto passare, attraverso una piantagione di palme, una pattuglia in ricognizione. Poteva essere un segnale?

Ciro ordinò che tutti marciassero da subito in pieno assetto di guerra, armati dalla testa ai piedi. Solo gli scudi avrebbero viaggiato sui carri per essere imbracciati all'ultimo momento.

C'era tensione, il senso di un'attesa spasmodica, gruppi di cavalieri andavano e venivano in continuazione, riferivano, ripartivano, altri arrivavano, scambiavano poche parole con un ufficiale, altri ancora da lontano facevano segnali con uno scudo lucidato, altri sventolavano un drappo giallo.

Gli uomini marciavano in silenzio.

Xeno si armò. Indossò l'armatura che gli avevo visto accanto mentre si lavava al pozzo di Beth Qadà. Questa volta la osservai con attenzione: la corazza di bronzo con spallacci di cuoio finemente dipinti in rosso, due schinieri sempre di bronzo, lisci e splendenti, e la spada dentro a un fodero sbalzato, con l'impugnatura di avorio. Sulle spalle un mantello color ocra.

«Perché ti armi?» gli domandai preoccupata.

Non rispose. La situazione doveva sembrargli così evidente da non avere bisogno di commenti, ma mi dispiacque. Ero in pena, avrei voluto qualche parola. In un attimo mi resi conto che prima di sera tutto avrebbe potuto essere perso o tutto conquistato dai nostri guerrieri: ricchezze, gloria, onori, terre. Ma per me la posta in gioco era più alta. In caso di vittoria avrei trascorso ancora del tempo con l'uomo che amavo, non sapevo quanto. In caso di sconfitta non c'era limite alle sventure e alle sofferenze che mi sarebbero potute capitare. Fu la sua voce a interrompere i miei pensieri:

«Oh, dèi!»

Guardava verso meridione. Il sole era in mezzo al cielo sopra le nostre teste.

Un polverone biancastro velava l'orizzonte per un'estensione enorme.

«È una tempesta di sabbia» dissi.
«No. Sono loro.»
«Non è possibile. È troppo esteso.»
«Sono loro ti dico. Guarda.»
Si vedeva un nereggiare confuso dentro alla nube di polvere e poi man mano che la distanza si riduceva, si vedevano risplendere le armi, le punte delle lance, gli scudi.
Lampi, dentro una nube tempestosa.
«Ecco perché non abbiamo mai incontrato resistenza, né alle Porte Cilicie, né alle Porte Siriache, né sull'Eufrate a Tapsaco...» disse Xeno senza staccare gli occhi dalla tempesta di polvere e di ferro che si avvicinava rombando, come il vento a Beth Qadà. «Artaserse voleva attirare suo fratello fin qua dove ha ammassato tutte le forze dell'Impero, in questa distesa sterminata dove non c'è riparo, dove non c'è difesa alcuna, per stritolarlo senza pietà.»
«È la fine, dunque» dissi sommessamente e chinai il capo per nascondere le lacrime.
Squillarono le trombe, Ciro passò a briglia sciolta sul suo cavallo arabo gridando ordini in tre o quattro lingue diverse. Arieo fece suonare i corni. Klearchos gridò con voce incredibilmente potente: «Uomini, nei ranghi! Fronte a me!», poi si piazzò a cavallo in mezzo alla pianura.
Come membra di uno stesso corpo i guerrieri corsero a gruppi compatti a prendere il posto sul fronte di combattimento. Un blocco si aggiungeva all'altro, la linea si allungava di più, sempre di più, fino a trovare appoggio sulla sponda sinistra dell'Eufrate.
L'armata nemica era ormai in piena vista. C'erano guerrieri di cento nazioni: egiziani, arabi, cilici, cappadoci, medi, kardacha, colchi, calibi, parti, sogdiani, bitini, frigi, mossineci...
Si potevano distinguere le armature, i colori delle vesti, la foggia delle armi, si potevano già udire le grida, attenuate dal rumore dei passi di centinaia di migliaia di uomini e di decine di migliaia di cavalli. E sotto tutto questo un rombo metallico, profondo e continuo, che sembrava

accompagnare ed esaltare gli altri rumori: veniva dai lati dove la nube di polvere era più fitta.

«Carri!» gridò Xeno.

«Carri falcati...» precisò una voce.

Sophos.

Compariva sempre come dal nulla. Xeno, che stava per montare Halys, si volse.

«... hanno falci affilate che spuntano dai mozzi delle ruote, e altre sotto il cassone: se per salvarti pensi di buttarti sotto il timone per farti passare il carro sopra, scordalo. Ti tagliano a strisce, per il lungo. Ingegnoso ed efficace.»

Inorridii.

Sophos era armato. Teneva l'elmo sotto il braccio sinistro e lo scudo appeso ai finimenti del cavallo. Diede di sprone e si diresse verso Klearchos.

Xeno mi prese per una mano: «Non muoverti mai da qui, non scendere mai dal carro, per nessun motivo. I carri verranno portati con le salmerie e protetti al centro dell'accampamento. Io devo presentarmi a Klearchos. Fai ciò che ti ho detto e questa sera ci rivedremo. Se non fai come ti dico morirai. Addio».

Non feci in tempo a dire niente, e d'altra parte forse non ci sarei riuscita tale era l'emozione e così forte l'affanno che mi prendeva alla gola. Solo quando fu troppo lontano per udirmi gridai: «Torna! Torna da me!». Il conducente del carro frustò i muli e lo portò dove si stavano riunendo le salmerie: una gobba del terreno che sovrastava di poco la pianura ma abbastanza da poter dominare l'intero teatro dello scontro. Di là riuscivo a scorgere quello che accadeva senza perdere quasi nulla. Era un punto di vista terribile e privilegiato. Fui io a raccontare in seguito a Xeno i particolari dell'immane massacro.

Ormai tutti i reparti dell'esercito erano in movimento: gli asiatici coprivano i tre quarti del nostro schieramento a partire da sinistra. Ciro stava al centro, splendidamente armato e vestito, attorniato dalle sue truppe scelte, arcieri e cavalieri di aspetto meraviglioso, chiusi nelle loro corazze splendenti d'oro e d'argento, bellissimi di aspetto, fulminei nei movimenti. Ognuno impugnava la lancia da colpo con un vessillo verde sull'asta. Sull'estrema destra stavano i mantelli rossi di Klearchos.

Vidi Xeno uscire dalla moltitudine e dirigersi verso di lui. Per pochi istanti fu solo in mezzo alla pianura, risplendente sul suo cavallo bianco, non poteva passare inosservato. Come sarebbe stato quel giovane a sera? Mi si stringeva il cuore al pensarlo. Lo vedevo galoppare, volteggiare, pieno di forza vitale, e infine arrestare il suo stallone davanti al comandante supremo.

Immagini orribili mi passarono davanti agli occhi, sovrapponendosi a quel giovane cavaliere luccicante: lo vedevo giacere in terra trafitto da una freccia al cuore, pieno di polvere e di sangue, oppure lo vedevo trascinarsi ferito, morente, oppure ancora fuggire a piedi inseguito da nemici a cavallo che lo finivano. Avrei voluto urlare, mi rendevo conto che era giunto il momento del non ritorno.

Le due armate stavano per scontrarsi, era il momento in cui la Chera di morte passava tra le file schierate a scegliere i suoi prediletti.

Dall'altura su cui mi trovavo si vedeva chiaramente che l'esercito nemico sopravanzava di gran lunga il nostro sulla sinistra ed era facile capire che di là sarebbe partita una manovra aggirante. Dov'era Xeno in quel momento? Dov'era il suo stallone bianco? Dov'era, dov'era, dov'era?

Tante volte il mio sguardo lo cercò senza più vederlo.

Ormai lo spazio fra gli opposti schieramenti non era più di duecento passi. Il centro dell'armata nemica era fuori dall'estrema sinistra del nostro esercito. Là c'era Artaserse, ritto sul suo carro. Risplendeva come un astro.

Vidi Ciro mandare qualcuno da Klearchos: una discussione breve e animata, poi il messaggero fece ritorno.

Centocinquanta passi.

Ciro in persona abbandonò lo schieramento e corse a tutta andatura verso Klearchos. Sembrò che gli impartisse un ordine, ma non accadde nulla. Ciro tornò indietro.I suoi movimenti facevano intuire che era furibondo.

Cento passi.

Potevo vedere ciò che accadeva nelle retrovie dell'armata di Artaserse. Ma perché Ciro non stava dove stavo io? Di là avrebbe potuto muovere i suoi reparti come pedine su una scacchiera. Lo so perché: il comandante doveva mostrare di essere più coraggioso di tutti, essere il primo ad affrontare il pericolo.

In una nube di polvere lo squadrone di carri falcati si muoveva invisibile dietro le linee dall'ala destra all'ala sinistra. Stavano per lanciarli contro gli uomini di Klearchos, contro Xeno! Come avrebbero resistito a macchine così spaventose? Urlai con quanto fiato avevo in gola: «Attenti a destra!». Ma come avrebbero potuto udirmi?

Cinquanta passi.

Un boato.

Le linee delle fanterie si aprirono, lasciando passare i carri che si scagliarono in una carica furibonda contro i mantelli rossi.

Ciro, inaspettatamente, uscì al galoppo con la sua guardia lanciandosi in direzione opposta su una traiettoria obliqua che attraversò tutto il campo in stretta diagonale. Correvano a folle andatura contro il centro dello schieramento nemico. Ciro cercava Artaserse! I due fratelli, uno contro l'altro all'ultimo sangue!

Klearchos fece squillare le trombe e le file si schiusero lasciando davanti a ogni carro falcato un varco: quando questi ebbero attraversato l'intero schieramento gli arcieri in retrovia si volsero e saettarono alle spalle gli aurighi e i guerrieri essedari. I carri senza guida si dispersero nel vuoto del deserto.

Venti passi.

Klearchos fece squillare ancora le trombe.

Intanto lo squadrone di Ciro si abbatteva con fragorosa violenza contro la guardia imperiale degli Immortali, i difensori del Gran Re.

Suonarono i flauti dalla parte dei mantelli rossi e quelli, abbassate le lance, caricarono, al passo, in silenzio contro le grida dei nemici, contro il delirio, contro la furia scomposta, l'orda urlante.

In silenzio.

Il passo pesante, ritmato dai flauti e dai tamburi. Nessuno poteva resistere ai mantelli rossi. Gli asiatici di Artaserse arretrarono, Klearchos affondò ancora di più, spaccò in due il fronte che gli stava davanti, travolse l'ala sinistra nemica e si diede a inseguirla. La polvere li coprì. Li persi di vista.

Per un attimo mi sembrò di scorgere il mantello ocra di Xeno in mezzo alla mischia e mi lanciai di corsa per il pendio. Un'azione inconsulta. Alcuni cavalieri persiani che si erano infiltrati attraverso i ranghi degli asiatici di Arieo mi notarono e spronarono i loro cavalli verso di me.

Mi volsi e mi misi a correre su per la collina per trovare riparo dietro al cerchio dei carri. Un'impresa impossibile. Già li avevo addosso. Mi buttai a terra e mi coprii la testa con le mani.

Trascorsero attimi interminabili. Respiravo polvere ed ero avvolta in una nube di terrore.

Non accadde nulla, poi, d'un tratto, un corpo si abbatté su di me schiacciandomi e subito un rivolo di sangue inzuppò le mie vesti. Urlai di terrore e cercai di liberarmi. Qualcuno aveva trafitto uno dei miei inseguitori con un giavellotto.

E ora avanzava al galoppo verso di loro e verso di me. Aveva il volto coperto dall'elmo ma riconobbi le sue armi e il suo cavallo.

Sophos!

Lo ricordo come se fosse ora. Il mio sguardo era così concentrato sulla sua figura che ogni suo movimento era scandito dai miei occhi, istante per istante, così che mi sembrava di vederlo avanzare come se fosse sospeso da terra in uno spazio distinto dal mio e da quello del resto del mondo. Lo percepii di nuovo in tutta la sua fisica violenza quando irruppe nel gruppo. Lanciò un altro giavellotto e un secondo cavaliere stramazzò al suolo. Brandì la spada impennando il cavallo. Le zampe del destriero divisero gli avversari uno dall'altro e Sophos li colpì separatamente con precisione e potenza micidiali. Poi si tolse l'elmo, mi prese per un braccio facendomi salire a cavallo e si diresse verso un punto lontano dal campo di battaglia e dal cerchio dei carri, un ciuffo di palme e di tamerici, e lì si fermò.

Dal nostro riparo il fragore della gigantesca battaglia proveniva attutito e confuso: solo alcune grida molto acute di terrore o di dolore perforavano l'aria densa di polvere, sangue e sudore, e anche i nitriti dei cavalli e lo sferragliare dei carri giungevano col mutare del vento a trafiggere le mie orecchie.

Sophos pulì la spada nella sabbia, la ripose nel fodero e si sedette immobile su un sasso fissando il vuoto davanti a sé. Non aveva più alcuna intenzione di combattere, sembrava che la cosa ormai non lo interessasse. Ma gli interessava l'andamento della battaglia. Spesso si allontanava raggiungendo il profilo della collina e vi restava a lungo per osservare le fasi dello scontro.

Le grida e il rumore continuarono ancora per un po', ma con il passare del tempo e il calare del sole si attenuarono sempre di più finché cessarono del tutto.

Allora Sophos tornò da me e mi fece segno di andare con lui verso la collina. Lo seguii. Lo spettacolo che ci si presentò mi lasciò impietrita dall'orrore. Davanti a me avevo una distesa immensa disseminata di cadaveri di uomini e di cavalli. Molti animali feriti o azzoppati si trascinavano penosamente qua e là sbuffando per il dolore dalle narici insanguinate. Sullo sfondo si vedeva la polvere sollevata dall'esercito vincitore che si allontanava.

Esseri umani irriconoscibili vagavano barcollando nella spaventosa carneficina. D'improvviso, lo sguardo di Sophos e il mio nello stesso istante si fermarono su un punto, esattamente al centro del nostro campo visuale.

C'era una figura umana ritta e immobile, di un'immobilità irreale. Il volto sempre impassibile di Sophos si contrasse in una smorfia e subito s'incamminò in quella direzione a piedi, tenendo il cavallo per le briglie. Io gli andai dietro sul terreno reso sdrucciolevole dal sangue, in un'atmosfera fetida, rivoltante.

Era Ciro.

Il suo corpo nudo era conficcato su un palo aguzzo che gli usciva dalla schiena. La testa, quasi spiccata dal busto, penzolava sul petto. Ero certa che di lì a breve avrei trovato anche il corpo di Xeno massacrato fra i cumuli dei cadaveri che ingombravano il suolo. Mi misi a gridare senza più ritegno, urlai tutta la mia disperazione; mai avevo visto e nemmeno immaginato tanto orrore.

Sophos si volse verso di me e intimò: «Taci, smettila!».

Non era per umiliarmi. C'era un altro rumore che si avvicinava. Veniva dalla parte dell'Eufrate. Qualcuno che avanzava... cantando!

«Sono i nostri» disse Sophos.

«I nostri? Com'è possibile?»

«Hanno inseguito l'ala sinistra nemica per tutta la giornata e ora stanno tornando. Con loro ci sarà anche il tuo Xenophon. Almeno lo spero.»

«E perché cantano?»

Si vedeva ormai avanzare una nube rossa dalla parte del fiume.

«Cantano il peana. Credono di aver vinto.»

Aspettammo immobili accanto al cadavere di Ciro finché gli ufficiali che cavalcavano in testa ci videro e corsero verso di noi: Klearchos, Socrate, Aghìas, Proxenos, Menon. Poco dopo arrivò anche Xeno quasi irriconoscibile per il sangue e la polvere che ricoprivano le sue vesti e le sue armi. Dovetti farmi forza per non correre fra le sue braccia, dovetti accontentarmi di incontrare i suoi occhi che esprimevano lo stesso sentimento.

Il volto di Klearchos impietrì: «Com'è successo?».

«E dov'è Arieo?» domandò Proxenos.

Sophos indicò una macchia scura a una distanza di mezza parasanga verso nord: «Laggiù credo. Con i suoi. A quest'ora il bastardo sta sicuramente negoziando con Artaserse».

Klearchos indicò il corpo di Ciro: «E lui?».

Sophos rispose con un'altra domanda: «Che cosa voleva da te quando ti ha raggiunto a cavallo?».

«Voleva che lasciassi la riva dell'Eufrate per lanciarmi contro il centro dei nemici perché lì c'era il Re.»

«E perché non l'hai fatto?»

«Perché sarebbe stato un suicidio. I nemici ci sopravanzavano già di due terzi oltre la nostra sinistra, se mi fossi staccato dall'Eufrate ci avrebbero accerchiati anche da quella parte.»

«E sarebbe stata la fine.»

«È così» rispose Klearchos.

«Perché questa che cos'è?» replicò sarcastico Sophos. «Ciro sapeva di essere in schiacciante inferiorità numerica, ma aveva un'arma assoluta su cui confidava ciecamente: i tuoi soldati. Se avessi obbedito ai suoi ordini avresti sfondato al centro e travolto il Re in persona.»

Klearchos ribatté risentito: «In situazioni così estreme io prendo ordini solo da Sparta».

Sophos lo fissò dritto negli occhi.

«Sono io, Sparta» disse. E si allontanò.

Intanto il canto dei soldati di Klearchos si spegneva man mano che, avvicinandosi, si rendevano conto dell'amara realtà. Credevano di aver vinto.

Avevano perso.

# 9

Il sole stava tramontando quando arrivarono due cavalieri a briglia sciolta. Allora li vedevo per la prima volta: in seguito li avrei conosciuti bene e avendo ormai imparato a parlare la loro lingua sarei diventata capace di pronunciare anche i loro nomi. Agasìas di Stinfalo e Licio di Siracusa.

Balzarono a terra trafelati e si presentarono davanti a Klearchos:

«Comandante» esclamò Agasìas. «Per fortuna siete tornati indietro. Non sapevamo più niente di voi. L'esercito di Artaserse è a trenta stadi da qui: noi siamo rimasti con Arieo, eravamo là con il nostro reparto. Siamo riusciti a tenere duro e non perdere le salmerie. Qualcuno è scappato dal campo degli asiatici e si è rifugiato fra le nostre file.»

«È così» confermò Licio. «C'erano anche due ragazze dell'harem di Ciro. Una era quella bellissima fanciulla di Focea. Dovevi vedere: all'approssimarsi dei Persiani è uscita di corsa dalla tenda di Ciro, completamente nuda, e si è messa a correre verso di noi, inseguita da un nugolo di barbari. E noi a gridare e a incitarla a correre più forte. Sembrava di essere allo stadio. Appena è stata vicina abbiamo aperto le file e l'abbiamo fatta passare e poi gli scudi si sono richiusi. I barbari se ne sono dovuti tornare indietro.»

Klearchos aggrottò la fronte: «Lascia perdere la ragazza» disse. «Che cosa fa Arieo?»

«Si è ritirato» rispose Licio. «Ha abbandonato il suo accampamento e si è nascosto nel deserto. Se vuoi domani possiamo raggiungerlo. So dov'è.»

«Ci sono anche dei nostri con lui?»

«Un battaglione. Li abbiamo lasciati perché tengano sotto controllo la situazione.»

«Avete fatto bene. E il Re?»

«Se ne è andato. Ha lasciato nelle vicinanze uno dei suoi generali. Credo sia Tissaferne. Che cosa facciamo, comandante?»

«Ormai sta per calare la sera. Noi passiamo la notte qui. Voi tornate indietro prima che faccia buio del tutto e raggiungete i vostri uomini. Mettete doppie sentinelle, tenete gli occhi aperti, se avete cavalleria mandatela in giro a pattugliare il territorio. Domani ci ricongiungeremo e stabiliremo il da farsi. State attenti anche ad Arieo. Non mi fido di quel barbaro.»

I due salutarono: «Allora noi andiamo. Buona fortuna, comandante».

Montarono a cavallo e sparirono in pochi istanti nell'oscurità. Noi ci accampammo per la notte.

In realtà non avevamo tende, né brande, né coperte. Non avevamo acqua né cibo. Gli uomini si distesero in terra sfiniti dalla fatica. I sani curavano i feriti preparando bende di fortuna. Avevano combattuto per ore, marciato per decine e decine di stadi e proprio nel momento in cui avevano disperato bisogno di cibo e di riposo non avevano che la nuda terra e il mantello che indossavano.

Avevamo del grano e delle olive salate sul carro ma così al buio non riuscivo a trovare la chiave per la cassa delle cibarie. Potei prendere solo l'otre dell'acqua. Mi venne in mente di aver visto nei pressi delle piante che conoscevo: alcune nascondevano dei tuberi sottoterra, altre avevano foglie dal sapore salato. Riuscii a scavare una certa quantità di radici commestibili e raccolsi un po' di foglie e le portai a Xeno. Fu una ben magra cena ma valse a ingannare la fame. Poi mi distesi accanto a lui sotto lo stesso mantello. Benché in una situazione così pericolosa e precaria ero infinitamente felice perché lui era vicino a me. Era caldo e vivo mentre per tutto il giorno ero vissuta nel terrore che avrei trovato a notte un corpo freddo e rigido. Era un miracolo, un prodigio per il quale ringraziavo gli dèi in cuor mio mentre lo baciavo, lo stringevo a me, gli accarezzavo i capelli pieni di polvere.

«Non credevo che ti avrei rivista più» mi sussurrò all'orecchio.

«Nemmeno io speravo di rivederti. Quanti morti, quanti orrori...»

«È la guerra, Abira» mi disse, «è la guerra. È sempre stato così e sarà sempre così. Dormi ora... dormi.»

Ancora oggi, quando ci penso non riesco a crederci. Diecimila uomini giacevano al suolo, tutto attorno, digiuni, stremati, feriti. Un esercito nemico agguerrito e numeroso era accampato a poca distanza, i nostri compagni all'accampamento si trovavano in pericolo mortale e vegliavano nella notte perché non potevano nemmeno fidarsi di Arieo, eppure quella fu forse la più bella notte della mia vita. Non pensavo a ciò che sarebbe accaduto l'indomani, anzi, proprio la consapevolezza che forse non ci sarebbe stato un domani mi fece vivere per poche ore con una intensità di sentimenti quale non avevo mai provato e forse non proverò per il resto dei miei giorni.

Quella notte compresi veramente che cosa significa amare con tutto il proprio essere, divenire una cosa sola con chi si ama, sommare il proprio calore al suo, sentire il proprio cuore battere all'unisono con quello dell'uomo che ti stringe fra le braccia, non desiderare altro che quei momenti si prolunghino all'infinito. Ed è così che avviene. Per un portento inspiegabile il tempo si dilata oltre ogni immaginazione e ogni istante vale come anni e anni.

Pensai alle mie amiche che dormivano nei loro letti caldi e puliti nelle case che odoravano di calce e non le invidiavo, come non le invidio ora che hanno forse figli e figlie e un marito che pensa a loro mentre io non ho nessuno. Non le invidio perché io ho fatto l'amore con la terra come giaciglio e il cielo come tetto e ogni bacio, ogni respiro, ogni battito del cuore mi hanno fatto volare sempre più in alto, sopra il deserto, sopra le acque del Grande Fiume, sopra l'orrore di quella giornata di sangue.

Ci svegliò la luce del giorno e gli uomini si alzarono con fatica, indolenziti e forse più stanchi di quando si erano coricati, eppure la disciplina e la forza d'animo finivano comunque per prevalere e ognuno indossava l'armatura e prendeva posto nei ranghi. Xeno indossò anch'egli le armi e da quel giorno si comportò sempre come un soldato, perché di quello c'era bisogno.

In quel momento arrivarono due cavalieri; uno era un greco che governava una provincia persiana al tempo in cui Ciro comandava in Anatolia. Il secondo si chiamava Glus, un tipo strano con i capelli lunghi fino alle spalle raccolti sulla nuca con una spilla d'oro. Venivano a cercarci per incarico di Arieo.

«Per fortuna vi abbiamo trovati» disse Glus, «dove eravate finiti?»

«A dare la caccia ai Persiani, fino a notte.»

«Ciro è morto» intervenne l'altro.

Proxenos fece per rispondergli, ma Klearchos fermò lui con un gesto basso della mano e gli altri con un'occhiata. Annuì gravemente a quell'annuncio.

«L'esercito del Gran Re è accampato a non molta distanza da qui» proseguì l'amico di Ciro. «Siete in grave pericolo.»

«Tu pensi?» ribatté Klearchos. «Stammi a sentire, amico. Noi li abbiamo travolti, li abbiamo inseguiti per ore. Ne abbiamo falciati un bel po' e adesso se ne stanno tutti alla larga. Se si faranno vivi, non importa quanti sono, avranno quello che si meritano. Se vuoi sapere che cosa farei ti dirò che stavo pensando di attaccarli perché di sicuro non se lo aspettano.»

Glus lo guardò come se fosse un pazzo: «Oh, su questo non ho dubbi, ma hai visto quanti sono, vero?».

«Alle Porte Ardenti ottant'anni fa eravamo uno a cento e se non ci avessero traditi li avremmo inchiodati lì al passo e ricacciati indietro a calci nel culo.»

«Qui è diverso» rispose Glus. «Qui è piatto e aperto e loro hanno la cavalleria, possono sfinirvi, bersagliarvi da lontano, farvi morire uno per uno.»

Klearchos lo interruppe con un gesto secco della mano aperta: «Tornate indietro da Arieo. Ditegli che se vuole tentare lui di impadronirsi del trono siamo disposti a metterci al suo servizio. Verranno con voi due dei miei a esporgli il mio piano...».

Si fece avanti Sophos senza che lui lo avesse chiamato. Klearchos cercò attorno con lo sguardo finché incontrò Menon di Tessaglia. Aveva macchie di sangue raggrumato dappertutto ma la sua pelle non aveva un graffio.

«... e lui» concluse indicandolo e come terminando ad alta voce la prima parte di un pensiero non detto. Poi si guardò intorno con un'espressione smarrita: «Io ho soltanto bisogno di nutrire i miei ragazzi, capite? Sono come il loro padre. Li punisco duramente se sgarrano ma mi preoccupo che mangino e bevano e che abbiano il necessario. Devono recuperare le energie... capite? I miei ragazzi hanno bisogno di mangiare...».

Glus scosse la testa perplesso, scambiò un'occhiata con gli altri poi montarono a cavallo e partirono al galoppo.

«Torniamo indietro» ordinò Klearchos e mise il suo cavallo al passo.

Non riuscivo a capire perché tornassimo in quel carnaio, in quello sterminato campo di morte, e invece era là la nostra salvezza, almeno per un poco. Lo avrei capito ben presto.

Fece raccogliere tutte le frecce e i giavellotti sparsi a terra o conficcati nei cadaveri e poi con i relitti dei carri accumulò abbastanza legname da accendere un fuoco. Altri scuoiarono e tagliarono a pezzi le carcasse di una ventina di muli e cavalli e scottarono alla meglio la carne sulle braci.

«La carne di cavallo fa sangue» diceva Klearchos, «mangiate, avete bisogno di rimettervi in forze» e tagliava e distribuiva i pezzi arrostiti ai soldati, come fa un padre con i suoi figli. Ma era comunque troppo poco per più di diecimila uomini. L'ultimo pezzo lo diede a un ragazzo di diciotto anni mentre lui restò digiuno.

Non aveva ancora finito che si avvicinò il comandante Socrate: «Abbiamo visite».

«Ancora?» domandò Klearchos alzandosi in piedi.

«Gente che parla la nostra lingua» rispose Socrate e fece avanzare due personaggi preceduti dal vessillo di pace.

«Mi chiamo Phalinos» disse il primo.

«E io Ktesias» fece il secondo.

«Ktesias?» domandò Klearchos. «Ma tu non sei...»

L'uomo che aveva detto di chiamarsi Ktesias, sulla cinquantina, leggermente calvo, vestito alla foggia persiana annuì: «Sono io... sono il medico del Gran Re Artaserse».

«Ah» rispose Klearchos, «e come sta di salute il tuo illustre paziente?»

«Sta bene, ma c'è mancato poco che Ciro lo uccidesse. La sua lancia gli ha passato la corazza e gli ha tagliato la pelle. Per fortuna solo una ferita superficiale che ho ricucito.»

«Bel lavoro» disse Klearchos. «Vorrei anch'io un medico come te, ma temo che non me lo potrei permettere: allora, qual buon vento vi porta dalle nostre parti?»

«Veramente dovrei essere io a fare a voi questa domanda» replicò l'archiatra reale con un sorriso ironico.

Klearchos lo fissò un momento in silenzio: «Credo che tu lo sappia benissimo, Ktesias, ma toglimi una curiosità: come mai il Gran Re mi manda il suo medico? Pensa che sia... raffreddato? Mi devi prescrivere qualche impacco bollente? O magari una bella tisana di cicuta?».

Ktesias finse di non aver sentito: «Siamo Greci, gli è sembrata una buona ragione».

«Ottima, lo ammetto, ma lascia che ti ricordi un paio di cose. Siamo stati ingaggiati da Ciro. Ciro è morto. Non abbiamo nulla contro il Gran Re...»

«Lo credo» intervenne Phalinos, «ma non cambiano le cose per questo. Siete troppi, e siete armati. Consegnate le armi e presentatevi davanti alla sua tenda soltanto con le tuniche addosso, in atteggiamento di supplici, e vedrò che cosa posso fare per voi.»

«Ho sentito bene?» ribatté Klearchos. «Consegnare le armi?» Si volse ai suoi comandanti: «Signori ufficiali, questa è davvero bella! Volete rispondere voi a questi nostri ospiti? Io devo assentarmi un istante».

Restai sorpresa da quel comportamento. Perché si allontanava in un momento cruciale? I comandanti delle grandi unità reagirono a muso duro.

«Prima mi dovete ammazzare» rispose Kleanor di Arcadia, un guerriero formidabile dalla voce penetrante come una spada.

Proxenos di Beozia sembrò più accomodante nei toni ma non certo nelle parole: «Stammi a sentire, Phalinos, a che titolo il tuo padrone vuole che consegniamo le armi? È perché ha vinto oppure vuole che gli facciamo un regalo? Se ha vinto che bisogno ha di chiedere, che venga a prendersele, no? Se invece è un regalo che vuole, parliamone, però vorrei sapere che ne sarebbe dei nostri uomini una volta che gli avessero regalato le armi... massacrati? Impalati? Scuoiati vivi? Usa così da queste parti, no? Abbiamo visto come ha trattato il fratellino».

Phalinos non reagì. Si limitò a precisare. Si vedeva che era un ottimo negoziatore: massiccio di corporatura, tranquillo, attento, pesava le parole e non ne sprecava una: «Il Gran Re sa di avere vinto perché ha sconfitto e ucciso Ciro e voi eravate con lui. In secondo luogo siete in mezzo al suo territorio e quindi siete cosa sua. Siete accerchiati, avete canali tutto attorno e due grandi fiumi invalicabili, uno a destra e l'altro a sinistra, non avete scampo e anche se voleste combattere vi lancerebbe contro tanti soldati che non riuscireste mai ad ammazzarli tutti, neanche se si lasciassero scannare senza opporre resistenza».

Xeno intanto si era fatto largo in mezzo al gruppo degli ufficiali mentre io ero più indietro. Udì ogni parola e addirittura intervenne benché non avesse nessuna veste per farlo: «Ascolta, Phalinos, la tua richiesta non è ragionevole. Le armi sono tutto quello che resta a ognuno di noi per mostrare quello che vale. Senza armi non siamo più niente. Capisci anche tu che non possiamo consegnarle. Piuttosto vi toglieremo le vostre».

«Bravo ragazzo!» rispose Phalinos. «Parli come un filosofo. Ma ti illudi se pensi di poter sfidare il più grande Impero della terra con dei buoni propositi. Scordatelo.»

«Un momento» intervenne un altro ufficiale. «Ma perché non cerchiamo un accordo? Siete venuti per negoziare, no? Noi siamo ottimi combattenti, abbiamo perso il nostro capo e quindi siamo sulla piazza. Voi avete delle grane in Egitto e non riuscite a venirne a capo. Perché non dici al Re che potremmo occuparcene noi? Sono sicuro che possiamo farcela.»

Phalinos scosse il capo. «A mettere sotto l'Egitto intero? Oh, dèi, ma chi credete di essere...» In quel momento ricomparve Klearchos e Phalinos si volse subito verso di lui: «Senti, qui è una gran confusione, ognuno dice la sua. Io ho bisogno di parlare con una persona sola, uno in grado di rispondere a nome di tutti. Allora, Klearchos, vuoi dirmi che cosa avete deciso sì o no?».

Klearchos gli si avvicinò: «Senti, so bene che siamo nei guai fino al collo. Ma tu sei un greco, accidenti, qui non ci sente nessuno, a parte il medico che è un greco anche lui, giusto? Non puoi smetterla per un attimo di fare l'ambasciatore e darci un consiglio da greco a greco, anzi, da uomo a uomo? Guarda che se riusciamo a levarci da questo letamaio non ci scorderemo di aver avuto un buon consiglio e dall'altra parte del mare saprai di avere più di diecimila ottimi amici su cui potrai sempre contare in caso che cambi il vento. Sai che non si può mai essere sicuri di niente a questo mondo».

Xeno intanto era tornato vicino a me. Nessuno mi badava perché avevo i capelli raccolti sotto un berretto ed ero coperta da un mantello da uomo.

«Ma che sta dicendo?» gli chiesi.

«Secondo me prende tempo. Aspetta che gli arrivi un segnale da Sophos o da Menon circa la situazione all'accampamento degli asiatici e che cosa risponde Arieo.»

Due che erano davanti a noi ci zittirono: «Sst! Silenzio, vogliamo sentire che cos'ha da dire quello».

Phalinos rispose: «Se ci fosse una via di scampo te lo direi, te lo giuro, ma lo vedi da te, da qui non si esce. Indietro non potete tornare e nemmeno potete andare avanti. Arrendetevi e cercherò di spendere una buona parola. Anche tu, Ktesias, non è vero? Il Re ascolterà di sicuro il suo medico personale, l'uomo che gli ha salvato la vita».

Ktesias assentì benevolmente.

«Lo vedi?» proseguì Phalinos. «Anche lui ci metterà una buona parola, non c'è da aver paura. Allora, che mi rispondi?»

Klearchos gli si avvicinò ulteriormente e Phalinos arretrò di mezzo passo come per mantenere una distanza di sicurezza: «Ti ringrazio per il consiglio, amico, davvero lo apprezzo ma, vedi, ho riflettuto. In realtà il problema è semplicissimo: o noi diventiamo amici e magari il Re ci ingaggia al suo servizio e in questo caso è ovvio che le armi ci servono per fare il nostro lavoro, o invece il Re ce l'ha con noi e vuole farcela pagare e a maggior ragione ci servono le armi, giusto? In conclusione: non se ne parla nemmeno».

Phalinos celò a stento un gesto di disappunto e restò per qualche istante in silenzio a riflettere. Il sole era alto, il ronzio delle mosche attratte dalle migliaia di corpi abbandonati sul terreno a poca distanza era quasi insopportabile ed erano comparsi in cielo stormi di corvi e alcuni grandi avvoltoi che descrivevano ampi giri in attesa di scendere a terra a banchettare. Phalinos guardò gli avvoltoi e poi Klearchos mentre il medico Ktesias manteneva un atteggiamento distaccato da osservatore attento ma non coinvolto. Alla fine disse: «Se le cose stanno così devo farti presente a che cosa andate incontro: finché state fermi dove vi trovate ora ci sarà tregua fra voi e il Re, se vi muovete sarà guerra. Cosa devo riferire?».

Klearchos non parve minimamente scosso: «L'hai detto tu stesso» rispose, «se stiamo fermi è tregua, se ci muoviamo è guerra».

Phalinos si morse il labbro inferiore trattenendo la collera e si allontanò senza salutare.

«Non è andata come pensava lui» disse Socrate.

«No. Credo di no» replicò Klearchos. «E quando sarà davanti al Re a rapporto, non sarà piacevole per lui. In ogni caso non possiamo restare qui, non abbiamo nulla da mangiare. Se perdiamo le forze siamo morti.»

In quel momento arrivarono Agasìas e Sophos: «Arieo è rimasto ferito, ma se la caverà» disse Sophos. «Menon e Glus sono rimasti al campo.»

«Che cosa ne dice della mia proposta?»

«Dice che è meglio lasciare perdere: nessun persiano di alta condizione accetterebbe di riconoscerlo come re, anche se gli conquistassimo il trono. Se vogliamo unirci a lui ci farà da guida per allontanarci da qui e, se ci sta bene così, dice di raggiungerlo al più presto. Se non ci vede entro domani mattina lui parte da solo.»

«Ho capito» rispose Klearchos. «Avete visto niente di strano venendo qui?»

«No» rispose Glus. «Tutto tranquillo. I Persiani se ne stanno alla larga.»

«Per il momento» intervenne Kleanor.

«Per il momento» ammise Klearchos.

Si volse al trombettiere e fece suonare l'adunata per gli ufficiali superiori. I comandanti delle grandi unità e i comandanti di battaglione accorsero in pochi istanti e Klearchos tenne consiglio di guerra.

Xeno fece per raggiungermi, ma mentre camminava verso di me incrociò Sophos che andava nella direzione contraria alla riunione di stato maggiore.

«Vieni con me» gli disse.

«Ma io non faccio parte del...»

«Adesso ne fai parte» rispose asciutto Sophos. «Andiamo.»

Xeno lo seguì senza fare obiezioni e io lo aspettai seduta in terra accanto ad Halys, il suo cavallo, al suo servo, al suo carro e al suo bagaglio. Aveva un piccolo patrimonio con sé ed era meglio vigilare considerata la situazione critica.

Il loro colloquio si protrasse fino a metà del pomeriggio. Vidi tornare Xeno assieme a Sophos ed entrambi si fermarono a una ventina di passi da me. Poi Sophos andò per la sua strada e Xeno mi raggiunse.

«Preparati» disse. «Dobbiamo muovere al calare della sera.»

«E dove andiamo?»

«Ci ricongiungiamo con gli altri, poi si vedrà... Ci è rimasto qualcosa da mangiare?»

«Sì, posso cuocere una focaccia, ci sono delle olive sotto sale ed è rimasto un po' di vino.»

«Andrà benissimo. Ceniamo presto perché poi si parte.»

Per la verità c'era dell'altro sul carro, ma se lo avessi detto Xeno avrebbe invitato qualcuno a cena: Socrate o Aghìas, o Glus o tutti e tre. Non volevo rischiare di restare senza provviste finché non avessimo trovato modo di procurarcene altre.

La mia focaccia sparse un profumo fin troppo invitante fra quei poveri ragazzi affamati. Avevano vent'anni e avevano combattuto come leoni per tutto il giorno prima. Xeno non ebbe bisogno di dirmelo: ne offrii io stessa ai nostri vicini.

Xeno non aveva nulla su cui appoggiarsi per scrivere e così fu più disponibile alla conversazione, specialmente dopo che gli ebbi versato un poco di vino dolce.

«Siamo in grave pericolo, vero?»

«Sì» rispose.
«Però c'è una cosa che non capisco. Il Re ha un esercito tanto più grande del nostro, perché non ci ha attaccato?»
«Perché ha paura.»
«E di che?»
«Dei guerrieri con i mantelli rossi. Sono considerati invincibili. Ottant'anni fa un re spartano di nome Leonida con soli trecento uomini bloccò le Porte Ardenti, una strettoia nella Grecia centrale, e respinse un'armata persiana molto più grande di questa per giorni e giorni. Il rapporto era di uno a cento. Questi sono della stessa razza e ieri hanno travolto la loro ala sinistra cinque volte più numerosa. I guerrieri con i mantelli rossi sono una leggenda vivente. La sola vista delle loro armi incute terrore. Ciro era sicuro che sarebbe bastato questo piccolo contingente per sconfiggere suo fratello che è il più potente sovrano della terra. E non aveva torto. Se Klearchos avesse obbedito ai suoi ordini di attaccare subito al centro, a quest'ora saremmo in una situazione del tutto diversa.»
«E invece siamo nei guai. Ora che cosa faremo?»
«Andremo a ricongiungerci agli altri e poi cercheremo una via di uscita.»
Gli versai ancora un po' di vino per farmi perdonare la mia insistenza:
«E tu pensi che esista una via di uscita?»
Xeno chinò il capo: «Non lo so. Siamo nel cuore dell'Impero del Gran Re. Lui ci teme, ma ha anche la consapevolezza che se torneremo indietro si saprà che un pugno di uomini è riuscito a penetrare senza colpo ferire fino quasi alla sua capitale. Sai che significa?».
«Sì, che un giorno potrebbe esserci un uomo con il coraggio e la capacità di ripetere questa impresa e condurla a termine. Conquistare l'Impero persiano.»
«È così. Lo sai?» mi disse allora. «Lo sai che se tu fossi un uomo potresti diventare il consigliere di una persona importante?»

«Non voglio diventare il consigliere di nessuno: voglio stare con te, se mi vuoi... finché mi vuoi.»

«Puoi esserne certa. Ma sappi che unisci il tuo destino a un fuoruscito, a un uomo che non ha più una casa, un patrimonio, un avvenire. Nulla.»

Stavo per rispondere quando squillarono le trombe e Xeno balzò in piedi impugnando le armi.

Al secondo squillo gli uomini formarono i ranghi. Al terzo si misero in marcia. Sul deserto calava la sera.

# 10

I soldati marciarono in silenzio per circa trenta stadi, nell'oscurità, tendendo le orecchie a qualunque rumore sospetto. Klearchos e i suoi ufficiali erano ben consapevoli che muovendo il primo passo avevano fatto decadere la tregua e si trovavano in stato di guerra con il Gran Re. Allo stesso tempo cercavano di capire dove fosse e che cosa stesse meditando.

Per conto mio pensavo che se ne fosse già andato. Aveva vinto la battaglia, aveva sconfitto e ucciso suo fratello e dunque non poteva perdere altro tempo per occuparsi di un piccolo contingente di mercenari intrappolato fra il Tigri e l'Eufrate. Il loro destino era segnato.

Seduta sul carro mi guardavo intorno, cercavo di scrutare nell'oscurità le sagome di quegli uomini che camminavano gravati dal peso dell'armatura e delle terribili fatiche affrontate negli ultimi due giorni. Erano sfiniti per la fame e se avessero dovuto subire un attacco in forze non avrebbero potuto reggere che per pochissimo tempo. Tutto si giocava nel breve spazio che li separava dall'accampamento di Arieo e per fortuna non accadde assolutamente nulla.

Osservavo anche Xeno che cavalcava non lontano da me e non mostrava alcun segno di apprensione. Lui era sicuro che la leggenda dei mantelli rossi tenesse a distanza i nemici. E forse era vero, ma in seguito mi disse anche un'altra cosa importante: che i Persiani non attaccano mai di notte e tengono i cavalli impastoiati e senza finimenti. Lo aveva forse letto da qualche parte e comunque ne ebbe conferma nel corso della spedizione.

Arrivammo verso mezzanotte e subito ci fu una riunione fra i nostri ufficiali e quelli degli asiatici. Xeno fu ammesso per la seconda volta e si trovò faccia a faccia con Menon di Tessaglia che era rimasto là. Si salutarono appena con un cenno del capo. Io me ne andai in giro attraverso l'accampamento del battaglione di Agasìas e di Glus che erano rimasti con gli asiatici durante tutta la battaglia. C'erano dei fuochi qua e là che stavano per spegnersi e cominciava ad accendersi qualche lucerna.

Notai a un certo punto un gruppetto di soldati che guardavano in direzione di una tenda e avvicinandomi capii il perché: la lucerna accesa all'interno proiettava sul tessuto la sagoma di una bellissima ragazza nuda che si stava lavando.

«Non c'è nulla da guardare! Levatevi di qui e andatevene» esclamai decisa sperando di essere presa sul serio perché intuivo d'istinto ciò che stava per succedere. Sul momento non parvero darmi ascolto, anzi, alcuni di loro cominciarono ad avvicinarsi al piccolo padiglione ridacchiando sottovoce. Pensai che presto le cose sarebbero volte al peggio e che forse avrei dovuto mettermi a gridare ma quelli, fatti pochi passi, si fermarono parlottando fra loro e poi, alla chetichella, si dispersero.

Forse avevano pensato che se mi ero rivolta a loro in quel modo dovevo essere nelle condizioni per farlo.

Mi avvicinai allora al padiglione e dissi: «Se non spegni quella lucerna potresti avere visite indesiderate e sicuramente sgradevoli».

«Chi sei? Che vuoi?» rispose allarmata una voce femminile. Il mio accento rendeva la mia parlata particolare: forse non riusciva a capire chi potessi essere, ma si rendeva conto che ero una donna e questo, almeno in parte, la rassicurava.

«Volevo solo avvertirti: da fuori si vede che sei nuda e gli uomini si stavano raggruppando a osservare lo spettacolo. Il seguito lo puoi immaginare, credo.»

«Mi vesto subito» rispose la voce.

«Posso entrare adesso?»

«Sì, certo.»

Entrai e vidi una delle più belle ragazze che avessi mai visto e forse la più bella che mai potessi vedere anche in seguito. Era bionda, aveva occhi color ambra e il corpo di una dea, con una pelle morbida e levigata dagli unguenti più rari e preziosi e degna di aristocratiche carezze.

«Devi essere quella che è scappata nuda quando sono arrivati i Persiani» le dissi osservandola attentamente.

La ragazza sorrise: «Come fai a saperlo?».

«L'ho sentito raccontare e quando ho visto la tua ombra proiettata sulla tenda me lo sono ricordato.»

«E tu chi sei?»

«Mi chiamo Abira. Sono siriana.»

«Sei una schiava?»

«No, sono libera e ho seguito di mia spontanea volontà un giovane che fa parte di questa spedizione.»

La ragazza sorrise guardandomi di sottecchi con un'espressione curiosa: «Ti sei innamorata?».

«Ti sembra strano?»

«Ti sei innamorata» annuì. «Siediti. Qui c'è qualcosa da mangiare. Sarai affamata.»

Si vedeva che aveva voglia di compagnia, e in particolare di compagnia femminile. Non doveva essere piacevole per una ragazza così bella trovarsi in mezzo a un accampamento di decine di migliaia di maschi giovani e violenti, molti dei quali l'avevano vista completamente nuda. Aprì una cassa e mi offrì un pezzo di pane e una fetta di formaggio di capra.

La ringraziai: «Sei talmente bella che dovevi essere l'amica di qualcuno di molto importante...».

La ragazza chinò il capo: «Sai osservare, e capire anche».

«Forse addirittura del più importante.»

La ragazza annuì.
«Ciro?»
Per un attimo gli occhi le si offuscarono: «Che orrore...» disse con un tremito nella voce.
«Eri la sua donna?»
«Una delle molte del suo harem. Ma mi mandava spesso a chiamare per tenergli compagnia. Mi trattava con rispetto, con affetto, forse anche con amore. Mi faceva dei bellissimi regali, gli piaceva ascoltarmi. Voleva che gli raccontassi favole, storie... Sembrava un bambino a volte, altre volte diventava improvvisamente duro e impenetrabile come l'acciaio.»
«Che cosa ti è successo, ieri?»
«Ero nella tenda del principe quando sono arrivati i soldati di Artaserse. Erano scatenati: uccidevano, bruciavano, saccheggiavano. Un gruppo irruppe nella tenda, si gettarono sulle altre ragazze, due afferrarono anche me per le vesti, ma io slacciai la cintura e le fibbie e corsi via, nuda.»
«E hai raggiunto il nostro presidio.»
«Sì, correndo come non avevo mai corso in vita mia. Quando i nostri hanno contrattaccato verso sera e li hanno ricacciati indietro due delle mie compagne sono state trovate morte. Le avevano violentate per ore, fino a farle morire.»
Non sopportavo quel racconto e quelle immagini atroci. Mi alzai e guardai fuori. Sembrava tutto tranquillo. Eravamo al sicuro, ora. In fondo al campo si vedeva una tenda più grande, illuminata, dove aveva luogo la riunione dello stato maggiore. Anche Xeno era là e mi chiedevo perché Sophos lo avesse introdotto nel consesso dei più alti ufficiali, lui che non era nemmeno un soldato. E perché Xeno aveva accettato? Gli aveva promesso qualcosa? E in questo caso, che cosa esattamente? E in cambio di che? A me non era permesso chiedere, ma dovevo ugualmente sapere e avrei usato qualunque mezzo per riuscirvi.
Mi voltai verso la splendida concubina del principe. La

lampada spandeva sulla sua pelle d'avorio un riflesso dorato, gli occhi, illuminati di lato, riflettevano la luce con una trasparenza cristallina che conferiva allo sguardo una intensità quasi insostenibile. Le feci un'altra domanda che mi veniva spontanea: «Ma anche da questa parte dell'accampamento eri pur sempre la preda più desiderabile e non avevi più un padrone. Come potevi fare il bagno nuda senza aspettarti un'aggressione? Gli uomini che si erano raggruppati là fuori prima stavano per...».

«E credi che siano state le tue parole ad allontanarli? E che io non avrei fatto il bagno se non mi fossi sentita sicura?»

«Allora perché...»

«Non hai notato nulla fuori dalla tenda?»

«Era buio, che cosa avrei dovuto vedere?»

La ragazza prese la lanterna e andò verso l'uscita: «Vieni, guarda».

La seguii e lei illuminò un angolo sulla destra dell'entrata. C'erano le teste di due uomini conficcate su ferri di lancia e in bocca avevano i testicoli. Arretrai inorridita.

«Ecco cosa li tiene lontani» disse tranquilla la ragazza.

«Dèi, ma come hai fatto a...»

«Non crederai che sia stata io a decapitare e castrare quei due energumeni.»

«Chi allora?»

«Mi ero appena rifugiata da questa parte che uno dei nostri mi si avvicinò e mi coprì con il suo mantello. Un gruppo di asiatici di Arieo però si fece avanti per reclamarmi, ma furono cacciati dagli altri. Mi portarono in questa tenda e potei finalmente riprendere fiato, ma per poco. Mi ero appena coricata che due di quegli asiatici penetrarono qui dentro senza fare il minimo rumore. Feci per gridare ma uno di loro mi chiuse la bocca con una manaccia enorme e pelosa come la zampa di un orso e mi portarono via dalla parte posteriore. Mi sentii perduta e già pensavo che sarei finita nell'harem di uno di quegli esseri irsuti e puzzolenti o data in pasto alla soldataglia, quando notai sulla nostra sinistra, a una distanza di venti passi, un'ombra che si muoveva nella direzione contraria alla nostra. Dovevo tentare il tutto per tutto: addentai la mano del mio rapitore e nello stesso tempo gridai "aiuto" più forte che potei. L'ombra si arrestò e vidi distintamente nel riverbero di un bivacco un guerriero più bello e più possente di Ares in persona sguainare la spada e dirigersi verso di noi, camminando tranquillamente come se venisse a fare la nostra conoscenza. Non potrei dire come accadde, ma i miei rapitori crollarono uno dopo l'altro come pupazzi di segatura. Il mio salvatore si chinò su di loro, li decapitò con due colpi netti di spada e conficcò le due teste sui ferri di lancia davanti alla mia tenda. Poi tagliò loro i testicoli e glieli mise in bocca. Nessuno mi ha più dato noia.»

«Lo credo bene» replicai. «Ma poi lui si è rifatto vivo?»

«No, purtroppo. Si è allontanato senza dire nulla.»

«Era uno dei nostri? Me lo puoi descrivere?»

«Aveva il corpo di un atleta, più che di un guerriero, capelli biondo oro, lisci, che gli coprivano in parte la fronte, occhi blu come il cielo sereno, ma lo sguardo di ghiaccio.»

«Menon di Tessaglia.»

«Che cosa hai detto?»

«L'uomo che ti ha salvata è uno dei comandanti delle grandi unità dell'esercito greco, un combattente formidabile, uno sterminatore spietato.»

«Però è bello come un dio e mi ha salvata. Vorrei tanto vedere se ci sono altri aspetti della sua persona da scoprire. A volte una carezza sapiente può far emergere in un uomo lati nascosti, insospettati.»

«Ti capisco, senti il bisogno di uno che ti protegga e non vuoi finire in mano a un essere sgradevole, o ripugnante, ma stai attenta se pensi a Menon: quello non è un uomo che si possa addomesticare. Sarà come accarezzare un leopardo.»

«Ci starò attenta.»

«Bene. Allora io vado. Come ti chiami?»

«Melissa. Tornerai a trovarmi?»

«Appena posso. Tu intanto sii prudente e se esci copriti. Copriti bene, anche se fa caldo. È meglio così, credimi.»

«Lo farò, Abira. Spero di rivederti presto.»

«Anch'io. Dormi bene.»

Tornai alla mia tenda: Xeno mi stava già aspettando.

Gli domandai che cosa fosse accaduto alla riunione con i capi asiatici. Mi rispose che avevano giurato di sostenersi gli uni gli altri. Arieo era ferito, ma non gravemente, e sembrava intenzionato a guidare i due eserciti fuori dai pericoli più immediati. Tornare da dove eravamo venuti era da escludere. L'andata era stata durissima pur con i rifornimenti che l'esercito aveva a disposizione. Il ritorno, privi di tutto come eravamo, sarebbe stato impossibile. Meglio una strada più lunga ma per luoghi in cui fosse possibile trovare mezzi di sussistenza. Il piano era di muoversi con la massima rapidità e obbligare il Gran Re a scelte comunque difficili o pericolose. Per tenere il passo avrebbe dovuto procedere con un contingente ridotto, il che sarebbe stato molto rischioso; se avesse mandato all'inseguimento la stessa armata che aveva travolto Ciro sarebbe stato distanziato ogni giorno di più.

«Mi sembra un ottimo piano» dissi. E lo feci sorridere. Il fatto che una donna approvasse la decisione del massimo consesso dell'armata era del tutto privo di importanza, ma io non ci pensavo ed esprimevo sempre il mio punto di vista. Prima di coricarmi presi la lucerna e sistemai le nostre cose sul carro in modo da non dover sprecare tempo al momento della partenza. All'interno della tenda avevamo il necessario per le pulizie personali. Una brocca che tenevo sempre piena consentiva di lavarci il minimo indispensabile. Usavo una spugna appena inumidita quando c'era scarsità d'acqua e con quella riuscivamo a detergerci in due. Prima io lavavo lui, poi me stessa e sembrava di riposare meglio dopo esserci liberati dalla polvere della giornata; in qualche modo si dimenticava la fame che si faceva sempre più difficile da sopportare con il passare delle ore e dei giorni. Anche noi che avevamo delle provviste cercavamo di risparmiare il più possibile, perché nessuno sapeva quando avremmo potuto rifornirci di cibo e perché cercavamo di condividere il poco che avevamo con chi non aveva nulla.

Raccontai a Xeno come avevo fatto la conoscenza di Melissa, la ragazza che era corsa nuda dalla tenda di Ciro al campo delle nostre truppe, e dei mezzi di dissuasione che Menon di Tessaglia aveva sistemato davanti alla sua tenda.

Xeno non disse nulla. Non ne sarebbe stato capace.

Sono giunta a pensare che il suo grande maestro gli avesse trasmesso un senso etico così profondo che un essere completamente immorale come Menon gli facesse paura ancora più che ripugnanza.

Il sorgere del sole e le sentinelle dell'ultimo turno ci svegliarono e poco dopo eravamo già in marcia. Il paesaggio era molto cambiato. Il terreno era verdeggiante, c'erano canali un po' dappertutto che irrigavano i campi. Grandi ciuffi di palme segnavano, anche da lontano, l'ubicazione dei centri abitati.

Avanzammo per tutto il giorno allontanandoci sempre di più dal campo di battaglia e alla sera ci accampammo in prossimità di un gruppo di villaggi. Non erano molto diversi dai nostri Villaggi della Cintura: modeste costruzioni di mattoni crudi, tetti di foglie di palma, recinti con asini, pecore e capre, qualche cammello e ovunque oche e galline.

Verso sera un gruppo di ricognitori vide un grosso branco di cavalli al pascolo e questo non poteva che significare una cosa: l'esercito del Gran Re era molto vicino. Klearchos non volle ritirarsi per non mostrare al nemico di avere paura.

Quella notte fu agitata da un continuo trambusto: richiami, falsi allarmi. A ogni minimo rumore, allo sbuffare di un cavallo o all'abbaiare di un cane, tutti si alzavano, si armavano, correvano di qua e di là e più ci si agitava più crescevano la tensione e il pericolo: quegli uomini, tormentati dalla fame, indeboliti da molte fatiche, tesi fino allo spasimo nell'aspettativa di un attacco imminente, reagivano in modo eccessivo e sproporzionato col rischio che un attacco vero e proprio trovasse solo una moltitudine disgregata e confusa, incapace di reagire.

Xeno era ancora più preoccupato dal fatto che oltre alla fame gli uomini avrebbero dovuto sopportare anche le conseguenze dell'insonnia e della mancanza di riposo. Mi resi conto che in quel momento l'unica nostra protezione era la leggenda degli uomini dai mantelli rossi. La realtà era che i nostri temibili guerrieri avevano paura del buio. Era una notte senza luna, non c'era legna per i fuochi, né olio per le lampade. Quei giovani avevano paura dell'ignoto.

Schierati in campo aperto, alla luce del sole, davanti a un nemico anche preponderante, avrebbero affrontato il pericolo ricorrendo a ogni risorsa del cuore e del braccio. Soli, nell'oscurità, nel cuore di un paese nemico, senza sapere da dove sarebbe venuta la morte erano indifesi e sgomenti.

Klearchos dovette rendersi conto del loro stato d'animo: verso mezzanotte mandò in giro un araldo a gridare che era scappato un asino seminando la confusione nell'accampamento e che non c'era altro da temere, e disse anche che le sentinelle vigilavano in doppia fila tutto attorno al campo e che dunque ognuno cercasse di riposare.

La voce dell'araldo era la voce del comandante, dell'uomo che vegliava mentre gli altri dormivano, digiunava come loro, pativa la fame e la fatica ma aveva sempre un piano di salvezza, una via di scampo aperta, una soluzione di riserva in grado di rintuzzare il panico e placare la confusione.

In poco tempo nel campo regnò la calma. Si accese perfino qualche fuoco e molti riuscirono a riposare.

Pensai a Melissa. Dov'era in quel momento? Il suo difensore le era di nuovo vicino? Si era portata dietro in una cesta le teste mozze di chi aveva cercato di recarle offesa e le aveva di nuovo poste davanti alla sua tenda? Certamente no. Le teste erano rimaste sole, conficcate su ferri di lancia nel campo abbandonato. Nessun palpito di desiderio era sopravvissuto nello sguardo fisso e vitreo e il loro aspetto umano terminava là dove la lama di Menon di Tessaglia aveva stabilito.

E dov'era ora Menon? Anche il suo corpo impeccabile doveva essere sporco e trasandato. E Melissa non avrebbe avuto il suo leopardo da accarezzare.

Sentii Xeno agitarsi nel sonno. Anche lui pensava al domani, si chiedeva forse quanto tempo gli restava e a che genere di morte avrebbe dovuto prepararsi.

Io invece mi addormentai accanto a lui e dormii avvolta dal suo calore, come sempre. La morte non mi riguardava e quanto a lui ero certa che il mio amore avrebbe distolto dal suo capo ogni minaccia.

Forse era soltanto un augurio, forse i miei desideri sarebbero stati subito inghiottiti dalla notte illune e dall'atmosfera stagnante della terra umida, eppure, al sorgere del sole, accadde un miracolo. Xeno mi svegliò, già armato e con un'espressione incredula negli occhi mi annunciò: «Il Re chiede una tregua!».

Sembrava impossibile eppure era successo.

«È stato poco dopo il sorgere del sole: Sophos e io eravamo già in piedi davanti al comandante per sapere se c'era qualcosa che potevamo fare. Stavamo ancora parlando quando arriva uno dei nostri ad annunciare visite.

"Visite?" ripete Klearchos.

"Sì, comandante" replica il soldato. "Ambasciatori da parte del Gran Re chiedono di essere ricevuti."

Noi stavamo quasi per dirgli "Falli venire" tanto la cosa ci aveva stupito e invece Klearchos risponde: "Di' loro che sono occupato".

"Ma non sei occupato, comandante" gli fa Sophos.

"Sì che lo sono" ribatte Klearchos. "Sto pensando a come riceverli. Un po' di anticamera non può che far loro bene. Non dobbiamo mostrarci troppo desiderosi di trattare o penseranno che siamo deboli. Ma soprattutto c'è un'altra ragione. Voglio i miei soldati in perfetto ordine, i capelli pettinati, le armature luccicanti; gli scudi dovranno riflettere i barbagli del sole. Dovrà sembrare che la disciplina non è scalfita di un graffio, che il morale è intatto: più che le mie parole o le mie richieste gli ambasciatori dovranno riferire al Re lo spettacolo della mia falange schierata. Tutto questo richiede tempo. Li riceverò quando sarà il momento."

E si mette a chiacchierare con noi e ci racconta la storia dell'asino che aveva fatto diffondere dall'araldo e tutti a ridere anche se avevamo lo stomaco vuoto. È passata quasi un'ora da quando ha avuto l'annuncio e adesso sembra che li riceverà.»

Xeno non aveva finito di parlare che squillarono le trombe chiamando all'adunata e i soldati accorsero al centro del campo.

Apparve Klearchos.

Si era pettinato i capelli raccogliendoli dietro la nuca, indossava l'armatura scintillante, teneva la lancia nella sinistra e un bastone di comando nella destra: «Uomini!» cominciò. «Un'ambasceria del Gran Re chiede di essere ricevuta. Vi voglio schierati in riga perfetta, su quattro linee, devono vedere un esercito, non un gregge di capre. Mi avete capito bene? E adesso, la guardia del corpo!»

Si mise a camminare su e giù e se vedeva un uomo che sporgeva in avanti o indietro gli dava un colpo con il bastone perché si mettesse perfettamente in linea. Poi scelse otto uomini, i più alti per statura, i più massicci per muscolatura, che dovevano figurare come la sua guardia del corpo.

Un altro squillo di tromba fu il segnale di imbracciare gli scudi e serrare le file. E mentre i soldati eseguivano l'ordine con un clangore metallico, mandò a dire agli ambasciatori che era pronto a riceverli.

I tre notabili si fecero avanti e fu subito evidente il loro stupore al contemplare l'ordine del nostro schieramento, l'impeccabile rigore degli allineamenti, il luccicare minaccioso delle armature. Quei ragazzi erano attanagliati dalla fame eppure stavano ritti e impettiti davanti agli stranieri a dimostrare che non erano domati, che non temevano, anzi, incutevano timore. Vidi Socrate di Achaia a capo scoperto al centro del suo reparto con gli sguardi dei suoi uomini sulle spalle, Aghìas di Arcadia appoggiato alla lancia come la statua di Ares, vidi Menon di Tessaglia rifulgere come la stella di Orione che porta sventura, con sulle spalle un mantello incredibilmente bianco – come aveva mai fatto? E Agasìas di Stinfalo, Licio di Siracusa e Glus.

Erano davanti alla prima linea, staccati di dieci passi, distanziati perfettamente l'uno dall'altro come pedine su una scacchiera. Mancava Sophos. Lui spariva sempre in queste situazioni. Si dissolveva nell'aria come un miraggio.

Gli ambasciatori riferirono che il Re era disposto a una tregua ma voleva un impegno da parte di Klearchos a impedire saccheggi o azioni aggressive. Klearchos rispose che prima di qualunque promessa voleva nutrire i suoi uomini e questo doveva accadere subito o avrebbe attaccato con tutta la forza di cui era capace.

E mentre disse queste parole volse lo sguardo all'esercito come per mostrare che non stava scherzando e che non ci voleva nulla a scatenare i mantelli rossi.

Doveva esserci stata un'intesa fra lui e i suoi ufficiali perché questi si volsero indietro per un momento e subito accadde una specie di prodigio. A partire dal primo fino all'ultimo mille guerrieri inclinarono gli scudi uno dopo l'altro a raccogliere i raggi del sole e a rifletterli in avanti. E il movimento fu così rapido che sembrò che una folgore incendiasse la falange schierata.

I Persiani restarono allibiti. Subito balzarono a cavallo e sparirono in pochi istanti.

Non passò molto tempo e furono già di ritorno: il che ci fece capire che il Gran Re doveva essere vicinissimo. Se non lui, chi aveva facoltà di trattare in vece sua.

Riferirono che la richiesta era accolta. Che seguissimo le guide e prima di sera saremmo giunti in un gruppo di villaggi ben forniti di cibo e di bevande.

Eravamo salvi.

# 11

Ci vennero date delle guide perché ci conducessero dove potevamo rifornirci di cibo. Non fu un tragitto facile. Incontravamo dei canali pieni d'acqua e ogni volta dovevamo trovare il modo di attraversarli. Klearchos dava l'esempio per primo afferrando una scure e abbattendo grandi alberi di palma per costruire delle passerelle su cui far transitare uomini, carri e cavalli. A volte, se non c'era materiale per costruire ponti abbastanza larghi, i carri venivano smontati: le ruote erano trasportate facendole rotolare sulla passerella, i pianali venivano trainati con funi sull'acqua come zattere e rimontati dall'altra parte.

Vedendo Klearchos prodigarsi così nonostante l'età non più verde, i giovani si impegnarono al massimo spremendo dai loro corpi ogni residua energia per abbreviare il tempo che li separava dal momento in cui avrebbero potuto finalmente sfamarsi e ristorarsi.

Già altre volte avevo ritenuto che quei ragazzi avessero dato fondo alle ultime risorse e ogni volta avevo assistito al prodigio di nuove energie strappate a forza dai corpi esausti. Cominciavo anch'io a credere alla leggenda dei mantelli rossi, anch'io mi rendevo conto che ognuno di quegli uomini valeva come dieci degli asiatici a cui erano contrapposti.

Arrivammo finalmente, verso sera, nel luogo stabilito: un gruppo di villaggi sparsi in mezzo a una pianura fertilissima. C'erano centinaia di palme cariche all'inverosimile di datteri, c'erano decine di granai dalla caratteristica forma a ogiva, strapieni di grano, orzo, spelta e giare colme di vino di palma. Gli ufficiali dovettero impartire ordini severissimi perché gli uomini non si gettassero sul cibo e sul vino e non si appesantissero oltre misura. Furono distribuite razioni contenute ma molti si sentirono male ugualmente, vomitarono o furono presi da forti mal di testa.

I medici diedero la colpa a quel tipo di vino a cui gli uomini non erano abituati e anche ai cuori di palma: i germogli di quelle piante che erano molto duri e pieni di fibre difficili da digerire. In ogni caso l'esercito poté sfamarsi e recuperare le forze.

Mi sono chiesta più volte perché il Re avesse compiuto un simile errore. Bastava aspettare, tergiversare, confondere, e la fame e lo sfinimento avrebbero alla fine deciso le sorti dei suoi nemici. Perché non lo fece? Non c'è che una spiegazione: il Re pensava che non ci fosse limite alle capacità di resistenza dei mantelli rossi, che nulla li avrebbe piegati. È anche molto strano che non abbia fatto avvelenare il cibo e l'acqua con cui ci nutrimmo e dissetammo. Xeno pensava che fosse per nobiltà d'animo e di sentimenti: semplicemente il Gran Re ammirava il loro valore e il loro coraggio e pensava che uomini di quella tempra non meritassero una morte indegna.

Può darsi. Sta di fatto che il giorno dopo arrivò l'ambasceria inviata dal Gran Re. Era una delegazione al massimo livello. Ne facevano parte il cognato del Re e Tissaferne, uno dei più brillanti generali del suo esercito che si era grandemente distinto nella battaglia contro Ciro e che avrebbe preso il posto del principe ucciso come governatore della provincia di Lidia. Arrivarono su magnifici cavalli nisei bardati con finimenti d'oro e d'argento, sontuosamente vestiti con calzoni di finissima garza, scortati da un gruppo di cavalieri delle steppe, con corazze ed elmi di cuoio e lunghi archi a tracolla.

Xeno me lo descrisse come un incontro addirittura cordiale. Tissaferne e i suoi due accompagnatori strinsero la mano a Klearchos e a tutti gli ufficiali superiori, a turno. Poi si venne alla trattativa. Tissaferne disse che il Gran Re era ben disposto nei loro confronti, era pronto a lasciarli partire benché molti dei suoi consiglieri fossero contrari per non creare un pericoloso precedente. Ma avrebbero dovuto accettare certe condizioni.

Parlò allora Klearchos: «Noi non conoscevamo il vero scopo della spedizione di Ciro...» e pronunciando quelle parole mentiva e diceva la verità a un tempo. Mentiva perché lui aveva sempre saputo il vero scopo della spedizione e diceva la verità perché la stragrande maggioranza dell'esercito ne era completamente all'oscuro. «Quando però ne venimmo a conoscenza ci sembrò da vigliacchi abbandonare l'uomo che ci aveva ingaggiati e nutriti fino a quel momento e così ci siamo battuti lealmente ai suoi ordini riportando la vittoria nel punto in cui eravamo schierati. Ora però Ciro è morto e siamo sciolti da ogni obbligo, non dobbiamo rispondere ad altri che a noi stessi. Ascoltatemi bene: noi vogliamo una cosa soltanto, tornare a casa. Il resto non ci interessa. Non mettetevi sulla nostra strada e andrà tutto bene. Cercate d'impedirci il passo e ci batteremo fino all'ultima goccia di sangue. E sapete che cosa intendo dire.»

Gli ambasciatori si guardarono in faccia mentre l'interprete traduceva, poi parlò di nuovo Tissaferne: «Ve l'ho detto: a noi sta bene che ve ne torniate da dove siete venuti, però niente saccheggi, niente violenze. Dovete comprare quello che vi serve nei mercati».

«E se non ci saranno mercati?»

«Allora potrete rifornirvi dal territorio ma solo per lo stretto indispensabile e sotto la nostra sorveglianza. Che cosa mi rispondete?»

Klearchos e i suoi si ritirarono a consiglio; di fatto, però, la decisione era già presa visto che le condizioni proposte erano ragionevoli.

«Accettiamo» fu la risposta.

«Molto bene» disse Tissaferne. «Ora noi torneremo dal Re per la ratifica del trattato. Appena avremo il suo assenso torneremo qui e potremo cominciare il nostro viaggio di ritorno verso la costa perché anch'io dovrò insediarmi da quelle parti. Non vi muovete da qui o il nostro accordo verrà annullato.»

Klearchos lo guardò dritto negli occhi: «Mi auguro che non vi venga la tentazione di chiuderci in una trappola. Sarebbe un pessimo affare per tutti».

Tissaferne sorrise scoprendo una doppia fila di denti bianchissimi sotto i folti baffi neri: «Se vogliamo fare assieme un viaggio così lungo sarà bene cominciare a fidarsi gli uni degli altri, non vi sembra?».

Detto questo salutò, montò a cavallo e spronò.

«Che cosa ve ne pare?» chiese Klearchos ai suoi. Xeno rispose che lui era d'accordo, tanto non c'era scelta, ma rimetteva la decisione agli ufficiali che, uno dopo l'altro, si dissero pronti ad accettare le condizioni di Tissaferne.

«Allora aspettiamo» disse Klearchos.

«Aspettiamo pure» ribatté Menon di Tessaglia, «ma non più di tanto.» E se ne andò.

Passarono tre giorni senza che accadesse nulla e qualcuno cominciava a preoccuparsi. Xeno mi accompagnava al pozzo quando andavo ad attingere acqua perché temeva qualche attacco a sorpresa. La fiducia che aveva nelle buone intenzioni dei Persiani cominciava probabilmente a vacillare. Con il passare del tempo l'inquietudine si diffondeva sempre di più perché non c'erano notizie e non si sapeva che cosa pensare.

Andai a far visita a Melissa che non vedevo da diversi giorni e la trovai ben sistemata nella sua tenda e con due serve che l'accudivano.

«Hai trovato un nuovo amico?» le domandai.

«Ho trovato quello che cercavo» rispose lei.

«Menon?»

Melissa annuì sorridendo.

«Incredibile. Quando è successo?»

«La sera in cui sono arrivati gli ambasciatori. Fu presente al consiglio di stato maggiore poi, tornando al suo quartiere, passò davanti alla mia tenda. Lo invitai a entrare per offrirgli una bevanda fresca. Un'offerta difficile da rifiutare con questo caldo. Vino di palma allungato con acqua e aromatizzato con menta. Ho trovato al campo un'anfora sudante e riesco a ottenere una temperatura quasi gelida.»

«E come fai?»

«Semplice. Sono anfore confezionate con un impasto grezzo e cotte ad alte temperature per cui diventano porose. Basta esporle dove tira un po' d'aria e bagnarle in continuazione. Il liquido all'interno si raffredda sempre di più.»

«Credevo l'avessi sedotto con qualcos'altro...»

«Con questa?» sorrise toccandosi il pube. «Dopo... Dopo che si sedette, e si rilassò, dopo che ebbe gustato questa bevanda straordinariamente fresca e dissetante. Dopo che l'ebbi lavato con una morbida spugna e asciugato con un lino finissimo e profumato di spigo...»

«Non credo esista un uomo che possa resisterti. Riusciresti a sedurre il Gran Re in persona.»

«Ho una certa esperienza... Menon ha ceduto quando ho cominciato ad accarezzarlo ma non si è mai abbandonato del tutto. È incredibilmente sospettoso e diffidente e il suo passato nasconde di certo qualcosa di terribile che non sono riuscita a sapere.»

«Ha dormito con te?»

«Una sola notte. Nudo, ma con la spada sempre al fianco. E una volta che mi sono alzata a bere me la sono trovata alla gola. Avevi ragione tu: è come dormire con un leopardo. La prima cosa che capisci è che potrebbe uccidere con la stessa facilità con cui beve un bicchiere d'acqua. Uccidere chiunque, dico, senza distinzione.»

«Stai attenta.»

«Eppure c'è in lui qualcosa di misterioso che mi affascina. La sua stessa ferocia, così fredda e improvvisa. Ha sviluppato una aggressività senza limiti e questo non può che nascere da sofferenze e terrore egualmente senza confini. Quella notte l'ho sentito gridare nel sonno, non molto prima dell'alba, quando si fanno i sogni che poi non dimentichiamo da svegli. Un grido disumano.»

Melissa in quel momento mi sembrò una donna ammirevole, stupenda per la perfezione del corpo e del volto ma anche per la ricchezza dei sentimenti e l'acume della mente. Era una di quelle persone che è importante conoscere nella vita, una di quelle che non avrei mai incontrato se fossi rimasta a Beth Qadà.

«Hai notizie su quello che ci aspetta?» domandò Melissa. «Menon non mi ha detto niente e io non oso chiedere.»

«Xeno è preoccupato perché non sta succedendo nulla e i giorni passano. Gli esploratori dicono che siamo bloccati fra il Tigri e un canale, Klearchos non vuole muoversi perché teme di violare la tregua e di dare ad Arieo il pretesto di abbandonarci al nostro destino.»

Melissa mi versò una coppa della sua bevanda magica e mi guardò con un'espressione amorevole mentre bevevo: «Hai pensato a che cosa fare se le cose si mettessero al peggio?».

«A che cosa ti riferisci?»

«Se l'esercito venisse annientato dai Persiani, se il tuo Xeno venisse ucciso.»

«Non lo so. Credo che mi sarebbe difficile sopravvivergli.»

«Non dire stupidaggini. Noi dobbiamo sopravvivere in ogni caso. Una donna desiderabile come te ha sempre il modo di farsi apprezzare. Basta individuare il maschio più potente, il dominatore. Può essere un re o un principe o un comandante, colui che ti può proteggere e darti tutto quello che meriti in cambio dei tuoi favori.»

«Non credo che sarei molto abile in una simile situazione. Forse dovresti andare avanti tu e poi proteggere anche me. Io sono troppo stupida, Melissa, sono una di quelle donne che si innamorano. E lo fanno per la vita. Tu invece sei già un mito, la bella che corse nuda dal campo di Arieo alle linee dei guerrieri greci fra le ovazioni e le grida di incitamento. Neppure Menon dagli occhi freddi ha resistito al tuo incanto.»

Melissa sospirò: «Menon... temo sia lui il più forte. Lo sai, io non mi sono mai innamorata di nessun uomo nella mia vita ma quel giovane senza cuore mi fa tremare...».

Vidi un'ombra di incertezza negli occhi ambrati di Melissa e mi allontanai per non dover rispondere alla domanda che forse mi avrebbe fatto dopo quella confessione.

Passarono venti giorni prima che tornassero gli ambasciatori e credo che fosse stata una follia aspettare tanto tempo inerti. Non so per quale motivo alla fine non accadde nulla. Il Gran Re aveva accettato tutte le nostre richieste e così cominciò il nostro viaggio di ritorno. Quella notte Xeno e io facemmo l'amore perché era svanita la paura di una catastrofe imminente e la notte calda e tranquilla, profumata di fieno, ci spingeva l'una nelle braccia dell'altro. Poi uscimmo dalla tenda e ci sedemmo sull'erba secca a guardare il cielo pieno di stelle. Si sentiva il brusio del campo, i soldati che parlavano fra loro, l'abbaiare dei cani randagi che si aggiravano attorno all'accampamento. Nessuno cantava però, perché i pensieri di ognuno erano presi dall'incertezza e dall'oppressione. L'esercito sterminato che avevano affrontato a Cunassa aveva dato loro la consapevolezza di quanto grande fosse l'Impero che si estendeva attorno a noi in tutte le direzioni, di quanti fossero gli ostacoli che avrebbero dovuto superare.

«Credi che torneremo per la stessa strada?» domandai a Xeno. «Pensi che ripasseremo dai miei villaggi?» E sentivo dentro di me una profonda inquietudine. Se fossimo tornati attraverso i Villaggi della Cintura si sarebbe chiuso per me il cerchio e probabilmente avrei dovuto lasciare che lui riprendesse il filo della vita che aveva interrotto e a cui certamente desiderava tornare.

«Non lo so» rispose, «e ho dubbi e incertezze di ogni genere, qualunque possibilità io cerchi di esplorare. Dobbiamo seguire i Persiani che ci sorvegliano e ci odiano. Noi siamo un corpo estraneo all'interno del loro paese. Hanno paura di affrontarci ma sanno che in un modo o nell'altro dovremo essere distrutti.»

«Perché mai?» chiesi. «Il Gran Re ha accettato di trattare e ha acconsentito a lasciarci partire ponendo delle condizioni che avete sottoscritto.»

«È vero: tutto sembra così perfetto e tranquillo, ma non c'è logica in questo comportamento. Se noi torneremo a raccontare quanto è stato facile arrivare a poca distanza da una delle loro capitali, altri potrebbero essere tentati di ripetere l'impresa. È un rischio che non possono correre. Ma certo, non si può mai dire, e a volte le vie del destino sono indecifrabili.»

«Ma se non succederà nulla di ciò che temi, che cosa accadrà a partire da domani?»

«Tissaferne è stato nominato governatore della Lidia al posto di Ciro e quindi dovrà raggiungere la sua provincia. Faremo dunque la strada assieme perché la meta è la stessa, il luogo da cui siamo partiti, e questo consentirà loro di tenerci d'occhio. Risaliremo il Tigri fino alla base delle montagne del Tauro. Là prenderemo a occidente in direzione delle Porte Cilicie, la strettoia che mette in comunicazione la Siria con l'Anatolia, e passeremo non tanto distanti dai tuoi villaggi, quattro o cinque parasanghe, una giornata di cammino verso meridione.»

«Quindi ti sarebbe facile riportarmi a Beth Qadà, dove mi hai incontrata.»

«Non di mia volontà» replicò, «mi mancheresti molto, troppo... Sai, da noi si raccontano tante storie di eroi che tornarono da lunghi viaggi portando una ragazza barbara...»

«E come finiscono quelle storie?»

«Questo non ha importanza...» rispose Xeno e tacque d'improvviso. Seguii la direzione del suo sguardo che scorreva sul campo e incontrai una figura a cavallo che passava silenziosa fra le stoppie.

Sophos.

Ripartimmo all'alba e dopo due giorni di cammino attraversammo una muraglia di mattoni crudi cementati con l'asfalto e dopo altri due giorni giungemmo sulla riva del Tigri, che attraversammo su un ponte di barche. Xeno annotava sulle sue tavolette le distanze e i nomi dei luoghi e vidi che cercava anche di tracciare sulla cera la direzione dell'itinerario osservando la posizione del sole. Al di là del fiume c'era una città piuttosto grande, anch'essa circondata da una muraglia di mattoni crudi come quelli con cui costruivamo le nostre case a Beth Qadà. Lì per la prima volta ci recammo al mercato. I nostri aggiogavano i muli ai carri e andavano a comprare quello che serviva per nutrire l'esercito. Non avevo mai visto quanto cibo occorre per sfamare diecimila uomini. Era una quantità enorme ma la merce variava poco perché si comprava quello che c'era: grano, orzo, rape e legumi, pesci di fiume oppure carne di montone e di capra e pollame per alcuni degli ufficiali come Proxenos, Menon, Agasìas e Glus. Klearchos e i suoi invece mangiavano sempre ciò che mangiavano i loro soldati. La bevanda era sempre la stessa: vino di palma, ma solo per chi poteva permettersi di comprarlo.

Notai che i vari reparti mettevano assieme una specie di cassa comune che veniva affidata a un uomo di fiducia che faceva gli acquisti e poi dava un rendiconto delle spese. Quando i soldi erano finiti si procedeva a una nuova contribuzione collettiva. Gli ufficiali, a parte Klearchos e i suoi, mandavano il loro aiutante di campo. Xeno non aveva perduto la sua passione per la caccia e quando era possibile usciva a cavallo con arco, frecce e giavellotti e quasi sempre tornava con una preda: un coniglio selvatico, delle anatre, una piccola gazzella che mi fissava con i grandi occhi vitrei spalancati.

Arieo e il suo esercito, che doveva, in teoria, essere il nostro alleato, si era unito a Tissaferne: loro si accampavano tutti assieme ma i nostri se ne guardavano bene e si tenevano quasi sempre a una buona distanza, una parasanga e anche di più. Non li avremmo neanche visti se non fosse stato per il fumo dei bivacchi.

Questo dava adito a continue e pessimistiche congetture: chissà che cosa stavano meditando quelli, chissà quali inganni o tranelli stavano preparando e quel bastardo di Arieo faceva lega con loro. Barbari gli uni e barbari gli altri, che cosa c'era mai da aspettarsi?

Non era difficile immaginare che nell'altro accampamento circolassero discorsi non molto diversi e quella che doveva essere una trasferta di due corpi d'armata verso il mare divenne presto una guerra non dichiarata, una tensione continua e spasmodica, un controllarsi a vicenda, uno spiarsi continuamente, giorno e notte.

Per fortuna i nostri erano abbastanza assennati da evitare il contatto diretto che sarebbe fatalmente sfociato in scontro, ma ciò che si cercava di evitare di proposito accadeva ugualmente per caso. Gruppi di nostri ausiliari usciti per raccogliere foraggio si erano imbattuti più volte in reparti persiani impegnati nello stesso compito ed erano scoppiate risse furibonde o anche veri e propri combattimenti con morti e feriti e c'era voluta tutta l'autorità di Klearchos per impedire che alcuni ufficiali uscissero in assetto di guerra per rintuzzare l'offesa e vendicare i caduti.

Più si avanzava verso settentrione lungo la riva sinistra del Tigri più la situazione diventava tesa e difficile anche perché i luoghi dove si poteva raccogliere foraggio o acquistare derrate diventavano sempre più rari e la competizione quasi a ogni passo più aspra. Xeno era stato uno dei pochi a preoccuparsi seriamente quando le cose sembravano facili, ma i fatti gli stavano dando ragione. Che cosa sarebbe successo quando la tensione fosse diventata intollerabile? Vedevo Klearchos passare in ispezione nella notte, attorniato dalla sua guardia, spingendosi a volte fino a breve distanza dagli avamposti persiani. I fuochi dei loro bivacchi si estendevano su una superficie immensa e davano la misura dell'enorme divario fra i due eserciti. E nessuno si faceva più illusioni sul comportamento di Arieo: se si fosse arrivati allo scontro sicuramente avrebbe combattuto contro di noi.

Una notte, verso il secondo turno di guardia, udii le voci di un violento alterco: era Menon di Tessaglia che voleva guidare i suoi in una incursione notturna nel campo persiano. Era sicuro di poter fare un massacro e di gettare l'intera armata nel panico, dopo di che un attacco in forze del resto dell'esercito avrebbe completato l'opera.

«Lasciami andare!» urlava. «Non se lo aspettano, li ho sentiti fare schiamazzi, sono mezzo ubriachi e li massacrerò come pecore. Hanno ucciso due dei miei oggi. Chi tocca gli uomini di Menon è morto, è morto, capisci?»

Era fuori di sé, come una belva che ha fiutato il sangue. Ci volle tutta l'autorità di Klearchos per fermarlo, ma sono convinta che se lo avesse scatenato in quel momento Menon avrebbe fatto ciò che prometteva e forse anche di più. Era talmente furibondo che gli venisse impedito di realizzare il suo piano che temetti sguainasse la spada contro il suo stesso comandante, ma la grinta di Klearchos rintuzzò la sua furia e impedì che gli eventi precipitassero. Almeno sino a quel momento.

Notai che a poca distanza c'era anche Sophos che osservava la scena in silenzio. Con lui c'era ultimamente un ufficiale del battaglione di Socrate, un uomo abbastanza giovane che parlava poco ma aveva fama di essere un combattente fortissimo, infaticabile. Era di una città del meridione, mi disse Xeno; si chiamava Neon, ma di lui non sapeva niente altro. L'essere ambedue di poche parole sembrava l'unica cosa che avessero in comune.

Attraversammo un altro fiume e avvistammo un'altra

città in lontananza dove fu possibile ancora rifornirsi al mercato, poi ci inoltrammo in un territorio deserto dove l'unica vegetazione era quella che cresceva sulle sponde del Tigri. Nonostante fossimo nell'autunno avanzato faceva ancora caldo e le lunghe marce sotto il sole cocente mettevano a dura prova gli uomini e gli animali da soma. Erano passati parecchi giorni da quando il comandante Klearchos si era incontrato con Tissaferne e aveva siglato l'accordo di tregua e da quel momento non c'era più stato nessun contatto, nessun incontro, nessun segnale.

Soltanto una volta arrivò dal campo persiano un messaggio. Eravamo giunti in prossimità di un gruppo di villaggi che mi ricordavano quelli dove ero nata e da dove mancavo ormai da tanto tempo. Un cavaliere persiano apparve all'alba e restò immobile a cavallo finché Klearchos non gli si accostò. L'uomo gli disse, in un greco stentato, che Tissaferne, quale segno della sua benevolenza, concedeva loro il permesso di prendere da quei villaggi ciò di cui avessero avuto bisogno.

Dapprima Xeno e gli altri pensarono che doveva essere una trappola, un invito al saccheggio per dividere l'esercito e disperderlo tra le case e le viuzze di quei piccoli insediamenti per poi attaccare con tutta la forza e colpire senza remissione. Ma Agasìas di Stinfalo che era andato in ricognizione riferì che non c'era un persiano nel raggio di due parasanghe e questo significava che non avevano intenzione di assalirci.

A quel punto Klearchos appostò alcuni gruppi di ricognitori a una certa distanza dal nemico e lanciò gli altri a saccheggiare i villaggi. Alla sera di quelle umili comunità di contadini e di pastori restava ben poco e gli abitanti erano esposti alla minaccia di dover soccombere alla fame durante i mesi invernali. Avevano perso il raccolto, gli animali da soma e da tiro e gli animali da cortile. Nessuno fra coloro che mettevano a sacco il villaggio di quei poveretti si domandò il perché di tanta condiscendenza da parte dei nostri nemici, ma io sì. Ci doveva essere una ragione e non fu troppo difficile scoprirla. Quei villaggi si chiamavano come i miei: "Villaggi di Parisatis". Erano cioè intitolati alla Regina Madre e quel saccheggio autorizzato doveva essere un esplicito insulto alla sua maestà.

Mentre i nostri approfittavano fino in fondo dell'opportunità che veniva loro concessa, io mi imbattei in un gruppetto di prigionieri persiani che erano stati appena catturati da un reparto di Socrate di Achaia ed erano legati al ceppo di un sicomoro. C'era anche una ragazza che parlava la mia lingua ed era stata fino a poco tempo prima al servizio della Regina Parisatis. Chiesi a Xeno di prenderla con noi perché avrei potuto raccogliere delle informazioni interessanti. Da lei, in effetti, appresi una storia tremenda. La storia dell'odio implacabile fra i due figli di Parisatis e della sete di vendetta della madre, privata in modo così atroce di colui che di più amava. Il principe Ciro.

# 12

«Com'è lei?» fu la mia prima domanda. E non mi sembrava vero di essere a così poca distanza da una persona che mi era lontana come le stelle del cielo. Avevo davanti a me chi l'aveva vista in volto e forse anche toccata, pettinata...

«Lei chi?» rispose.

«La Regina Madre. Dimmi com'è.»

La ragazza che parlava la mia lingua si chiamava Durgat e aveva fatto parte della servitù di Parisatis fino a pochi giorni prima, quando si trovava nei suoi alloggi di villeggiatura estiva sulle alture a occidente del medio Tigri.

«È una donna... alta e snella. Ha occhi fondi e cupi che ti fanno tremare quando ti fissa. Ha capelli lunghissimi che porta raccolti in un'acconciatura dietro la nuca. Ha dita lunghe e sottili che fanno pensare ad artigli. Lei è... adunca, tagliente... Quando sorride fa ancora più paura perché tutti sanno bene che cosa le dà più piacere in assoluto: la sofferenza degli altri.

Eppure ha la fedeltà e persino la devozione di ogni persona addetta al suo servizio. Tale è il terrore che incute che, quando dispensa qualche minima attenzione o fa un piccolo dono, chi lo riceve prova, involontariamente, una gratitudine immensa pensando a quanto grande è la sua possibilità di fare del male.»

«Perché si era trasferita in questo territorio?»

«Non era venuta qui per distrarsi ma per essere vicina al luogo dello scontro, del duello all'ultimo sangue fra i suoi due figli.»

«E tu che ci facevi in questi villaggi?»

«L'eunuco maestro di palazzo» rispose «mi aveva mandata assieme ad altre ragazze e a un certo numero di guardie a prelevare delle derrate alimentari per la corte. È lì che i tuoi ci hanno presi prigionieri.»

«Lo so, e temo che saresti finita nella tenda di qualche soldato se non fosse stato per me che sono l'amica di un importante personaggio. Raccontami quello che sai e continuerai a godere della nostra protezione.»

Annuì rassicurata. Il fatto che io parlassi la sua stessa lingua materna le ispirava fiducia. Mi narrò quello che aveva udito nelle stanze delle dame di compagnia della Regina e dalle confidenze degli eunuchi. Il suo racconto fu lungo e ripreso anche nei giorni successivi e solo in seguito s'interruppe a causa delle vicissitudini della nostra marcia per poi ricominciare.

«Ciro pensava in realtà di avere diritto al trono e non di essere un usurpatore. Era più giovane del fratello ma era nato quando suo padre era già Re mentre Artaserse, il maggiore, era nato quando suo padre era solo una persona comune. Lui era un principe reale, l'altro non era nulla. C'è una storia che circola a palazzo ma che non bisogna riferire. Se la Regina Madre lo viene a sapere ti fa tagliare la lingua.»

«È dunque tanto terribile?»

«È motivo di vergogna per il principe Ciro. Ecco perché. Si dice che, quando Artaserse entrò nel santuario del Fuoco per la cerimonia dell'investitura reale, Ciro si era nascosto in una piccola cappella per tendergli un agguato. Ma le guardie del corpo vigilavano o più probabilmente ebbero un'informazione e fecero una perquisizione.

Lo scovarono armato di pugnale nel luogo sacro e lo trascinarono al centro della sala dell'incoronazione per ucciderlo subito davanti agli occhi del Gran Re. La Regina

Madre, con un grido, si gettò su di lui nel momento in cui la scimitarra stava per mozzargli la testa, lo protesse con il suo corpo e lo coprì con il suo mantello invocando pietà per lui dal figlio maggiore. Nessuno osò fargli del male.

I cortigiani pensavano che Artaserse si sarebbe comunque vendicato e invece la madre, giorno per giorno, con gentilezze e riguardi ne guadagnò la fiducia e, con la scusa di mandare Ciro in un luogo lontano dalla corte, lo convinse ad affidargli il governo dell'estrema provincia occidentale: la Lidia.»

Quella storia mi commuoveva: l'Imperatore del mondo, il Re dei Re, l'uomo più potente della terra, era solo un bambino di fronte alla madre e le obbediva senza discutere la sua volontà. Ma lei, mi chiedevo, lei che razza di donna era mai? "Utero di bronzo" chiamano dalle mie parti quel tipo di donne.

Dunque, quando l'armata di Artaserse con i suoi generali si era mossa per affrontare Ciro anche la Regina si era spostata, con il suo seguito, il suo guardaroba e le sue ancelle, per essere vicina al campo di battaglia, per poter conoscere al più presto l'esito dello scontro. Qualunque madre sarebbe stata affranta al pensiero che con ogni probabilità avrebbe perso uno dei figli, non importa quale, ma lei sperava che vincesse Ciro e questo significava che il fratello sconfitto sarebbe stato ucciso.

«Hai ragione» disse Durgat. «Meritava una punizione e l'ebbe. Fu Ciro a morire e qualcuno le portò la notizia senza risparmiarle nessuno degli orribili particolari del massacro. Nessuno in realtà era stato in grado di dire chi esattamente lo avesse colpito; diversi testimoni avevano dichiarato che i due fratelli si erano affrontati l'un l'altro infliggendosi profonde ferite, ma di fatto non fu possibile stabilire con precisione come e quando fosse morto il principe: se nelle prime fasi della battaglia o più tardi.»

«D'altra parte» continuai «nemmeno i nostri erano sul campo quando questo accadeva. Stavano già inseguendo l'ala sinistra dei nemici che avevano volto in fuga e si allontanavano ogni momento di più dal centro della mischia.»

«Una cosa è certa» riprese Durgat, «il Re Artaserse era stato ferito al petto da un ferro di lancia che gli aveva perforato la corazza e gli era penetrato nella carne per più di due dita. Il medico greco che poi era venuto da voi a trattare lo aveva ricucito e curato e prima di farlo aveva sondato con uno stilo d'argento la profondità della ferita.

L'annuncio che Ciro era morto era stato portato al Gran Re da un soldato della Caria che gli aveva mostrato la gualdrappa insanguinata del principe e aveva detto di averlo visto cadavere. Quando tutto fu terminato, Artaserse lo fece convocare per dargli un premio ma lui evidentemente si aspettava di più e protestò. Arrivò a vantarsi di avere ucciso lui Ciro di sua mano e che quel dono non era proporzionato al merito.

Artaserse, indignato, aveva ordinato di tagliargli la testa ma la Regina Madre che era presente lo fermò: una morte così rapida non era la giusta punizione per chi era stato così insolente e ingrato con il Gran Re. "Dallo a me" disse, "saprò io come infliggergli la pena adeguata affinché nessuno osi più mancarti di rispetto."

Artaserse acconsentì. Forse il desiderio di credere che la madre lo amasse e volesse veramente punire chi gli aveva mancato di rispetto lo indusse a darle la soddisfazione che lei voleva invece solo per sé. Quella della vendetta. E una vendetta degna della malvagità e della crudeltà del suo animo.»

Ciò che mi raccontò in seguito Durgat mi fece inorridire. Non c'è nulla infatti di più terribile al mondo per un essere umano che cadere in totale potere di un altro essere umano che lo odia, perché non c'è limite alle sofferenze che dovrà sopportare. In quel momento il piacere di vendicarsi dovette essere più grande nell'animo di Parisatis del dolore e della pietà per la perdita di un figlio che amava. Fece legare il soldato di Caria nel cortile del suo palazzo e chiamò i carnefici. Volle che venissero i più esperti, quelli capaci di infliggere tutti i tormenti che un corpo può sopportare senza però morirne: quelli capaci di fermarsi un attimo prima che sopraggiunga la morte a spegnere per sempre lo strazio.

Ogni giorno si faceva portare su un palanchino nel cortile e si sedeva all'ombra di una tamerice e per ore stava a contemplare le atroci sofferenze di quel disgraziato. Siccome i suoi lamenti la tenevano desta la notte gli fece tagliare la lingua e cucire le labbra.

Per dieci giorni continuò lo spettacolo infame di un uomo ridotto a un ammasso informe di carne martoriata, poi la Regina si degnò di farlo morire non per pietà ma perché non si divertiva più e il passatempo le era venuto a noia.

Gli fece strappare gli occhi e versare rame fuso negli orecchi.

Durgat si accorse dell'effetto devastante che la sua narrazione aveva su di me. Forse la mia espressione era eloquente, il mio sguardo atterrito e le lacrime dovevano esprimere ciò che provavo all'udire un racconto tanto feroce, io che non avevo conosciuto altro che la pace sonnolenta del mio villaggio natale. Si fermò per un poco, sembrò infatti guardarsi intorno, come per riprendere contatto con la realtà del presente, poi ricominciò a narrare il passato.

«C'era un altro uomo che si era vantato di avere ucciso Ciro. Si chiamava Mitridate. A lui il Re Artaserse aveva già dato una splendida ricompensa: una veste di seta e una scimitarra d'oro massiccio perché in effetti aveva ferito il principe con un colpo di giavellotto alla tempia anche se era stato il Re, si diceva, a ucciderlo, benché ferito al petto, di sua mano. Altri sostenevano che Mitridate, e non il soldato di Caria, aveva portato al Gran Re la gualdrappa di Ciro insanguinata e così si era meritato i doni.

Una sera Mitridate venne invitato a un banchetto organizzato di nascosto dalla Regina al quale partecipava un eunuco a lei fedele. Il vino scorreva abbondante e quando l'ospite apparve decisamente ubriaco l'eunuco cominciò a provocarlo, a dire che sarebbe stato capace anche lui di portare una gualdrappa al Re, pur senza essere un grande guerriero. Non ci volle altro, Mitridate alzò la mano gridando: "Tu puoi blaterare quello che ti pare ma è stata questa mano ad ammazzare Ciro".

"E il Re?" chiese l'eunuco.

"Il Re può dire quello che vuole. Sono stato io a uccidere Ciro!"

Di fatto aveva dichiarato che il Re era un bugiardo. Lo gridò davanti a una ventina di testimoni e firmò così la sua condanna a morte.

Al vedere il ghigno di soddisfazione dell'eunuco i presenti capirono ciò che attendeva Mitridate. Abbassarono la testa e il padrone di casa disse: "Lasciamo perdere questi discorsi più grandi di noi e pensiamo piuttosto a mangiare e bere e a goderci la serata. Non sappiamo che cosa ci aspetta domani".

La morte di Mitridate fu ancora una volta appannaggio della Regina Madre che di nuovo chiese che le venisse concesso di vendicare l'onore offeso del Re suo figlio. Gli amici di Mitridate cercarono di scagionarlo dicendo che aveva parlato da ubriaco ma l'eunuco fece notare che, secondo il vecchio detto, "Nel vino c'è la verità" e quindi l'accusato non aveva fatto altro che dire ciò che realmente pensava. Nessuno dei presenti al banchetto osò smentirlo.

Per Mitridate Parisatis escogitò un supplizio ancora più perverso: quello delle due madie.»

Al pensiero di ascoltare altre atrocità pregai Durgat di interrompere il suo racconto perché non avrei avuto il coraggio e la forza di sopportarle, ma una voce che conoscevo risuonò dietro di me: «Io invece sono curioso di sentire e so anche che parli greco abbastanza da farti capire. Ti ho sentita parlare quando i nostri ti hanno presa».

Menon di Tessaglia era in piedi dietro di me, forse da qualche tempo, e non me ne ero accorta.

«Vattene» dissi. «Xeno sta per arrivare e non gli piacerà trovarti con me.»

«Non sto facendo nulla di male» rispose Menon «e so che sei amica di Melissa, quindi qualcosa ci unisce.»

Teneva nella mano sinistra una coppa di vino di palma, una coppa di ceramica finissima, come quelle che usano i Greci quando si trovano a mensa o nei loro ricevimenti. Non ho mai capito come il suo mantello potesse essere sempre così bianco e come oggetti tanto fini e delicati potessero viaggiare con lui senza andare distrutti. La ragazza continuò in greco: una cosa che mi colpì e che non mi aspettavo. Doveva essere un articolo di pregio nella casa della Regina Madre. Io feci per andarmene.

«Troppo buona d'animo o troppo debole di stomaco» commentò sarcastico Menon. «Non vuoi sentire che cos'è il supplizio delle due madie? Te lo racconto io. Sai, prima di partire mi sono informato sugli usi e costumi di questi paesi, giusto per sapere come comportarmi nel caso io cada prigioniero. Dunque ecco di che si tratta: ti portano in mezzo al deserto in un luogo arroventato dal sole. Ti legano mani e piedi e ti mettono dentro una specie di madia, sai quelle che si usano per impastare il pane, grande abbastanza per contenere anche te. Poi te ne mettono un'altra sopra ma all'estremità c'è un foro per cui tieni fuori tutta la testa. Quindi ti cospargono la faccia di una densa poltiglia di miele e latte che attira mosche, tafani e vespe. Arrivano da ogni dove a banchettare per cui in pochi istanti la tua faccia è completamente coperta di queste bestie schifose. Dal terreno accorrono a dare man forte ragni, scolopendre, scarafaggi. E formiche, migliaia di formiche affamate. Tu non ti puoi muovere perché sei chiuso in quella bara di legno e quegli animaletti, finito il miele, non si fermano, continuano con la tua faccia e in breve la riducono a una maschera sanguinolenta.»

«Basta!» gridai.

«Puoi andartene se vuoi» rispose Menon, «nessuno ti trattiene.» Ma io restai, non so perché ma quell'orrore aveva su di me uno strano effetto, come un veleno che lentamente ti assopisce e ti tormenta allo stesso tempo.

Sentivo che gli esseri umani sono anche così e che era giusto sapere tutto, essere consci di che cosa la vita ti può riservare, che anche un'esistenza sempre serena, allietata da figli, da una persona che ti ama e ti rispetta, da una bella casa con un pergolato e un giardino come quella che avevo sempre sognato, può farti scontare in poche ore l'umile felicità di una vita intera e farti pentire di essere nato.

La voce di Menon risuonò ancora come in una sommessa favola crudele: «... e non è finita. Ogni sera quando la notte e il buio ti liberano per un breve tempo di quegli ospiti così sgradevoli arriva l'ora di cena. Ti danno da mangiare, sì... lo crederesti? E anche da bere. Tanta roba. Te la fanno ingurgitare a viva forza. E se non vuoi aprire la bocca ti forano gli occhi con degli spilloni, così gridi dal dolore e apri le fauci, e ti ficcano altro cibo in bocca e ti fanno bere ancora. E così, dopo due o tre giorni sei sommerso nei tuoi escrementi dentro a quella bara bollente. I vermi ti divorano vivo, un poco per volta. Riesci a percepire il fetore della tua carne che muore ogni momento e maledici il tuo cuore che continua a battere e maledici la madre che ti ha partorito e tutti gli dèi del cielo che non l'hanno fatta schiattare prima di sputarti al mondo».

Piangevo al sentire il racconto di quegli orrori e pensavo che anche quello sciagurato era stato un giorno partorito da una madre che lo aveva allattato, curato e circondato di premure e di carezze perché avesse almeno nell'infanzia tutta la felicità che un figlio può avere, senza nemmeno immaginare che avrebbe fatto molto meglio ad affogarlo in un secchio appena nato, prima che facesse udire il primo vagito.

Mitridate impiegò diciassette giorni a morire.

Non era finita. Durgat raccontò che restava ancora un uomo a cui saldare il conto: l'eunuco che si era preso l'incarico di decapitare, mutilare e impalare il corpo esanime di Ciro. Si chiamava Masabate ed era estremamente scaltro. Aveva visto la fine che avevano fatto gli altri due e sapeva di essere preda prelibata per quella tigre. Si guardava bene non solo da qualunque vanteria, ma dall'essere anche solo presente in situazioni in cui venisse rievocata la vicenda di Ciro o di qualunque evento o personaggio che avesse a che fare con uomini che lo conoscevano o l'avevano conosciuto o ricordavano di averci avuto a che fare. Appena cominciava il discorso lui se ne andava, adducendo uno qualunque dei suoi infiniti impegni di servitore evirato e fedele. Sembrava impossibile prenderlo in trappola, ma la cacciatrice di uomini era astuta. Lasciò passare del tempo e prese a comportarsi come se Ciro non fosse mai esistito. Circondò il figlio superstite di ogni premura e di ogni attenzione giungendo perfino a preparargli dei dolci con le sue stesse mani, o almeno così gli faceva credere. Sembrava sincera. Sembrava una madre rassegnata che si è resa conto di avere ancora un figlio e di poter riversare su di lui i propri sentimenti. Ma ciò che sciolse soprattutto il cuore del Re fu la cordialità e l'affetto che la Regina Madre cominciò a dimostrare per sua nuora, la regina Statira, dilettissima sposa del sovrano che lei aveva sempre detestato. Addirittura Parisatis tornò a tenere compagnia al Re nel suo passatempo preferito: il gioco dei dadi.

«Non si è mai sentito» disse Durgat «che uno usi dadi truccati per perdere ma questo fu esattamente ciò che la Regina Madre fece per raggiungere il suo scopo: si giocò mille darici d'oro e li perse. Pagò l'enorme somma senza batter ciglio ma pretese la rivincita che ebbe luogo in capo ad alcuni giorni, una sera tranquilla dopo cena nel giardino del palazzo estivo. Una fontanella gorgogliava sommessa e dalle siepi profumate di gelsomino veniva il canto dell'usignolo.

Questa volta toccava a Parisatis proporre la posta e lei stabilì che doveva essere un servo. Un servo proprietà dell'avversario. Venivano esclusi però cinque nomi che ciascuno dei due avrebbe scelto fra i più fedeli e affezionati per non doversi privare di persone care.

Parisatis li aveva già contati: Masabate non era nella rosa dei cinque. Questa volta i dadi truccati le servirono per vincere e quando pretese Masabate il Re capì immediatamente di aver condannato un servo fedele a una morte atroce, ma parola di Re è parola scolpita nel bronzo e non si cancella.

La Regina Madre lo fece scuoiare vivo e ordinò di appendere la pelle stesa a un traliccio di canne di fronte a lui. Poi lo fece impalare con tre pali incrociati. La sua morte fu più rapida di quella di Mitridate ma forse non meno dolorosa.» E questo era avvenuto pochi giorni prima che Durgat venisse ai villaggi con gli altri servi e la scorta.

Durgat disse di essere stata presente con un cesto di fichi fra le mani, quando il Re si lamentava con la madre di aver inflitto una morte orribile a un buon servo. La Regina alzò le spalle: «Quante storie per un vecchio eunuco di nessun valore, io non ho detto una parola quando ho perso in un colpo solo mille darici d'oro!». Poi prese un fico dal cesto, lo sbucciò con ostentata lentezza e lo addentò arricciando le labbra proprio come una tigre.

Mentre il racconto di Durgat finiva apparve Xeno e si trovò faccia a faccia con Menon di Tessaglia: «Che cosa fai qui?» gli domandò brusco.

«Passavo» rispose Menon.

«Passa da un'altra parte» replicò Xeno a muso duro. Vidi la mano di Menon scivolare all'elsa della spada ma io lo fissai negli occhi per chiedergli di non farlo. Lui scosse la testa bionda e sogghignò: «Un'altra volta, scrittore. Ci sarà tempo. Intanto fatti raccontare queste storie dalla tua bella. Le troverai interessanti». E si allontanò con il vento che gonfiava il suo assurdo mantello bianco. Come la vela di una nave.

Chiesi a Durgat se preferisse tornare dalla Regina o venire con noi: «Sei libera, se vuoi, ma devi essere tu a decidere. Se vieni con noi penso che in capo a qualche mese saremo sulla costa. Là ci sono città stupende affacciate sul mare, il clima è buono e i campi sono fertili. Forse potresti trovare un bravo ragazzo che ti sposi e farti una famiglia».

Durgat chinò il capo per un momento senza parlare. Era una bella ragazza con i capelli e gli occhi nerissimi e il colorito bruno. Vestiva con una certa eleganza e portava persino degli ornamenti: una piccola ambra le pendeva dal collo legata con un filo d'argento.

«Sei molto buona a dirmi queste cose, ma dove sto sono al sicuro. Basta non avere occhi né orecchi, non vedere e non sentire, obbedire sempre anche quando non ti dicono nulla, prevedere i pensieri della mia signora e soddisfare ogni suo desiderio e tutto va bene...»

Restai stupita all'udire "tutto va bene" da una persona che era stata sfiorata da atti di inimmaginabile ferocia quali mi aveva raccontato poco prima, una persona al servizio di una belva umana capace di una crudeltà sconfinata e di mutamenti di umore repentini e devastanti. Era chiaro che una persona priva della libertà e della dignità può adeguarsi e abituarsi a qualunque cosa.

Durgat proseguì: «Tu lo fai per amore, evidentemente, e ti capisco. Questa vita però non fa per me, ma non è questa la sola ragione...». S'interruppe fissandomi dritta negli occhi con un'espressione intensa.

C'era un messaggio nel suo sguardo, come doveva esserci nel mio quando avevo implorato in silenzio Menon di Tessaglia di non sguainare la spada contro il mio Xeno. Non avrebbe detto una parola di più, mi aveva già avvertito "non avere occhi né orecchi, non vedere e non sentire". Ma che cosa? Che cosa sapeva e non era in condizione di dirmi? Quello di Durgat era tuttavia un dono che non mostravo di capire né mettere a frutto. Non le domandai nulla perché il suo atteggiamento era eloquente: nulla avrei avuto in risposta. Mi aveva già dato ciò che poteva darmi e la sola idea che qualcuno la ritenesse fonte di una rivelazione proibita era più che sufficiente per cucirle la bocca. Proprio perché aveva già deciso di tornare nella sua gabbia.

«Chiederò a Xeno di lasciarti qui nei villaggi. I tuoi ti

troveranno quando passeranno di qui, o ti troveranno gli uomini di Tissaferne che sono accampati a una parasanga di distanza verso oriente.»

«Te ne sono molto grata e, credimi, mi avrebbe fatto piacere restare con te, diventare tua amica. Tu mi somigli, lo sai? Forse perché parliamo la stessa lingua e veniamo da luoghi non troppo lontani. Io sono di Aleppo.»

«Forse» risposi, e il mio sguardo cercò il punto su cui il suo si era soffermato in quel momento, su una modesta altura dietro ai villaggi: il mantello bianco di Menon.

Xeno mi chiamò e io lo raggiunsi. Mi misi a preparargli la cena.

Si accorse presto che la mia mente era lontana: «A che pensi?» mi domandò.

«A quella ragazza che abbiamo trovato qui» risposi. «Le ho promesso che l'avresti lasciata libera.»

«Lo credo. Sei troppo gelosa per consentire che un'altra ragazza attraente divida con noi la stessa tenda. Non è così?»

«È proprio così» sorrisi, «hai indovinato. Allora posso dirle che potrà tornarsene da dove è venuta?»

«Puoi dirglielo e speriamo che non le capiti nulla di male.»

«Durgat appartiene alla Regina Madre Parisatis. Le basterà pronunciarne il nome per aprirsi la strada anche in mezzo a un branco di lupi, credimi.»

«Bene allora.» Ma ogni tanto mi guardava di sottecchi perché non riuscivo a nascondergli che la mia mente era altrove.

Quando calò la notte si alzò un vento impetuoso che faceva schioccare i lembi della tenda e frusciare le foglie delle palme così forte che stentavo a prendere sonno. Continuavo a pensare all'espressione enigmatica, eppure così eloquente, di Durgat quando si era interrotta nel parlare...

Non voleva svelare qualcosa che sapeva ma che non poteva dire. Perché? Un pericolo, sicuramente, una minaccia che incombeva su di noi e di cui lei era a conoscenza per averla udita nelle stanze della Regina Madre o nel padiglione del Re. Che altro poteva mai essere? Ma noi correvamo pericoli ogni giorno, di attacchi improvvisi, di imboscate, di fame e di sete, di pozzi avvelenati... tanti pericoli fra noi e il mare. Che cosa poteva esserci di più grave di quanto già avevamo sperimentato e conosciuto?

Cercavo di seguire la sequenza dei suoi ragionamenti e delle sue emozioni per trovare una risposta. Lei aveva udito un discorso che ci riguardava, che aveva a che fare con il nostro esercito in marcia, ma forse non lo aveva del tutto capito. Poi era venuta ai villaggi con un incarico, e lì era stata fatta prigioniera. Xeno e io l'avevamo messa al sicuro dalle offese che avrebbe potuto subire e lei ne provava gratitudine. Ciò che aveva visto al campo le aveva richiamato alla mente ciò che aveva udito nelle stanze reali e aveva cercato di farmelo capire: "C'è qualcosa che vi attende; io lo so ma non posso dirtelo perché tornerò dalla Regina e se le loro trame vanno frustrate sarà facile risalire a chi le ha rivelate e non ci sarà limite allo strazio che vorranno infliggermi. Sei tu che devi cercare di capire".

Ecco, così doveva essere e se non comprendevo ora, sicuramente lo avrei fatto in seguito, stando attenta, tenendo gli occhi aperti, cercando di cogliere il minimo indizio da ogni segnale. Xeno mi attirò a sé. Nemmeno lui dormiva per il rumore del vento.

«Sai, nel mio villaggio il vento in certe stagioni o in certi momenti fa uno strano rumore, come un rombo» gli sussurrai all'orecchio. «I vecchi dicono che quando il vento romba così qualcosa di straordinario sta per accadere. E il vento fece sentire la sua voce tre giorni prima che il vostro esercito passasse da Beth Qadà.»

«Pensi che anche ora voglia dirci qualcosa?»

«Forse. Ma qui siamo troppo lontani perché io possa capire.»

Il vento si quietò prima dell'alba e riuscii a riposare un poco. Quella notte Melissa dormì sola perché Menon uscì di pattuglia con i suoi Tessali e tornò quando il sole era già alto, dopo aver perso tre dei suoi e avere ammazzato una decina degli uomini di Tissaferne. La situazione si faceva preoccupante: quasi ogni giorno c'erano scaramucce con i Persiani e perfino con gli asiatici di Arieo che era ormai chiaramente dalla parte di Tissaferne in spregio a tutti i giuramenti e le promesse fatte.

Da quel momento quel tipo di scontri si intensificò senza un apparente motivo e da quello che mi diceva Xeno sembrava che nemmeno Klearchos e gli altri comandanti se ne rendessero conto.

«Vi stanno provocando» dissi. «Vogliono indurvi a fare qualche cosa. Ad attaccare forse, e a cadere in una trappola.»

«Klearchos non è di questo avviso» rispose. «È convinto che si tratti di fatti casuali. I terreni fertili si riducono di estensione man mano che ci avviciniamo alle montagne e questo ci costringe spesso a incontrarci con loro a distanze troppo ravvicinate e a competere per gli approvvigionamenti. Poi loro non piacciono a noi e noi non piacciamo a loro. Ecco qua. Ma dovremo fare strada assieme ancora per tre mesi e tutto questo dovrà terminare in un modo o nell'altro.»

Riprendemmo la nostra marcia verso settentrione tre giorni dopo e prima di partire salutai Durgat. Lei mi abbracciò e mi guardò per un momento con quella stessa espressione come se volesse dirmi "sta' in guardia". Poi mi disse: «Buona fortuna».

«Buona fortuna anche a te» risposi e salii sul carro.

Avanzavamo così, sempre con il sole nascente alla nostra destra, e l'esercito marciò per una ventina di giorni con continue scaramucce e scontri con piccoli reparti di cavalleria persiana finché giungemmo nei pressi di un altro fiume che si gettava da oriente nel Tigri e lo attraversammo su di un ponte di barche.

Giunti dall'altra parte Klearchos convocò tutti i comandanti delle grandi unità e chiese se avessero dato ordine ai loro uomini di prendere iniziative contro i Persiani, ma quelli risposero che la consegna era di non reagire alle provocazioni se non in caso di attacco diretto. Disse che voleva porre fine a questo problema una volta per tutte.

«E come?» domandò Sophos, che era presente assieme a Neon diventato ormai la sua ombra.

«Voglio chiedere un incontro con Tissaferne, un vertice fra il nostro alto comando e il loro.»

«E speri di risolvere qualcosa?» domandò Sophos.

«Io credo di sì. Questa situazione non giova a noi e nemmeno a loro e Tissaferne sa bene che se si arrivasse a uno scontro diretto nel migliore dei casi subirebbe perdite pesanti che non può permettersi, nel peggiore potrebbe anche essere sconfitto. I nostri uomini sono in forze e ben acclimatati, non hanno paura di un attacco in massa, anzi. Io dico che accetteranno.»

«E come pensi di organizzarlo, se lui accetta?» chiese Socrate di Achaia.

«Campo neutro, a metà strada fra i due accampamenti. Scorta limitata: non più di cinquanta uomini per parte, voglio gente sveglia e pronta di mano.»

«Ci penso io» disse Menon.

«Benissimo. Manda oggi stesso un gruppo a parlamentare. Dovranno solo fissare il giorno e l'ora. Del resto mi occuperò personalmente.»

Quella sera Socrate di Achaia cenò con noi davanti alla tenda e ci raccontò ogni cosa. Era piuttosto allegro e convinto che le cose si sarebbero appianate. Io invece non ne ero affatto sicura. Soltanto quando Socrate se ne fu andato capii tutto improvvisamente, o almeno così mi sembrò e chiesi a Xeno di ascoltarmi, anche se ero solo una donna.

«È questo che Durgat voleva farmi capire: che incombeva su di noi un pericolo micidiale, capace di annientarci. Lei sapeva ma non poteva parlare. Ti sei chiesto perché gli attacchi, le risse, le provocazioni si sono moltiplicati d'un tratto senza una ragione precisa? Questo incontro è una trappola, ne sono certa. Devi fermarli.»

Xeno scosse il capo, perplesso: «È solo una tua impressione. Quella ragazza non ha detto nulla perché non aveva nulla da dire».

«Ti sbagli. Mi ha parlato con il linguaggio delle donne, il linguaggio dell'intuito, dell'istinto che ci fa presagire i pericoli, sicura che avrei capito. È stato il suo modo di ringraziarmi senza mettere a repentaglio la sua vita. Devi convincerli a non andare.»

Xeno parve scosso. Avevo le lacrime agli occhi e tremavo. Cercò di calmarmi.

«Non c'è motivo che tu ti agiti tanto. Quello che prepara Klearchos è solo un contatto preliminare. Non sappiamo neppure se Tissaferne accetterà l'incontro e se sarà disposto a trattare. Appena avremo la risposta si valuterà.»

«Parlagli ora: vai da Klearchos o convinci Socrate a parlargli.»

«E che cosa gli dico, che una ragazza ti ha guardato in uno strano modo? Cerca di non pensarci. Dormiamo, e domani quando torneranno i nostri inviati sapremo se l'incontro avverrà o no.»

Me lo aspettavo. Chi avrebbe mai creduto alle farneticazioni di una donna?

Non chiusi occhio tutta la notte.

# 13

I nostri inviati tornarono la mattina poco dopo l'alba con una risposta positiva. Tissaferne accettava il vertice, anzi mandava a dire di esserne felice perché tutte le difficoltà e i malintesi si sarebbero appianati. Avevano anche scelto il luogo dell'incontro: un padiglione a poca distanza dal Tigri, a tre stadi dal nostro accampamento come dal loro.

Klearchos decise di partire la mattina stessa. Lo seguivano i comandanti delle grandi unità: Aghìas di Arcadia, Socrate di Achaia, Menon di Tessaglia e Proxenos di Beozia. Dietro venivano una ventina di comandanti di battaglione e cinquanta uomini di scorta scelti fra i più forti e coraggiosi. Cercai ancora di far capire a Xeno l'enormità del pericolo: «Perché tutti quegli uomini? Perché tutti gli ufficiali superiori? Non bastavano un paio di rappresentanti scelti fra i più esperti e intelligenti? Oppure non bastava Klearchos da solo?».

«Pare che Tissaferne abbia insistito, vuole che i suoi ufficiali s'incontrino con i nostri, ci sarà un banchetto, ci sarà uno scambio di doni, insomma vuole creare un clima di fiducia reciproca» rispose.

«Non riesco a crederci! Uomini esperti che combattono da anni non si rendono conto che potrebbe essere una trappola? Rifletti per un momento e prova a immaginare cosa accadrebbe se fosse vero. In un sol colpo il vostro esercito verrebbe decapitato. L'intero stato maggiore eliminato in un attimo.»

«Non è così facile» replicò Xeno. «I nostri sono formidabili combattenti e in più sono state prese tutte le precauzioni. Klearchos non è uno stupido. Si accerterà che non ci siano altri Persiani presenti all'incontro. È un terreno piatto, lo hai visto, non c'è modo di nascondere una grossa forza. E Klearchos ha voluto andarci subito proprio per non dare tempo a loro di preparare agguati. Per sopraffare cento dei nostri ce ne vogliono almeno trecento dei loro se vogliono essere sicuri. E dove li nascondono tutti quegli uomini? Stai tranquilla, e non dire una parola a nessuno, mi faresti apparire ridicolo.»

Così mi disse ma io avrei voluto gridare loro di non andare, di non mettersi in un pericolo mortale. Sentivo che le mie paure non erano fantasie ma premonizioni veritiere. Mi posi comunque al lato della strada con un'anfora per l'acqua fra le mani e li guardai allontanarsi al passo. Klearchos a cavallo incedeva per primo, coperto dall'armatura di ferro decorata in oro, il mantello nero sulle spalle. Dietro di lui venivano Socrate di Achaia, con la corazza di bronzo sbalzato, e Aghìas di Arcadia, corazza e schinieri di bronzo argentato, ambedue con mantelli azzurri. Proxenos di Beozia vestiva di nero come Klearchos, ma con una corazza di lino pesto bianca decorata con strisce di cuoio rosso e una gorgone dipinta sul petto. Chiudeva la fila dei comandanti delle grandi unità Menon di Tessaglia. Era splendente nella sua armatura di bronzo lucido con lumeggiature in oro, gli schinieri orlati d'argento, l'elmo con il cimiero bianco sotto il braccio sinistro, e bianco, come sempre, il lungo mantello elegantemente drappeggiato sulle terga del suo stallone. Dietro sfilavano i comandanti di battaglione in fila per quattro. A fianco, divise in due gruppi di venticinque, le guardie del corpo.

Quando Menon mi passò accanto lo fissai con un'espressione così accorata che se ne accorse e mi rispose con un gesto rassicurante come per dire "andrà tutto bene".

Poi volse la testa a salutare qualcun altro alle mie spalle e anch'io mi voltai nella stessa direzione.

Melissa era poco distante, avvolta in un mantello militare che la copriva fino alle ginocchia soltanto e teneva la mano destra alzata.

Aveva le lacrime agli occhi.

Il tempo non passava mai e si percepiva nel campo una forte tensione come se da quella missione dipendesse il futuro di tutto l'esercito, e in un certo senso era vero. Gli uomini parlavano sottovoce fra di loro divisi in piccoli gruppi. C'era chi raggiungeva le alture a fianco del campo e saliva a guardare verso meridione con la speranza di scorgere qualcuno dei nostri. Altri, dal basso, gridavano con le mani a imbuto davanti alla bocca chiedendo se si vedeva apparire qualcuno. Non ero la sola a preoccuparmi.

Il sole sembrava inchiodato al centro del cielo.

Raggiunsi Melissa.

«Ti ha detto qualcosa prima di partire?» le domandai.

«Mi ha baciata» rispose.

«Niente altro?»

«No.»

«Non ti ha detto che cosa pensava di questa missione?»

«No. Ma sembrava tranquillo.»

«E tu perché piangevi?»

«Perché ho paura...»

«Una donna innamorata è sempre in apprensione quando l'uomo che ama affronta un pericolo. È come un mancamento, un vuoto, una vertigine...»

«Ma tu sei fortunata. Il tuo Xeno non ha compiti di combattente.»

«No. Sul nostro carro ci sono due armature complete e lui vuole fare la sua parte. Lo ha fatto a Cunassa e lo farà ancora. La situazione peggiora ogni giorno e verrà il momento in cui ogni uomo in grado di maneggiare una spada sarà indispensabile. Io prego solo gli dèi perché tutti tornino sani e salvi e dopo non dovremo più temere nulla. Cerchiamo di stare di buon animo. Xeno mi ha detto che Klearchos è uomo assennato e che sicuramente ha preso ogni precauzione. Torneranno e questo incubo sarà presto solo un ricordo.»

Melissa tacque assorta nei suoi pensieri poi sospirò: «Perché Xeno odia Menon?».

«Non lo odia. Forse lo teme. Sono troppo diversi, vengono da esperienze opposte. Xeno è stato educato da grandi maestri nel culto delle virtù, Menon è stato educato nel campo di battaglia. Xeno sognava di diventare un protagonista nella vita politica della sua città, Menon ha sempre e solo dovuto preoccuparsi di sopravvivere, di evitare le ferite e la morte...»

«... E ancora di più la prigionia e i tormenti. È ciò di cui ha più paura in assoluto.»

«Non pensavo che Menon di Tessaglia conoscesse la paura.»

«E invece è così. Non teme di morire. Ciò che più lo atterrisce, anche se non lo dà a vedere, è di cadere in mano al nemico, di subire le orribili mutilazioni che ha visto inflitte al corpo di Ciro, di venire sfigurato dalle torture. Percepisce la perfezione del suo corpo come un valore assoluto, un'opera demiurgica che nessuno può violare.»

«Che cosa significa "demiurgica"?» domandai.

«Significa che l'ha fatta il Sommo Artefice, colui che ci ha creati tutti.»

Ci interruppe lo squillo di una tromba. Allarme!

«Che cosa succede?» domandai.

Melissa mi guardò per un istante e nel suo sguardo ambrato, così luminoso, vidi tutte le angosce che l'avevano tormentata fino a quel momento divenire realtà.

Uscimmo subito dalla tenda e corremmo verso il limite meridionale del campo dove già si intravedeva un assembramento.

La tromba continuava a lanciare l'allarme, un suono insistente e penetrante che straziava l'animo. Già si udivano le parole dei soldati:

«Chi è?»
«È uno dei nostri. Vedi la gualdrappa del cavallo?»
«Ma si regge in sella a stento!»
«Sì, guardate, è piegato in due, potrebbe crollare da un momento all'altro.»
«È ferito! Il suo cavallo è bagnato di sangue.»
Apparve come sempre, dal nulla, Sophos, in sella al suo morello. A poca distanza lo seguiva Neon armato fino ai denti.
«Chi ha un cavallo subito con me! Tutti in assetto da combattimento, schieratevi immediatamente, ranghi chiusi! Addossatevi alla collina, a semicerchio, subito, non c'è tempo!»
Non aveva finito di parlare che apparvero all'orizzonte un polverone e sagome spettrali di cavalli e cavalieri al galoppo sfrenato.
«Con me!» urlò Sophos, e spronò il cavallo a gran velocità. Neon e altri tre lo seguirono intuendo le sue intenzioni. Raggiunsero il cavaliere insanguinato, due lo affiancarono sostenendolo per le spalle, Sophos prese le briglie del cavallo, Neon si piazzò dietro di retroguardia.
Cominciavano a piovere frecce dappertutto attorno a loro ma intanto la tromba aveva mutato il suo canto. Ora gridava l'adunata e i guerrieri accorrevano sotto le insegne come se in quello squillo echeggiasse la voce del comandante Klearchos che non c'era più. Si schierarono in ordine chiuso con le spalle a una collina che si spingeva come un promontorio da oriente fino quasi alla sponda del Tigri.
Ora la scena era visibile in tutta la sua cruda realtà. Il guerriero a cavallo aveva il ventre squarciato e si teneva le viscere con le mani completamente ricoperte di sangue, il suo volto era una smorfia di dolore e sarebbe sicuramente caduto se non l'avessero sorretto. Sophos tirò le briglie del cavallo e fermò anche quello del soldato ferito. In quattro balzarono a terra e, tenendolo per le braccia e per le gambe, corsero a rifugiarsi dietro le file dei nostri che si aprirono al loro sopraggiungere e subito si richiusero.

Udii la voce di Sophos che gridava: «Un chirurgo! Chiamate subito un chirurgo!». Melissa e io corremmo dalla sua parte pensando che avremmo potuto aiutare il chirurgo quando avesse cominciato a occuparsi del ferito. Melissa continuava a chiedere: «Chi è? Lo hanno riconosciuto? Chi è?».

«Non lo so. Ma non è nessuno che conosciamo, di certo.»

I Persiani arrivarono poco dopo ma trovarono la falange schierata, irta di punte metalliche, impenetrabile, e cambiarono direzione correndo intorno e lanciando nugoli di frecce che si abbatterono senza danno sul muro di scudi levato a protezione.

Melissa e io raggiungemmo la base delle colline: il chirurgo era già chino sul ferito e stava approntando i suoi ferri su una striscia di cuoio appoggiata sul terreno.

«Portatemi dell'acqua e dell'aceto, se ne trovate» disse appena ci vide. «Subito, o quest'uomo morirà.»

Andammo a cercare l'acqua e l'aceto e quando tornammo vedemmo Sophos a piedi che conduceva in avanti la falange a ranghi serrati in direzione dei cavalieri che avevano ora le spalle al Tigri.

Il chirurgo lavò la spaventosa ferita e diede al guerriero un pezzo di cuoio da mordere per non urlare. Ci ordinò di tenerlo per le braccia e cominciò a cucire. Spinse con le mani gli intestini nella cavità dell'addome e prese a cucire prima la rete che li reggeva e poi i muscoli e la pelle. Il dolore era così forte che il volto del soldato appariva contratto all'inverosimile.

Arrivò in quel momento uno degli ufficiali superiori rimasti, Agasìas di Stinfalo, e domandò: «Ha detto qualcos'altro?».

«No» rispose il chirurgo. «Ti sembra che sia in condizioni di conversare?»

«A Sophos ha detto che i nostri sono tutti morti e che i comandanti sono caduti prigionieri.»

Melissa non riuscì a trattenersi e domandò: «Allora i comandanti sono vivi?».

Non ottenne risposta. Il chirurgo, terminato di cucire, versò aceto puro sul taglio strappando al ferito un ultimo mugolio di dolore.

«I Persiani se ne vanno!» si sentì qualcuno gridare.

Agasìas guardò per un momento dalla parte della falange poi si voltò di nuovo verso il chirurgo: «Quanto può vivere?».

«Un colpo di spada gli ha tagliato i muscoli dell'addome e la rete, ma non ha leso gli intestini. Potrebbe sopravvivere anche un paio di giorni o forse più.»

«Tienilo in vita. Abbiamo bisogno di sapere tutto quello che è in grado di dirci.»

Il chirurgo sospirò e prese a bendare la ferita.

Quel povero ragazzo era un arcade, si chiamava Nicarco e, benché dovesse provare un dolore insopportabile, crollò sfinito dalla fatica appena il chirurgo ebbe terminato il suo lavoro, perdendo conoscenza.

«Non lasciarlo» dissi a Melissa. «Io tornerò più tardi.» E mi diressi verso l'accampamento.

Il sole era tramontato e si faceva scuro. Lo squadrone persiano si era ritirato ed era scomparso. Fallita la sorpresa dovevano essere rientrati alla loro base: non potevano sperare di travolgere la barriera della falange. Ancora una volta i mantelli rossi incutevano nel nemico un timore reverenziale. Sophos era partito con un drappello di esploratori a cavallo per pattugliare la zona più a valle in direzione del campo persiano e per il momento non si vedeva tornare. Pensai perfino che fosse andato a offrire la resa, ma scartai subito l'idea: era lui che aveva schierato l'esercito e salvato Nicarco di Arcadia, almeno per il momento.

Cercai Xeno che non vedevo da un po' di tempo e quando entrai nella nostra tenda vidi che stava indossando l'armatura: la più bella che aveva, di bronzo sbalzato a somiglianza della muscolatura del torace, una spada dal fodero decorato con figure di sfingi alate, un cinturone in maglia d'argento, un elmo corinzio con un cimiero rosso fiamma e un paio di schinieri di bronzo argentato con due teste di leone in rilievo all'altezza delle ginocchia. Il suo aspetto era impressionante, sembrava un'altra persona: «Mi spaventi» dissi, ma non gli feci domande né proferii alcuna parola perché sapevo che qualunque cosa avessi detto lo avrei irritato, ma il mio sguardo dovette essere egualmente eloquente. Tutto quello che avevo paventato era accaduto e ciò che più mi feriva era che si sarebbe potuto evitare se soltanto qualcuno fra quei grandi guerrieri avesse voluto ascoltare una ragazza.

Xeno si gettò sulle spalle un mantello grigio e si allontanò camminando lentamente in mezzo al campo. Io lo seguii con lo sguardo.

La vista era avvilente. Gli uomini erano in preda allo sconforto, se ne stavano seduti qua e là in gruppi a parlare sottovoce. Altri erano seduti in disparte a testa bassa. Forse pensavano alle loro case, alle spose, ai figli che non avrebbero rivisto più. Qua e là si udiva un canto malinconico, un coro sommesso in un dialetto del nord che non capivo. Forse erano gli uomini di Menon di Tessaglia cui mancava il comandante dal meraviglioso mantello bianco e la voce più bella e potente, il biondo solista.

Qualcuno aveva acceso il fuoco, qualcun altro cercava di preparare qualcosa per cena, ma la maggior parte degli uomini sembravano come inebetiti, colpiti dalla folgore. Non avevano nessuno che li guidasse, erano circondati da nemici da ogni parte, non sapevano nemmeno dove si trovavano e per quale strada avrebbero mai potuto tornare a casa. Ma a un tratto vidi Xeno balzare su un carro e gridare: «Uomini!».

Nell'improvviso silenzio la sua voce risuonò come uno squillo di tromba, e molti si volsero dalla sua parte. Illuminato dalle fiamme di un bivacco sembrava un'apparizione. Doveva averla meditata quella mossa, doveva aver studiato tutto accuratamente e pensato cosa avrebbe indossato e come sarebbe apparso ai soldati.

«Uomini» gridò ancora. «I Persiani ci hanno traditi e, come sapete, hanno catturato i nostri comandanti e massacrato i nostri compagni che erano andati all'incontro sotto le insegne di pace. Avevano giurato che avremmo marciato fianco a fianco fino alla costa e che questi patti sarebbero stati mantenuti per stabilire in futuro rapporti di amicizia e forse di alleanza. Anche Arieo ci ha traditi. Già da tempo si accampava con l'esercito di Tissaferne e aveva interrotto ogni contatto con noi e il nostro comando...»

Man mano che il suo discorso prendeva slancio i guerrieri si avvicinavano al carro, a piccoli gruppi dapprima e poi per interi reparti. Molti avevano raccolto le armi e si erano presentati in pieno assetto di guerra per dimostrare che non avevano paura. Mentre volgevo intorno lo sguardo vidi sopraggiungere dal buio la sagoma di un cavaliere che avanzava al passo e si fermava immobile ai bordi del campo.

Xeno continuò il suo discorso: «Non possiamo restare inerti ad attendere il colpo di grazia. Dobbiamo reagire. Purtroppo non possiamo fare nulla per salvare i nostri comandanti. Forse a quest'ora sono già morti e io mi auguro che abbiano avuto una morte rapida, degna di guerrieri, ma noi dobbiamo pensare al futuro, al ritorno, alla lunga strada che ci separa dalle nostre case...».

Udii uno dei soldati vicino a me rivolgersi a un compagno: «Ma quello non è lo scrittore?».

«Sì, è lui. Ma se ha qualche idea per portarci fuori da questo inferno vale la pena di ascoltarlo.»

«A poca distanza da qui» continuò Xeno, «disteso su una stuoia, giace un ragazzo con il ventre squarciato. Sta agonizzando e i medici non sanno se domani sarà ancora fra noi o se già sarà sceso nell'Ade. Lo avete visto, ha avuto il coraggio di arrivare fin qui tenendosi i visceri con le mani per lanciare l'allarme e salvarci dall'aggressione nemica. Non possiamo permettere che il suo sacrificio sia stato inutile, dobbiamo essere degni del suo coraggio sovrumano. Io propongo di riunirci in assemblea e di eleggere nuovi comandanti per le grandi unità al posto di quelli che abbiamo perduto e anche nuovi comandanti di battaglione. Voi mi avete visto combattere a Cunassa, ma non ero dei vostri reparti. Ero qui solo perché Proxenos di Beozia mi aveva invitato a seguirlo, ma sono stato un ufficiale di cavalleria e so come organizzare questo tipo di reparti. Ne avremo bisogno per esplorare i passi, per occupare i valichi da cui dovremo transitare, per fare ricognizioni sul territorio e proteggerci da eventuali imboscate, per inseguire i nemici in fuga e far sì che non tornino più a minacciarci.»

Il cavaliere toccò con i talloni il ventre del suo cavallo e avanzò lentamente fin sotto il carro da cui Xeno stava parlando: Sophos. Chi altri?

Forse era venuto perché era giunto finalmente il suo momento, anzi, mi sembrava addirittura seccato dell'iniziativa di Xeno, come avesse voluto lui essere al suo posto.

«E dove andremo, ateniese?» domandò levando d'un tratto la voce.

Xeno lo guardò e capì. «Dove andremo? Non abbiamo molta scelta. Non possiamo tornare indietro, non possiamo andare a oriente perché ci allontaneremmo da casa e finiremmo nel cuore dell'Impero, non possiamo andare a occidente perché di là andrà l'esercito di Tissaferne con quel bastardo di Arieo. Dobbiamo quindi prendere a settentrione, attraversare le montagne e raggiungere le nostre città sul Ponto Eusino. Di là ci sarà facile trovare le navi che ci riportino a casa.»

«Ottimo piano» approvò Sophos scendendo dal suo cavallo e montando sul carro accanto a Xeno. «Qualcuno ha domande o obiezioni?»

La sua improvvisa apparizione fu commentata da un diffuso brusio. Fino a quel momento Sophos si era sempre tenuto in disparte, non aveva preso posizione, raramente era stato consultato. Non si sapeva nemmeno se avesse preso parte alla battaglia di Cunassa, ma io sapevo che non vi aveva partecipato. Durante certi periodi della nostra spedizione sembrava essere scomparso del tutto. Ma ora si capiva che era venuto il suo turno.

Mi ero anche fatta una idea di quale potesse essere il suo ruolo. Doveva essere colui che osserva per riferire, ma anche l'uomo di riserva, colui che, qualora tutto fosse andato male, quando la situazione fosse precipitata, avesse l'energia, l'intelligenza, il coraggio e l'astuzia per reagire e indurre anche gli altri a farlo. Si vedeva chiaramente che nella sua vita non aveva fatto che una cosa: combattere. Ora stava lì sul carro accanto a Xeno, coperto dall'armatura e con un mantello nero sulle spalle. Il segnale era chiaro e nessuno sembrava volerlo ignorare, nessuno reclamava per sé il comando.

Si fece avanti uno dei nostri interpreti indigeni: «Io ho sentito dire che da quella parte non c'è scampo comunque. Il terreno è impervio, il clima rigidissimo, il territorio è un susseguirsi di cime altissime, di aspre giogaie, di fiumi dalla corrente vorticosa, di sterminati ghiacciai. Quelle terre desolate sono abitate da tribù selvagge ferocemente attaccate alle loro terre, indomabili. Si racconta che un esercito del Gran Re di centomila uomini si addentrò in quel territorio alcuni anni fa. Nessuno fece ritorno».

Le parole dell'interprete spensero ogni brusio, il campo sprofondò di nuovo nello sgomento.

«Non ho detto che sarà una passeggiata» replicò Xeno. «Ho detto che non abbiamo scelta. Ma se qualcuno ha un'idea migliore, si faccia avanti e parli.»

Il silenzio divenne totale, solo le voci della natura selvaggia, degli sciacalli e degli uccelli notturni, si poterono udire distintamente.

Parlò Sophos.

«Uomini!» tuonò. «Avete sentito bene, non abbiamo scelta e quindi andremo a settentrione. Affronteremo le prove che ci aspettano: scaleremo le montagne risalendo il corso dei fiumi, occuperemo i valichi con reparti veloci e li terremo aperti fino a che l'ultimo di noi non sia transitato. Nessuno di voi sarà abbandonato, né i malati né i feriti, ognuno sarà soccorso e aiutato a riprendersi. Nessuno sarà lasciato indietro!

Per strada ci procureremo quello che serve: coperte e mantelli per proteggerci dal freddo, e cibo. Se ci attaccheranno, risponderemo, e chi lo ha fatto si pentirà di averci provato. Uomini, siamo diecimila! Non ci ha domato l'esercito del Gran Re trenta volte più numeroso, non ci fermeranno le tribù selvagge delle montagne.

Sono Cheirisophos di Sparta e vi chiedo di affidarmi il comando di quest'armata al posto di Klearchos. Potrete contare su di me di giorno e di notte, con il freddo e con il caldo, sia che siate sani sia che siate malati. Correrò ogni rischio, affronterò ogni pericolo e minaccia e, per tutti gli dèi del Cielo e dell'Inferno, vi riporterò a casa, ve lo giuro!»

In un'altra situazione sarebbe forse esploso un boato, un grido di entusiasmo a quelle parole, ma troppe erano le incognite e le incertezze, troppi i dubbi; i guerrieri si rendevano conto di quali e quante difficoltà li aspettavano e già sapevano che molti di loro sarebbero caduti, che la Chera di morte già stava segnando di nera caligine coloro che avrebbe trascinato con sé nell'Ade. Poche voci si levarono ad acclamare il discorso. Sophos riprese a parlare:

«So come vi sentite, ma vi giuro che manterrò le mie promesse. Ora votate! Chi è d'accordo con me si faccia avanti e tocchi l'asta della mia lancia! Se la maggioranza di voi non mi darà la sua fiducia non importa, obbedirò a quello che avrete scelto al mio posto, ma prima che monti il terzo turno di guardia questo esercito dovrà avere un comandante o saremo tutti morti entro pochi giorni.»

Pensai a come dovessero sentirsi Klearchos e Aghìas, Proxenos e Socrate e soprattutto Menon. Lui mi aveva raccontato le atrocità delle torture in uso presso i Persiani con tanto spaventoso realismo, e ora si trovava a esserne la vittima. Sentii male per lui, un nodo alla gola, un vuoto nel cuore che mi faceva vacillare. Che colore aveva in quel momento il suo candido mantello? E cosa rimaneva del suo corpo statuario?

Fu Xeno a toccare per primo l'asta della lancia di Sophos. Dopo di lui Agasìas di Stinfalo e poi Glus e Neon che lo fissò per un momento dritto negli occhi e poi altri ufficiali e, uno alla volta, tutti i loro uomini in fila ordinata.

Ma io non riuscivo a rimanere ferma a guardare quella lunga teoria di uomini che eleggevano i nuovi comandanti. Volevo sapere che cosa ne era degli altri che avevamo perduto. Volevo saperlo anche per Melissa che si tormentava nell'incertezza.

Non so come trovai il coraggio ma riuscii ad allontanarmi e raggiunsi la sponda del Tigri. Mi spogliai legandomi la veste attorno alla vita, scesi in acqua e mi lasciai trascinare dalla corrente. C'era la luna in cielo, quasi piena, e il fiume brillava di mille riflessi, l'acqua era tiepida. Non ci volle molto a raggiungere il punto in cui sorgeva il padiglione. Era una grande tenda simile a quelle che usano i nomadi del deserto, sorretta da pali e sostenuta da lunghi tiranti. Non ce ne erano altre per un'ampia estensione di terreno: quello doveva essere il luogo in cui era avvenuto l'agguato ed era ancora occupato perché si vedeva trasparire dall'interno la luce delle lanterne e le sentinelle avevano acceso un fuoco sul lato meridionale.

Mi portai a riva e restai appiattita sul terreno per non farmi scoprire perché più oltre c'erano folti gruppi di cavalieri persiani disseminati intorno alla tenda per un vasto raggio. Compresi presto come era avvenuto l'agguato. La riva era completamente calpestata: si vedevano orme di calzari fin dove lo sguardo poteva arrivare e tracce fangose che si dirigevano verso la tenda. Accanto a me vidi numerose canne tagliate alla misura di un cubito e abbandonate sul terreno. Ne presi una e vi soffiai dentro: era cava.

Ecco da dove era partita l'imboscata: dal fiume! Gli incursori si erano nascosti sott'acqua fra la vegetazione palustre respirando con le canne e poi erano balzati fuori d'improvviso, dopo che i nostri erano entrati nella tenda, e avevano sopraffatto la nostra guardia probabilmente tirando da lontano con l'arco. Forse erano gli stessi che ora pattugliavano il terreno tutto attorno. Restai là, appiattita nel fango ad aspettare, a lungo, finché la luna cominciò ad avvicinarsi al tramonto.

A quel punto li vidi uscire!

Erano incatenati e venivano condotti via uno dietro l'altro con il primo legato alla sella del cavallo di un ufficiale persiano. Non riuscii a riconoscerli e non tentai di avvicinarmi di più per non farmi scoprire. Solo quando tutti furono scomparsi in lontananza mi diressi alla tenda abbandonata girandovi attorno. Vidi i corpi insepolti dei nostri soldati su cui i Persiani avevano infierito e gli sciacalli che stavano completando l'opera. Fra poco non sarebbero rimaste che le ossa di quei ragazzi che solo un giorno prima erano pieni di vita e di coraggio.

Guardai all'interno della tenda ma non potei scorgere nulla: le lanterne non c'erano più e tutto era buio e indistinto.

Mi rimisi in cammino di buon passo, risalendo la riva sinistra del fiume e raggiunsi l'accampamento prima che facesse giorno.

Sophos era stato confermato comandante dalla grande maggioranza dei guerrieri, gli altri ufficiali caduti nell'imboscata erano stati semplicemente sostituiti per alzata di mano: Agasìas di Stinfalo, Timàs di Dardania, Xanthi di Achaia e Kleanor di Arcadia, oltre a Xeno. Quando tutto fu terminato stava per sorgere l'alba.

Nessuno aveva dormito, nessuno aveva mangiato. Quei giovani non avevano niente altro in corpo se non la disperata volontà di sopravvivere.

## 14

Melissa si asciugò le lacrime e cercò di trattenere il pianto: «Sei sicura di averlo visto?» domandò.

«Sono certa che fossero loro, malgrado il buio. Ne ho contati cinque, indossavano le nostre tuniche militari, e potevo anche riconoscere l'andatura, il modo di camminare. Chi altri potevano essere?»

«E non hai udito nulla? Qualche parola, qualche segnale?»

«No, ero troppo distante e non osavo avvicinarmi. Me ne stavo acquattata nel fango della riva per non farmi vedere ma poi, quando se ne sono andati, ho visto tutto e so che per molto tempo l'orrore che mi ha ferito gli occhi sarà l'incubo delle mie notti.»

«Hai visto segni di torture?»

«Te l'ho detto, era buio, l'interno del padiglione immerso nell'oscurità.»

«Se me lo avessi detto sarei venuta con te.»

«Meglio di no. Forse non avresti retto e tutte e due saremmo state in difficoltà.»

«Rispondi sinceramente: pensi che ci sia una possibilità che qualcuno si salvi?»

«Quello che io penso ha ben poco valore, il destino ci ha trascinato in una serie di eventi troppo più grandi di noi e siamo come fuscelli in balia della corrente. Se però vuoi che ti dica il mio parere, ritengo che ci siano assai poche possibilità che qualcuno sopravviva, ma se mai uno dovesse riuscire quello è Menon.»

Il volto di Melissa si illuminò e quasi mi pentii di averle creato delle illusioni: «Davvero lo pensi?» chiese.

«Sì, ma temo che questo non abbia molta importanza: la loro situazione è disperata. Tuttavia Menon è il più scaltro, il più intelligente, e non perde mai il sangue freddo. Soccomberà solo se lo uccideranno subito e non gli lasceranno il tempo di riflettere, oppure quando avrà esaurito ogni via di scampo. Ma se c'è anche una sola possibilità che riesca a salvarsi lui la troverà. Intanto non angosciarti, e cerca anche tu di sopravvivere perché d'ora in poi non sarà facile, soprattutto per te.»

Melissa chinò il capo: «Lo so. Senza Menon sono di nuovo una preda. Tu sai, Abira, qual è stata la mia vita e quali sono le mie arti, eppure Menon mi ha difesa senza chiedere nulla in cambio. Sono stata io a chiedergli di fare l'amore con me, di restarmi accanto nel letto, e sembrò quasi che accettasse a malincuore».

«Forse perché anche lui ti voleva bene, forse pensava a quante probabilità aveva di soccombere e di lasciarti sola e senza protezione. Voleva che tu fossi libera di gestire senza intralci l'unica arma veramente potente che possiedi: la tua bellezza.»

Restai con lei finché non si addormentò. Mentre tornavo camminando dietro al recinto dei cavalli in direzione della mia tenda vidi Sophos che passava fra i corpi di guardia e Neon che lo raggiungeva e lo portava in disparte vicino al recinto. Io mi arrestai, immobile, come presagendo che qualcosa di strano stava per succedere. Neon gli diceva qualcosa. Sophos ascoltava, sembrava sconvolto, reagiva duramente, faceva per andarsene, Neon lo tratteneva per un braccio. Lo sentii gridare: «Questi sono gli ordini e tu non hai scelta!». Poi ripresero a discutere animatamente in un dialetto stretto che non riuscivo a capire. Neon se ne andò e Sophos rimase solo. Appoggiò le braccia sulla staccionata e la testa sulle braccia come fosse schiacciato da un pensiero insopportabile. Trattenevo il respiro. Gli ero così vicina che potevo sentirlo ansimare. A un tratto alzò la testa, diede un gran pugno sul palo imprecando e si allontanò a grandi passi.

Il giorno successivo subimmo diversi attacchi. I nemici volevano saggiare le nostre capacità di resistenza e anche il morale del nostro esercito rimasto senza capi. Trovarono pane per i loro denti, ma fu subito evidente che eravamo vulnerabili agli attacchi della loro cavalleria. Fino a che Arieo era stato al nostro fianco erano stati i suoi cavalieri a coprirci, insieme a quelli di Ciro: il fiore della sua nobiltà, giovani a lui fedelissimi e di straordinario coraggio. Ora non più, e ogni volta che i nostri reagivano i Persiani si allontanavano subito al galoppo e in un attimo erano fuori dalla portata dei nostri lanci.

Sophos mantenne la promessa di non abbandonare nessuno, di non lasciare indietro alcun ferito, alcun malato. Mi chiedevo però se avrebbe mantenuto la promessa anche quando i feriti fossero diventati decine e centinaia. Nicarco di Arcadia venne con noi, adagiato su un carro. Aveva il ventre gonfio come un otre e duro come il cuoio ma il chirurgo, a ogni sosta, lo sondava con una cannula d'argento e faceva uscire gli umori maligni dalle sue viscere. Aveva la febbre altissima e il calore del sole si sommava a quello del suo corpo inducendolo al delirio. Si lamentava per la maggior parte della notte tanto che alcuni fra i compagni si auguravano che morisse così avrebbe finito di soffrire lui e anche loro. Io invece pensavo che da qualche parte, lontano, doveva esserci una persona che sperava con tutto il cuore che tornasse, che ogni giorno pregava un dio perché lo proteggesse dagli innumerevoli pericoli del suo mestiere e lo riportasse sano e salvo. Forse era una ragazza, come Melissa, forse era il padre o la madre. E quelle speranze, quelle preghiere meritavano di essere esaudite perché erano come i pensieri di Melissa per Menon, come i miei per Xeno quando era lontano e in pericolo.

L'idea di contrastare il corso del Fato mi dava una grande soddisfazione e per questo mi prodigavo per assistere Nicarco, per combattere la morte che, come uno sciacallo, si aggirava di notte attorno al suo carro per portarlo via nel regno delle teste pallide.

Attraversammo un fiume su un ponte di barche e proseguimmo in direzione di una città abbandonata che gli indigeni chiamavano Al Sarruti.

Le donne che seguivano la spedizione non erano poche e me ne resi conto vedendole procedere in fila vicino ai carri che ora servivano per i feriti. Erano tutte piuttosto giovani, spaventate a morte da quella situazione così sconcertante, alcune erano anche incinte e mi chiedevo quanto avrebbero resistito a marce estenuanti, a strapazzi e privazioni di ogni genere. Gli uomini di cui erano le amanti o che le avevano in consegna avrebbero certamente voluto essere altrove, ma a quel punto non avevano scelta e migrare nel campo nemico doveva sembrare loro troppo rischioso.

Cominciavano adesso le grandi difficoltà, era evidente; ciò che avevamo vissuto fino a quel momento non era ancora il peggio: prima almeno avevamo cibo e vino e i nostri comandanti, uomini che sapevano infondere fiducia e prendere sempre le decisioni giuste. Mi resi conto che il fatto che io fossi così innamorata di Xeno non significava che lui fosse all'altezza dei compiti per cui si era proposto, che davvero sarebbe stato capace di guidare i suoi compagni verso la salvezza. Forse vi sarebbe riuscito Sophos che finalmente era venuto allo scoperto pur tacendo ciò che non poteva dire. E forse sarebbero emersi altri che fino a quel momento erano rimasti in ombra.

Una sera mentre preparavo qualcosa per la cena con le poche provviste rimaste raccontai a Xeno quello che avevo fatto la notte dell'imboscata ai comandanti, di come avevo nuotato nel fiume fino al padiglione e li avevo visti trascinare via in catene. Gli dissi che avevo scoperto come l'agguato fosse avvenuto dal fiume, da uomini appostati sott'acqua che respiravano con canne.

Il mio racconto lo colpì, anzi, lo sconvolse perché avevo

fatto quello che solo un uomo avrebbe potuto fare, secondo il suo modo di pensare. Ma lo turbò soprattutto la ragione per cui l'avevo fatto: portare a Melissa notizie dell'uomo che amava, anche se si trattava di Menon di Tessaglia che lui disprezzava.

«Scriverai il tuo disprezzo per lui nel tuo diario?» gli chiesi.

«Certamente» rispose, «ognuno deve avere la fama che si è meritato.»

«Ma sei tu in questo momento a decidere che tipo di fama si è meritato e questo non mi pare giusto. Che ne sai della sua vita? E hai mai pensato che nella tua città qualcuno a quest'ora potrebbe scrivere di te cose non migliori?»

Xeno mi guardò stupito, forse più perché riuscivo a pronunciare in greco frasi così elaborate che non per la sostanza di quello che dicevo.

Gli dissi anche della scena a cui avevo assistito, dell'alterco segreto fra Neon e Sophos, ma lui sembrò non dargli importanza: probabilmente una differenza di vedute sulla condotta da tenere, niente di cui preoccuparsi. Io invece la trovavo inquietante perché non avevo mai visto Sophos così sconvolto.

Restai sveglia a lungo anche dopo che lui si fu coricato e, mentre guardavo verso occidente, verso i luoghi da cui ero venuta, quasi istintivamente vedevo passare strane forme nell'oscurità, ombre che scivolavano veloci e mi sembrava anche di udire delle voci attenuate, richiami attutiti dalla distanza.

Barche sul Tigri.

Vedevo anche il carro di Melissa coperto da una tenda e mi chiedevo cosa sarebbe stato di lei. Udii il singulto degli uccelli notturni e pensai fossero le grida dei nostri comandanti torturati e uccisi, spettri corrucciati che varcavano la notte.

Poi nulla.

Mi destò un rumore strano che non avrei saputo definire e svegliai Xeno.

«Che cos'è questo?»

«Non lo so. Il vento può portare suoni da molto lontano.»

Il vento... ogni volta che lo sentivo soffiare pensavo se fosse lo stesso che avrebbe sollevato soltanto la polvere di Beth Qadà o se fosse invece quello che romba e reca presagio di eventi straordinari.

«È il rumore di un esercito che si avvicina» disse Xeno tendendo l'orecchio. «Non ti muovere da qui.»

Indossò l'armatura e andò a cercare Sophos e gli altri.

Gli ufficiali diffusero l'allarme in silenzio e poco dopo vidi gli uomini svegliare uno per uno i compagni ancora addormentati e in breve tempo l'esercito mettersi in marcia mentre un piccolo gruppo a cavallo comandato da Xeno partiva al passo in direzione del rumore che si faceva sempre più distinto. Un chiarore appena visibile rischiarava l'orizzonte a oriente dietro una linea di brulle colline. Noi intanto ci eravamo messi in cammino e io avevo aggiogato i muli e fatto caricare la tenda sul carro. Il servo si era abituato a obbedirmi quando Xeno non c'era. Accanto a me c'era una ragazza su un altro carro, incinta.

«Sai chi è il padre di tuo figlio?» le chiesi.

La ragazza accennò alla lunga colonna di guerrieri che si snodava nell'oscurità: «Uno qualunque di loro» rispose e diede una voce ai muli.

Arrivammo dopo poco sull'orlo di un canalone che attraversava la nostra pista. Era una profonda frattura del terreno, una spaccatura della roccia sabbiosa che si estendeva per lungo tratto da occidente verso oriente. Le pareti erano ripide e sul fondo c'erano una quantità di massi sparsi qua e là, come disseminati da una forza immane.

Era completamente arido, ma durante l'inverno doveva riempirsi d'acqua limacciosa scaricata dai temporali sulle montagne, piene improvvise che avevo visto tante volte anche nella mia terra. Erano quelle piene furiose a far rotolare i massi sul fondo.

La discesa era possibile solo in due o tre punti dove le greggi delle capre e delle pecore avevano tagliato nella parete dei sentieri che attraversavano il fondo e di nuovo si inerpicavano sulla sponda opposta. Solo uno dei tre passaggi consentiva la discesa dei carri, non senza pericolo a causa della semioscurità dell'ora che precedeva l'alba. Due si rovesciarono e dovettero essere rimessi in carreggiata con i pali da tenda e poi puntellati dal basso con le aste delle lance per un certo tratto. I fanti e i cavalieri attraversarono utilizzando gli altri due sentieri.

Xeno, Sophos, Agasìas di Stinfalo, Timàs di Dardania, Xanthi di Achaia e Kleanor di Arcadia avanzavano a cavallo e si voltavano spesso indietro. Erano distanziati di venti, trenta passi uno dall'altro e si lanciavano continuamente dei richiami ma senza alzare troppo la voce. Erano tutti giovani, fra i venti e i trent'anni, di formidabile complessione fisica e avevano subito preso molto sul serio il loro incarico. Anch'io, che in fondo ero estranea a quella spedizione, continuavo a pensare a quelli che avevamo perduto.

Sophos teneva continuamente gli occhi fissi a oriente sul punto da cui si aspettava che il sole si sarebbe affacciato. A un tratto l'astro di luce spuntò dalle colline e Sophos si voltò indietro verso mezzogiorno. I suoi occhi cercavano qualcosa e anch'io guardai dalla stessa parte. Un lampo balenò ripetutamente dalla pianura e Sophos esclamò: «Il segnale, arrivano! Fate come abbiamo deciso». A quell'ordine gli ufficiali a cavallo scesero rapidamente verso il fondo del canalone e ognuno si pose alla guida del proprio reparto. Subito gli uomini ruppero le file e aggredirono la sponda opposta in ordine sparso, ciascuno cercando la salita più rapida. Il nostro convoglio con i carri, le bestie da soma, le donne e i non combattenti aveva raggiunto il fondo del canalone e arrancava faticosamente verso l'altra proda. Cominciavo a pensare che non si curassero più di noi e ci lasciassero indietro. Vidi due ufficiali che dall'orlo opposto del canalone facevano ampi gesti come per esortarci a raggiungerli al più presto ma io non volevo separarmi dagli altri.

Quando cominciammo a salire il pendio che avevamo di fronte udii un rumore di galoppo alle mie spalle e mi sentii perduta. Erano invece i nostri a cavallo, gli esploratori comandati da Xeno che avevano lanciato il segnale e scendevano lungo il sentiero a rotta di collo.

Xeno gridò: «Abbandonate i carri, venite su, subito! Abbandonate i carri!».

Gli esploratori ripeterono la stessa cosa: «Via, correte più in fretta che potete, lasciate i carri, ci sono alle calcagna!».

Scendemmo tutti a terra e ci arrampicammo più in fretta possibile verso il bordo superiore del canalone. Vidi Melissa che incespicava e gridava di dolore a ogni passo e corsi ad aiutarla. I sandaletti da camera che indossava non erano adatti al terreno e i suoi piedi non avevano mai calcato sassi appuntiti e schegge di selce nera: si feriva in continuazione, a ogni passo. La sostenni quasi a forza e cominciai a trascinarla verso la meta, ma non ce la facevo. Ero affannata e disperata e urlai con quanto fiato avevo in gola: «Xenooooo!» e subito me lo trovai a fianco che sorrideva dietro la maschera del suo elmo. Era già tornato indietro prima che io lo chiamassi.

In pochi istanti ci trascinò in cima e altri uomini fecero lo stesso con il resto dei miei compagni di sventura.

«Tutti dietro quella roccia!» gridò Sophos e noi obbedimmo perché il rumore del galoppo persiano era già alle nostre spalle. Appena al riparo guardai ansimando dalla parte dove erano andati Sophos e Xeno e... non vidi nulla!

«Ma dove sono?» esclamai.

«Ci hanno lasciati soli» piagnucolò Melissa. «Sono scappati e ci hanno abbandonati.»

«Non dire sciocchezze. Sono a piedi come noi, non possono essere spariti.» La zittii «Ssst!» perché i Persiani stavano spuntando con i loro cavalli dalle rocce che orlavano la sponda. Anche loro si fermarono interdetti scandagliando con lo sguardo la vuota distesa stepposa coperta di erba secca. Nel silenzio abissale del luogo s'insinuava soltanto il soffio del vento che piegava le erbe e faceva volare gli ombrellini bianchi del tarassaco. Ma fu per poco.

Echeggiò un grido acuto e ritmato e subito seguì un clangore metallico. I nostri erano invisibili perché appiattiti nell'erba e si rizzarono in piedi tutti assieme, già schierati!

Diecimila scudi si serrarono come una muraglia di bronzo, diecimila lance si sporsero in avanti minacciose, migliaia di mantelli rossi si spiegarono nel vento come stendardi. E gli elmi che coprivano i volti. Non li avevo mai visti così, mai prima mi erano apparsi così impressionanti. Caschi di bronzo che lasciavano scoperti solo gli occhi e la bocca e trasformavano ogni uomo in un essere chimerico. Spariva l'espressione del volto, gli occhi erano lampi nel buio, ogni movimento del capo diventava una minaccia. L'avversario che si opponeva a volto scoperto poteva immaginare dietro alla maschera metallica che aveva di fronte qualunque feroce potenza. Quando il volto è impenetrabile tutto il resto lo diventa.

I cavalieri tentarono di reagire allo sgomento e caricarono a un ordine del loro comandante, ma i nostri erano troppo vicini e già stavano avanzando. I cavalli non riuscirono a prendere l'abbrivio e si trovarono addosso le lance in pochi attimi. La falange avanzava come una macchina e nessuno poteva resistere. I cavalieri cercarono inutilmente di sfondare. A ogni tentativo i ranghi si serravano e le file s'infittivano, chi era dietro spingeva con lo scudo chi era davanti, le lance si conficcavano nei corpi degli avversari e presto lo scontro si trasformò in carneficina. Guardavo inorridita uomini e cavalli precipitare nel canalone, gli uni travolgendo gli altri, seminando brandelli di carne e schizzi di sangue sulle pietre appuntite, sugli speroni di roccia, sulle lame taglienti delle selci nere.

Poi la falange si aprì e lasciò avanzare arcieri, frombolieri e lanciatori di giavellotto che coprirono i superstiti con una pioggia di dardi letali. Quando finalmente potemmo affacciarci anche noi sul bordo del dirupo il sole brillava trionfale in un cielo purissimo ma la terra... la terra era solo desolazione e mattatoio. Lo squadrone di cavalleria persiana era ridotto a un confuso, atroce carnaio e i lamenti strazianti dei moribondi trapassavano il cuore.

Ma non era finita.

Sophos ritenne che quella vista non fosse abbastanza terrificante, volle che i soldati di Tissaferne, una volta arrivati, si trovassero davanti un orrore senza limiti. Dovevano capire come veniva punito il loro tradimento, la loro imboscata, toccare con mano la furia dei mantelli rossi privati con l'inganno dei loro comandanti.

C'era un gruppo di incursori traci con l'esercito, ausiliari agli ordini di Timàs di Dardania. Fu detto loro di infierire sui cadaveri in ogni modo possibile usando le scuri, le mazze e i coltellacci. Mi volsi dall'altra parte e fuggii a rannicchiarmi dietro un sasso e vi restai finché non sentii che Xeno mi chiamava perché era ora di riprendere la marcia.

I carri furono trascinati in cima e l'esercito ricominciò ad avanzare sotto il sole ormai alto nel cielo. Ogni tanto mi volgevo indietro e vedevo avvoltoi sempre più numerosi volteggiare sul canalone.

Come facevano a sentire l'odore della morte così presto e così da lontano? Ma mi rendevo conto che anch'io lo sentivo. Ce l'aveva addosso Xeno che cavalcava poco distante e ce l'avevano addosso tutti. I Traci sembravano dei beccai, erano coperti di lordura dalla testa ai piedi.

Avanzammo per l'intera giornata senza che accadesse niente altro e verso sera raggiungemmo la città abbandonata. Era circondata da un muro di mattoni crudi e al centro c'era una torre a piramide che da quelle parti chiamano ziggurat, in parte anch'essa in rovina. Il basamento era ancora rivestito di lastre di pietra grigia con immagini di guerrieri dalle folte barbe arricciate e dai capelli raccolti in trecce. Le figure erano dipinte a forti colori e colpivano molto per la loro imponenza. Tutto il luogo però era diroccato e alcune delle lastre della base erano crollate, le figure giacevano a terra con la faccia nella polvere. "Ecco come finisce l'orgoglio umano" pensai fra me.

Xeno entrò per guardare che cosa ci fosse all'interno e io lo seguii. Man mano che c'inoltravamo la luce dell'ingresso diventava sempre più fioca finché si ridusse a una specie di chiarore in cui fluttuava un polverio scintillante. Mi sembrò a un certo punto di aver calpestato qualche cosa di vivo che oppose resistenza al mio piede e gridai. Il mio grido e il mio movimento così secco risvegliarono una miriade di pipistrelli che dormivano all'interno e l'atmosfera ne fu piena. Mi sentivo colpita e sfiorata da tutte le parti da quelle creature schifose e perdetti il controllo di me. Gridavo sempre più forte finché Xeno mi colpì violentemente con uno schiaffo e mi trascinò fuori più in fretta che poté. Aveva capito che stavamo rischiando di morire. Il fitto battito delle ali dei pipistrelli aveva sollevato un polverio così denso che ci avrebbe soffocato.

Xeno riuscì a portarmi in salvo coprendomi la bocca e il naso con il mantello e trattenendo lui stesso il respiro. Appena fuori crollai al suolo e respirai avidamente l'aria fresca della sera.

«Hai visto com'è facile morire?» disse Xeno ansimando. «Anche senza fare la guerra.»

«Hai ragione» risposi. «Se non mi avessi dato quello schiaffo avrei completamente perso il controllo di me stessa e sarei morta soffocata.»

Alzai gli occhi e vidi che sulla cima della piramide c'era una quantità di persone di ogni età. Erano gli abitanti della regione che si erano rifugiati lassù sperando forse di essere al sicuro dagli eserciti che transitavano nella zona. Anche alcuni dei nostri si arrampicarono fin sulla cima per osservare i movimenti di Tissaferne ma non videro nessuno. Ci accampammo fra le rovine e per gran parte della notte udii piangere i bambini che stavano con le loro madri sulla cima della torre. Le donne non osavano scendere e mescolarsi a noi e non avevano nulla con sé per nutrire i loro figli. Mi consolava il pensiero che in poco tempo gli eserciti sarebbero passati oltre e la gente avrebbe potuto tornare alle proprie case e al proprio lavoro.

Viaggiammo tutto il giorno successivo fino a un'altra muraglia in rovina che doveva aver cinto una città un tempo potente. I nemici non si vedevano più, forse la strage del canalone li aveva fermati? Lo speravamo ma era difficile da credere. Sicuramente stavano da qualche parte nella pianura ad aspettare il tempo opportuno per prendere l'iniziativa.

Vedemmo il Tigri. Una meraviglia. Scorreva veloce e ogni tanto trasportava sulla corrente barche di strana foggia, rotonde come cestoni che spesso ruotavano su se stesse a ogni curva o a ogni gorgo del fiume ma non si incagliavano mai. Cominciavo a sperare che avessimo distanziato a sufficienza i nostri inseguitori e la sera andai a trovare Melissa per curarle i piedi feriti ungendoli e massaggiandoli. Mi sbagliavo: la settima sera riapparvero. Erano tanti, troppi, sempre in superiorità schiacciante.

Stavano avanzando con squadroni di cavalieri ma si tenevano a una certa distanza. Avevano capito il nostro punto debole. Sapevano che non avevamo cavalleria ed erano certi che Arieo non ci avrebbe soccorso: perché mai avrebbe dovuto farlo? Ero sorpresa di me stessa: anch'io cominciavo a pensare e a ragionare come un soldato.

Al segnale delle vedette squillò subito l'allarme e i soldati si disposero in linea di marcia con una retroguardia in formazione di combattimento. A ogni attacco dei cavalieri nemici i nostri reagivano ma gli assalitori subito si ritiravano e i lanci di giavellotti non avevano alcun effetto. I loro tiri invece erano micidiali; anche quando fuggivano riuscivano a colpire saettando all'indietro con estrema precisione con i loro archi da cavalieri della steppa a doppia curvatura. I nostri, che non se lo aspettavano, vennero feriti in gran numero e dovettero essere soccorsi dai compagni e messi sui carri. La notte stessa fu approntata una grande tenda e otto chirurghi si misero all'opera. Non avevo mai visto una cosa simile e mai tanti operare assieme. Ognuno aveva ferri affilatissimi, aghi, pinze, forbici e altri strumenti ancora di cui ignoravo l'uso. Al lume delle lampade a olio tagliavano e cucivano e dove le ferite erano slabbrate rifilavano i brandelli di pelle con le forbici come se fossero pezzi di stoffa.

Quello che mi colpiva era la capacità dei feriti di sopportare il dolore. Ognuno vedeva che gli altri non si lamentavano, non piangevano, non gridavano ed era in qualche modo costretto a fare lo stesso. Mordevano il loro pezzo di cuoio arricciando le labbra e scoprendo i denti come cani, mugolavano ma non facevano uscire la voce. Ansimavano a denti stretti. Così tutto il dolore si concentrava negli occhi, così intensamente sofferenti che non avrei mai più dimenticato quegli sguardi di strazio e di agonia.

Alcuni morirono perché i medici non riuscirono a fermare le emorragie. Restai accanto a uno di essi finché non spirò. Era nudo nel lago del suo sangue. Il suo giaciglio ne era inzuppato e una macchia si allargava continuamente anche sul terreno. Gli tenni la mano per aiutarlo a passare l'estremo limite, perché non affrontasse, solo, il buio della morte. Sangue e sporcizia non ne oscuravano del tutto la bellezza e mi sembrava impossibile che un corpo così perfetto e potente sarebbe stato di lì a poco carne inerte e fredda. Ciò che ricordo di lui è lo sguardo febbrile e poi il pallore che gli si diffuse rapidamente sul viso e sulle membra. Prima di esalare l'ultimo respiro ebbe un momento di lucidità e mi guardò intensamente: «Chi sei?» mormorò.

«Sono chi tu vuoi, ragazzo: sono tua madre, tua sorella, la tua fidanzata...»

«Allora» rispose «dammi da bere», e restò a fissare il cielo con gli occhi sbarrati e immobili.

# 15

La nostra marcia era ormai una sofferenza. L'esercito era costretto a muoversi compatto e tutti indossavano l'armatura dal sorgere del sole fin dopo il tramonto. Viaggiare senza avrebbe significato morte sicura ma muoversi a quel modo era una fatica quasi insopportabile. I cavalieri di Tissaferne ci attaccavano a ondate continue tirando con gli archi e con le fionde per sfiancare i guerrieri, e quando questi cercavano di reagire i Persiani si allontanavano solo quel tanto da rimanere fuori tiro. Si alternavano senza sosta in queste scaramucce cosicché a noi sembravano instancabili.

Solo il buio portava sollievo perché i Persiani ci temevano e si accampavano a notevole distanza per evitare di essere sorpresi da un attacco notturno.

Una notte Xeno chiese ai comandanti di riunirsi a consiglio perché aveva un'idea da esporre. Sophos, Xanthi, Timàs, Agasìas e Kleanor arrivarono uno dopo l'altro alla nostra tenda e io li servii tutta la sera portando vino di palma allungato con acqua. Xeno aveva concepito un piano geniale.

«Dobbiamo agire subito» cominciò. «Se non ce li togliamo di dosso non possiamo rifornirci di provviste e non avremo mai tregua. Gli uomini finiranno per perdersi d'animo e di forze e sarà finita. Hanno imparato la lezione: attaccarci frontalmente significa essere fatti a pezzi e quindi non lo faranno più. Vogliono appesantirci con un numero crescente di feriti e di invalidi, impedirci di mangiare e di bere. Se ci impedissero anche di dormire – e potrebbero farlo senza sforzo – saremmo finiti in tre o quattro giorni al massimo. Per fortuna non ci pensano.»

«Bene» intervenne Sophos, «e quindi qual è la tua proposta?»

«La notte è l'unico tempo che abbiamo per agire.»

«Vuoi attaccarli? Non credo sia possibile» l'interruppe Xanthi, «hanno di sicuro delle sentinelle e non riusciremmo ad avvicinarci.»

«No. Voglio sganciarmi. Ascoltate: dovrà essere domani o mai più. Avrete notato che un gruppo di cavalieri ci osserva da due o trecento passi. Aspettano che abbiamo piantato le tende e se ne vanno. Una volta sicuri che ci siamo accampati se ne tornano a riferire ai loro comandanti che possono stare tranquilli. Noi invece fingeremo di predisporre il campo, accenderemo qualche fuoco per dare l'impressione di preparare la cena e quando si saranno levati di torno ci rimetteremo in marcia. Le armi sui carri per essere più leggeri e più spediti, gli zoccoli di cavalli e muli fasciati per muoverci in silenzio assoluto. Si mangerà e si berrà camminando, le soste saranno pochissime, quel tanto che basta per recuperare un po' di forze. Brevi sonni vigilati a turno dagli altri.»

I comandanti lo ascoltavano attenti. Lo scrittore, chi l'avrebbe mai detto! Quell'ateniese così giovane sembrava sapere il fatto suo e io avrei potuto spiegare loro la ragione: Xeno me lo aveva raccontato più volte come il suo maestro gli aveva insegnato a ragionare e a trarre ogni insegnamento dall'esperienza.

«I nostri assaltatori traci» proseguì «mi hanno raccontato che quando si trasferiscono con le mandrie dai pascoli di montagna a quelli di pianura sono costretti a evitare il più possibile di fermarsi per non essere attaccati da altre tribù e depredati del bestiame: si riposano con tanti piccoli sonni, a volte addirittura in piedi appoggiati a un albero, e di fatto non si fermano mai. Il corpo si abitua a trarre il massimo dalle pause che gli vengono concesse. Il sonno, anche se breve, diventa più profondo rilassando completamente le membra.

Non ci fermeremo nemmeno il giorno dopo, né la notte successiva. Dovranno credere che abbiamo preso un'altra strada e disperdersi per cercarci. Noi intanto avremo raggiunto la base delle montagne dove la cavalleria persiana non potrà muoversi con tanta velocità e facilità come in pianura. A quel punto si deciderà il da farsi.»

Sophos approvò l'idea: «Mi sembra la cosa più giusta, e speriamo che vada tutto bene. D'altra parte non abbiamo molta scelta. Questi hanno manifestato chiaramente le loro intenzioni. Ci hanno tolto i comandanti e ora ci vogliono morti dal primo all'ultimo. Né Artaserse né Tissaferne vogliono che anche uno solo di noi raggiunga il mare e racconti come si arriva fin quasi a Babilonia senza perdere un solo uomo».

Ecco la verità: non era soltanto una questione di vendetta. Era questione di non lasciar diffondere un'informazione vitale per la sopravvivenza dell'Impero.

Sophos si rivolse agli altri comandanti: «Passerete queste istruzioni da reparto a reparto e ogni unità combattente si organizzerà con i turni di riposo e tutto il resto. Le soste le darò io con un segnale passato a voce».

«C'è dell'altro» proseguì Xeno. «Ci serve un reparto di cavalleria anche se piccolo: non che possiamo contrastare i Persiani, ma almeno tenerli sorvegliati da vicino come durante l'ultima battaglia o andare in avanscoperta a cercare i passaggi più adatti.»

«E dove li prendiamo i cavalli?» chiese Timàs.

«Li stacchiamo dai carri» rispose Xeno e a quelle parole quasi lasciai cadere la brocca che avevo in mano. Stava dicendo di rinunciare ai mezzi di trasporto.

«Appena arriveremo alla base delle montagne» proseguì calmo «dovremo comunque rinunciarvi.»

Pensai ai piedi di Melissa e anche ai miei e mi venne un

nodo alla gola. Come avrei tenuto il passo con gli altri? E quella ragazza incinta che avevo visto sul carro, che ne sarebbe stato di lei? E quante altre ce n'erano in quelle condizioni? Sophos aveva promesso che non avrebbe lasciato indietro nessuno, ma parlava dei guerrieri che gli servivano. Temevo che non considerasse le donne. Ma ormai era deciso. La scelta che avevo fatto in modo così istintivo quando ero fuggita con Xeno ora cominciava a presentarmi le sue conseguenze più dure.

I comandanti se ne andarono uno dopo l'altro e raggiunsero ognuno la propria unità. Sophos era cambiato da quando era uscito dall'ombra. Aveva raccolto l'eredità di Klearchos senza difficoltà, era riuscito a farsi eleggere dall'assemblea dei guerrieri senza opposizione. Aveva imposto la sua presenza, il timbro della voce, il lampo degli occhi, l'atteggiamento di chi sa cosa vuole e dove vuole arrivare. C'era un'intesa istintiva, un fluido che gli aveva conquistato gli uomini dal primo all'ultimo. Al momento di lasciare la nostra tenda fissò Xeno appoggiandogli una mano sulla spalla e disse: «Ecco che cosa ci mancava: un prestigiatore che fa sparire un intero esercito, così!» e schioccò il pollice contro il medio.

Aveva anche il senso dell'umorismo.

«Ci sei riuscito anche tu, comandante» ribatté Xeno, «al canalone, quando hai nascosto i guerrieri nell'erba secca.»

Gli altri si misero a ridere, una risata spavalda e sprezzante, che non finiva più.

«Ho ancora in mente la loro espressione quando ci hanno visti alzare con gli scudi imbracciati» disse Xanthi, l'acheo dalla chioma fluente sulle spalle e dal collo taurino.

«Di uno che guarda in faccia la morte!» esclamò Agasìas, scuro di pelle, di capelli e di sguardo.

«E sa di aver perso la partita!» ribatté Timàs il dardano, olivastro di pelle, snello come un segugio e dalla corta barba aguzza.

«Se credono di averci in pugno si sbagliano di grosso» concluse Kleanor e sembrava fissarli, in quel momento, i nemici con gli occhi grigi da falco. Kleanor era un fascio di nervi e muscoli, stava piantato su due cosce grosse come colonne e sembrava impaziente di dimostrare di essere all'altezza del suo compito. «Se ci vogliono devono venirci a prendere» disse ancora «e per riuscirci dovranno scendere da cavallo.»

Se ne uscirono ridacchiando e le loro voci si attenuarono nel buio.

Xeno si lavò e si adagiò sulla stuoia e io mi stesi accanto a lui. Facemmo l'amore con una foga che non ricordavo da tempo. Eravamo in pericolo, braccati e inseguiti senza tregua, eppure lui era al colmo dell'eccitazione e dell'energia. Lui, lo scrittore su cui tante ironie e sarcasmi erano piovuti durante la lunga marcia, era ora fra i pochi che avevano le idee per condurre diecimila compagni fuori dal pericolo di morte. E ne aveva anche il coraggio. Quando si fu adagiato socchiudendo gli occhi, gli presi una mano e gli feci la domanda che da qualche tempo mi assillava: «I Persiani vi vogliono annientare ma pensi che ci sia qualcuno nel tuo paese che desidera il ritorno di questo esercito?».

«Che cosa vuoi dire?»

«Non lo so. È un'intuizione, una sensazione, ma vorrei che tu mi dessi una risposta, se credi.»

La risposta di Xeno fu un lungo silenzio.

«Se non vuoi parlare non importa.»

«Questo esercito è tutto composto da mercenari...»

«Lo so.»

«A eccezione di due.»

«Sophos...»

«Sì.»

«E tu. E questa spedizione è stata tenuta segreta: non credo che quanto era segreto prima adesso si possa divulgare. Chi è Sophos?»

«Un ufficiale dell'esercito di Sparta. Probabilmente di rango molto alto.»

«Posso chiederti come lo sai? Te lo ha detto lui?»

«Dal bracciale di vimini che porta sempre al polso sinistro. All'interno c'è scritto il suo nome e il numero del reparto che comanda. I soldati comuni lo portano nel destro. È un'usanza dell'esercito spartano. Quando uno cade in battaglia può succedere che il suo corpo, se non viene recuperato dai compagni, venga spogliato dai nemici di tutto quello che indossa di prezioso. Un bracciale di vimini non vale niente e quindi non viene rubato, ma porta scritta l'identità del caduto. All'interno di quel bracciale c'è scritto Cheirisophos.»

Cercai di pronunciare quel nome interminabile ma senza risultato: «Credo che continuerò a chiamarlo Sophos... E qual è il suo ruolo? Perché è apparso all'improvviso?».

«Questo non lo so.»

«Pensi che te lo dirà?»

«Penso di no.»

«Ci salveremo?»

«Mi auguro con tutte le forze che questo avvenga ma per l'uomo è difficile stornare il proprio destino una volta che è stato filato dalle Moire.»

Non sapevo chi fossero le Moire che filavano il destino degli esseri umani, ma m'impaurivano ugualmente. Anche nei nostri villaggi si parlava di donne dai lunghi capelli neri, vestite di nero, con profonde occhiaie scure che si aggiravano di notte a portare via i vivi nel regno dei morti dove l'aria è polvere e il pane è argilla secca...

«Ma per quello che sta in me non lascerò niente di intentato per portare in salvo questi uomini. Sono straordinari combattenti e sono ormai la mia patria visto che non potrò tornare ad Atene.»

«Davvero vuoi abbandonare i carri?»

«Non abbiamo scelta.»

Non domandai altro e restai in silenzio presa dall'angoscia. Lui dovette rendersene conto. Mi strinse a sé e sussurrò al mio orecchio: «Non ti abbandonerò».

Il giorno successivo non fu meno duro dei precedenti: gli attacchi erano incessanti e l'esercito doveva procedere in formazione chiusa con i carri al centro, tenendo gli scudi alzati. Era una fatica enorme perché uno scudo di quelli pesava come uno staio di grano. Immaginavo come doveva apparire la nostra formazione vista dall'alto: una specie di enorme istrice metallico che avanzava faticosamente tormentato da ogni parte da una miriade di cacciatori a cavallo che scagliavano nugoli di frecce e di dardi di ogni genere.

I dardi si conficcavano negli scudi e li rendevano ancora più pesanti da portare. Ogni tanto i nostri incursori tentavano un contrattacco: appostati dietro qualche rialzo del terreno tiravano con gli archi e con le fionde riuscendo ad abbattere un certo numero di nemici. Xeno mi disse che i frombolieri di Rodi potevano centrare un uomo in mezzo alla fronte da una distanza di cinquanta passi.

Arrivammo ad accamparci dopo aver superato alcuni piccoli rilievi del terreno, e lì ebbe inizio l'esecuzione del piano concordato fra i comandanti. Vennero accesi i fuochi del bivacco, piantate un certo numero di tende e messe le sentinelle. Appena si fece scuro i Persiani che ci controllavano come ogni sera si allontanarono per raggiungere il loro campo e noi prendemmo a smontare tutto. La stella della sera era grande e luminosa in mezzo al cielo e accompagnava una falce di luna perfettamente incurvata e con i corni rivolti verso l'alto. Il terreno era di un colore chiaro e non sarebbe stato difficile seguire il nostro itinerario; l'oscurità avrebbe protetto la marcia notturna. Gli uomini smontarono le tende e mangiarono qualcosa poi, a un cenno dei comandanti e con la parola di Sophos che passava da uomo a uomo, si misero in movimento senza il minimo rumore.

Marciammo per tutta la notte in silenzio, di buon passo. I guerrieri avevano messo gli scudi sui carri per camminare più spediti, ma ognuno aveva individuato con precisione il suo: aveva ben chiaro dov'era e il tragitto più breve per recuperarlo e imbracciarlo in caso di necessità. Tutti gli ordini passavano di bocca in bocca, sottovoce e con grande celerità.

La prima sosta durò il minimo indispensabile. Gli uomini si adagiarono in terra e dormirono per un poco, poi riprendemmo a camminare.

Quel viaggio attraverso la notte non lo dimenticherò mai. Non accadde nulla di straordinario: non ci furono battaglie, assalti o imboscate. Nessuno morì o fu ferito: fu solo un attraversare la notte da un capo all'altro, un varcare in silenzio l'oscurità. Si potevano percepire mille misteriosi profumi: quello degli amaranti disseccati, quelli della polvere o della selce che cede il calore che l'ha arsa di giorno, il sentore lontano delle ginestre che fiorivano sui monti e delle stoppie dalla pianura.

Ogni tanto echeggiava dal nulla il canto di un uccello solitario o ci sorprendeva improvviso un frullo di ali se passavamo accanto a un cespuglio e si poteva vedere la stella della sera declinare lentamente verso l'orizzonte. C'era un senso di magia nel cielo che affondava nel turchino, nella luna che manteneva il suo splendore sul filo della falce d'argento, e la lunga teoria di uomini che varcava la notte sembrava un'armata di fantasmi. A volte mi sembrava di vedere bianche criniere fluttuare al vento e figure di cavalieri stagliarsi contro il cielo ma mi resi conto che davo corpo ai sogni o forse ai pensieri di qualcun altro. L'unica realtà era il passo pesante di quegli uomini che cercavano di sfuggire all'annientamento.

A un certo punto mi lasciai andare sul carro perché pensavo che presto non avrei più avuto quel grande privilegio, che avrei dovuto marciare nella polvere rovente e nel fango gelido proprio come tutti gli altri. Prima di chiudere gli occhi pensai a Nicarco di Arcadia, al suo ventre squarciato: non lo vedevo da un po' e mi chiesi se fosse ancora vivo o se fosse già stato abbandonato ai bordi del sentiero senza sepoltura.

Il mio era un sonno vigile perché l'ondeggiare del carro

e il rumore delle ruote m'impedivano di sprofondare nell'incoscienza. Una volta vidi incombere su di me la figura possente di Kleanor di Arcadia che stringeva fra le cosce enormi i fianchi del suo cavallo per costringerlo ad affrontare riluttante un difficile passaggio a mezza costa e poco dopo, più in basso, ondeggiare nella brezza il cimiero dell'elmo di Xeno. I nuovi comandanti tenevano le fila delle loro truppe con polso fermo.

La seconda sosta non fu più lunga della prima e la marcia riprese più lenta. La stanchezza cominciava a farsi sentire. Finalmente, il chiarore dell'alba imbiancò l'orizzonte e i cinque comandanti più Xeno si raggrupparono su un piccolo rialzo del terreno e volsero lo sguardo attorno, silenziosi, le mascelle contratte, le mani strette all'impugnatura della lancia. Anche i guerrieri si arrestarono e guardarono dalla stessa parte, là dove sarebbe potuto apparire il nemico a cavallo. Aspettarono qualche tempo e poi liberarono un grido di esultanza.

«Li abbiamo persi!» gridò Xeno.

«Sì, li abbiamo seminati!» urlò Xanthi di Achaia.

«Ci siamo riusciti!» gridarono altri. Ma Sophos li gelò: «Non ancora. È troppo presto per dirlo e non possiamo adagiarci. Riposatevi un poco, chi ha qualcosa da mangiare cerchi di rifocillarsi e poi di nuovo in marcia. Vedete laggiù quelle alture? Là cominciano le montagne e soltanto quando le avremo raggiunte potremo considerarci al riparo dalle cariche della cavalleria persiana. Al mio ordine ognuno si rimetta in marcia».

Il sole cominciò ad alzarsi sull'orizzonte, sempre più caldo e impietoso, e gli uomini si voltavano indietro temendo a ogni momento di vedere la nuvola bianca che preannunciava il martellante galoppo dei cavalieri della steppa. E invece non accadde nulla. Xeno con un gruppetto di esploratori andava avanti e indietro lungo la colonna e ogni tanto si spingeva anche più lontano con l'evidente intenzione di prevenire un attacco.

Verso il pomeriggio il paesaggio si fece più mosso e ondulato e a un certo punto, da una elevazione del terreno, ci apparve alla vista una collina, proprio di fronte a noi, verde, distinta dal colore bruno del restante territorio. Attorno all'altura erano sparsi alcuni villaggi e in cima si ergeva un palazzo fortificato. Era una visione stupenda, una combinazione di colori e di volumi così affascinante quali si vedono soltanto nei sogni. Sul castello roteavano grandi uccelli ad ali spiegate che si lasciavano portare dal vento della sera, sulle torri sventolavano drappi di stoffa azzurra e gialla e l'erba, incredibilmente verde, si muoveva al soffio del vento a onde, cambiando colore e luce a ogni movimento.

Trovarono il castello abbandonato mentre nelle case i contadini attendevano con trepidazione un attacco spietato. Non sapendo dove andare erano rimasti con le mogli e i figli. La guerra sarebbe passata come una tempesta improvvisa e poi si sarebbe dileguata lontano.

I nostri presero tutti i viveri che trovarono, le provviste ormai già messe da parte per l'inverno. Servivano loro per sopravvivere, come anche ai contadini che le avevano accumulate. Senza sarebbero forse morti o forse avrebbero visto morire i loro figli, quelli più piccoli. Le presero i più forti.

Io attraversai da sola il castello perché quella costruzione l'avevo certamente sognata da bambina e avevo immaginato che l'abitasse una creatura favolosa, un uomo capace di trasformare le pietre in oro o di spiccare di notte il volo da una delle torri come un uccello da preda. Passavo da una stanza all'altra guardandomi intorno e vidi per la prima volta quelle che Xeno chiamava "opere dell'arte". Figure scolpite a rilievo, altre dipinte sui muri, altre ancora incise nel legno delle porte. Guardavo a bocca aperta mostri alati, leoni con la testa e il becco di uccello, uomini che combattevano contro pantere e tigri, altri ancora che si facevano trainare su un carro da due struzzi aggiogati. Sapevo che nulla di simile era mai esistito e che erano stati uomini a creare quelle immagini così come i narratori inventano storie mai avvenute nei loro racconti perché a nessuno basta la vita che ha e ne vuole altre più varie ed emozionanti. Non avevo fatto così anch'io? Io però l'avevo fatto nella realtà abbandonando il mio villaggio, la mia famiglia e il mio promesso sposo per inseguire una folle avventura.

Chi abitava il castello aveva portato via tutto: non era rimasto un mobile, né un tappeto, né un letto. Solo, in fondo a una camera spoglia, trovai una bambola, una piccola bambola di terracotta con le braccia e le gambe snodate vestita con una pezza di lana grigia. La presi e la portai con me al campo e mi sembrò di aver raccolto l'ultimo superstite di una catastrofe.

Nemmeno quella notte ci riposammo. Sophos e gli altri comandanti erano decisi a realizzare il piano di Xeno: la distanza fra noi e i Persiani doveva essere mantenuta a ogni costo per non averli addosso a sommergerci con una pioggia di dardi letali. Gli uomini si riposarono soltanto un'ora e vidi uno dei nostri misurare il tempo piantando due pertiche in terra e aspettando che la luna coprisse lo spazio fra l'una e l'altra. Ora mostravano veramente la stanchezza anche se il cibo aveva dato loro energia e voglia di proseguire: volti tirati, imprecazioni al minimo intoppo, mugugni quando ricevevano un ordine. Ma Xeno era infaticabile: non era più "lo scrittore", ora era un comandante ed era evidente che voleva che il suo operato fosse degno di essere ricordato e desiderava anche la stima dei suoi compagni di avventura. A volte lo sentivo assente e questo mi dava una sensazione di freddo.

Quando fummo a metà della notte il cielo si oscurò, nuvole basse e nere velarono la falce della luna e continuarono a galoppare verso oriente. A tratti, qua e là vedevo il bagliore subitaneo dei lampi illuminare gli enormi corpi scuri delle nubi dall'interno, accenderne gli orli e le frange come un fuoco e folgori serpeggianti scoccare fra cielo e terra seguite dal brontolio lontano dei tuoni. La stagione cominciava a declinare, le giornate ad accorciarsi e le montagne covavano tempeste. Ci inoltravamo verso un mondo a ogni passo sempre più sconosciuto e strano.

Al sorgere dell'alba successiva apparvero i primi contrafforti montuosi: la pianura terminava, iniziava una terra diversa e aspra, difficile e impervia, eppure tutti gioivano. Erano guerrieri e volevano combattere ad armi pari. Il sole si vedeva appena, velato e pallido dietro una cortina di nubi sottili: davanti avevamo una collina piuttosto alta che dominava l'incrocio di due grandi vie. Da quello che capivo noi avremmo preso a settentrione, dove nascono le bufere e i venti freddi che intirizziscono le membra.

I cinque comandanti si riunirono a consiglio in cerchio, in groppa ai loro cavalli. Era una vista curiosa: i posteriori e le code degli animali verso l'esterno, le teste verso l'interno cosicché davano di muso l'un l'altro a ogni momento. Erano stalloni interi e ognuno voleva essere sopra gli altri. Mi chiedevo se non fosse lo stesso fra i cavalieri che li montavano.

Il consiglio durò pochissimo, il tempo, suppongo, di scambiare qualche opinione. Subito dopo Xeno distaccò un gruppo di fanti e li mandò verso la cima della collina per presidiarla e difendere il passaggio, ma aveva appena dato l'ordine che un altro gruppo spuntò dalla parte opposta: Persiani! Erano a piedi anche loro perché i fianchi della collina erano troppo ripidi per i cavalli, ma correvano rapidi essendo armati alla leggera. Xeno spinse ugualmente il suo Halys su per il pendio per incoraggiare gli uomini ad andare più veloci. Sentii uno che gridava: «Ehi, tu! Fai presto a dire di correre stando seduto sul tuo cavallo: io devo trascinare questo scudo che pesa un accidente!».

Non riuscii a capire cosa rispondesse Xeno, ma lo vidi balzare a terra, strappare lo scudo a quello che aveva gridato e correre davanti a tutti verso la sommità. Stavano arrivando anche altri Persiani, l'avanguardia del loro esercito, e ognuno incitava con urla i compagni a spingerli ad arrivare per primi in cima. Era uno spettacolo quasi grottesco: un'operazione di guerra si trasformava sotto i miei occhi in una gara di corsa con gli spettatori a sostenere ognuno i propri campioni.

I nostri guidati da Xeno arrivarono per primi e si schierarono in circolo uno stretto all'altro. Gli altri non tentarono nemmeno di cacciarli dalla cima: erano mantelli rossi, meglio lasciarli stare. Il passo era stato occupato: ora il nostro esercito poteva attraversare il Grande Incrocio e incamminarsi verso le montagne risalendo la valle di un piccolo fiume.

Il grosso dell'esercito persiano arrivò nelle ore successive e si schierò a una certa distanza. I nostri cinque comandanti si piazzarono all'imbocco della valle sui loro destrieri, uno accanto all'altro, e io guardavo Xeno risplendere come una stella nella sua armatura decorata d'argento: aveva avuto un grande successo, si era conquistato un grande merito.

Udii una voce dietro di me che chiedeva: «Credi che attaccheranno?».

«Melissa! Che fai qui?»

«Pensi che ci verranno addosso?» ripeté.

«Non lo credo, perché dovrebbero farlo? Noi siamo ben difesi dalla posizione elevata. I fianchi della valle ci proteggono: loro sono in basso e svantaggiati. Hanno ottenuto il loro scopo di sospingerci verso una terra desolata da cui non è mai tornato nessuno.»

Melissa chinò il capo: «Io rivoglio il mio Menon» disse con le lacrime agli occhi.

«Quello nessuno te lo può restituire» risposi. «Ma qui sei al sicuro. Nessuno ti farà del male.»

«È vero che vogliono abbandonare i carri?»

«È vero» risposi. «Non possiamo arrampicarci su quelle montagne tirandoceli dietro.»

«Ma io non ce la farò mai» disse con la voce che le tremava.

«Dovrai solo camminare. Non sarà così terribile. Prima ti verranno le vesciche ai piedi che si romperanno e sanguineranno, poi i calli e alla fine ti abituerai.»

«Ma così farò schifo!» piagnucolò.

Capii che Menon non era in fondo presente al suo cuore come sembrava. La confortai nel modo più adatto: «Ti rimangono sempre molti altri pregi. E quando gli uomini si voltano a guardarti non li ho mai visti cominciare dai piedi».

Melissa si asciugò le lacrime: «Non sei venuta a trovarmi in questi ultimi giorni».

«Nemmeno tu. Comunque ero molto occupata. Ma se avrai bisogno potrai sempre cercarmi e contare su di me. Non ti lascerò indietro.»

Mi venne spontaneo pronunciare la frase che avevo sentito da Sophos e anche da Xeno e mentre la pronunciavo mi sentivo anch'io un piccolo comandante, perché nel nostro gruppo c'era sicuramente qualcuno più debole di me, a cominciare da Melissa.

Lei mi abbracciò stretta dicendo: «Grazie» e se ne andò. E mentre si allontanava vidi che Kleanor di Arcadia la guardava e poco dopo anche Timàs di Dardania. E nessuno dei due le guardava i piedi.

A notte Sophos tenne un breve discorso all'esercito schierato:

«Uomini! Siamo riusciti a raggiungere un terreno dove la cavalleria dei nostri nemici non può più darci fastidio. Vorrei anche dirvi che il peggio è passato ma non posso, perché non è vero e bugie ve ne hanno già raccontate anche troppe. Il peggio deve ancora venire. Il nostro itinerario è segnato: a oriente andremmo verso il cuore dell'Impero persiano, a meridione ci siamo già stati e abbiamo visto che cosa c'è, a occidente c'è Tissaferne con il suo esercito che è riuscito a raggiungerci e ci vuole annientare. E quindi dobbiamo puntare a settentrione, verso le montagne, altissime e aspre, dove lui non ci seguirà. E sapete perché? Perché di lassù non è mai tornato nessuno. È una terra dirupata da cui s'innalzano picchi ghiacciati che perforano il cielo, abitata da tribù selvagge e feroci. Ma non basta: c'è l'inverno, il peggiore dei nostri nemici. Dovremo risalire valli anguste, sentieri scoscesi, aprendoci la strada con le armi, affrontare la violenza dei temporali, il bagliore delle folgori, la grandine e terribili bufere di neve. Capite bene che in simili condizioni i carri sarebbero solo d'impaccio. Caricheremo tutto a dorso di animale e li bruceremo. Saremo più veloci e leggeri. Vi ho già detto quando hanno ucciso i nostri comandanti che questo non ci avrebbe piegati e vi ripeto che non riusciranno a fermarci! E adesso bruciate i carri.»

Gli uomini obbedirono, scaricarono le provviste, le tende e le armi e ammassarono i carri in un unico luogo. Ci fu un momento di esitazione, poi uno dei soldati che non avevo mai visto prima prese un tizzone da un fuoco e lo gettò nel mucchio. Le fiamme fecero presa quasi subito spinte dal vento e il legno secco e stagionato arse crepitando in fiamme azzurrine. Si levò un falò gigantesco che sicuramente i nostri nemici videro da lontano. La luce intensissima illuminava i guerrieri che stavano immobili e come attoniti a guardare in silenzio.

Nessuno di loro in quel momento poteva immaginare che cosa sarebbe accaduto dopo che il fuoco fosse divenuto cenere.

# 16

Quando il nostro fuoco cominciò a languire un altro apparve nella pianura di fronte a noi, alla base delle montagne e dalle dimensioni sembrava essere cosa ben diversa che il rogo di due o trecento carri.

«Guarda là, Kleonimos, che cos'è quello?» chiese uno dei soldati.

«Non lo so» rispose il compagno, un ragazzo bruno e tarchiato.

Xeno che era vicino osservò a sua volta, poi si avvicinò a Sophos e i due confabularono per qualche istante. Poco dopo un paio di esploratori a cavallo furono inviati verso il luogo in cui divampavano le fiamme. Intanto gli uomini cominciarono ad allontanarsi alla spicciolata, ognuno tornava nel punto in cui erano stati scaricati i bagagli per prendere ciò che gli apparteneva: la tenda e le armi soprattutto. Di cibo ce n'era in abbondanza.

Era un momento difficile: ciascuno di loro si era abituato a sistemare le proprie cose sul carro, sapeva dove e come trovarle, ora doveva infagottarle in malo modo per caricarle sulla soma di un asino o di un mulo. Si sentivano alterchi e imprecazioni che in breve si quietarono. Da settentrione lo spettacolo che ci si presentava era talmente poderoso da imporre a tutti il silenzio: le montagne erano oppresse da una cappa nera come la pece, nubi gonfie e grevi incombevano sull'immensa giogaia e di tanto in tanto vi scaricavano il guizzo di folgori abbaglianti, ramificate e contorte come serpenti, mentre il tuono rumoreggiava rotolando a valle, rimbalzando fra cupi bastioni rocciosi. Sentivo cosa pensavano gli uomini: "È là che dobbiamo andare".

Ci lasciavamo alle spalle una terra ostile, ma pur sempre dominata dalla luce e dal calore del sole, per inoltrarci nel regno della notte e delle tempeste. Volgendoci a meridione sentivamo ancora l'alito tiepido della terra tra i due fiumi che accarezzava il volto; guardando a settentrione sentivamo lontana e minacciosa l'eco della bufera. Eravamo al confine fra due mondi entrambi nemici, ma l'uno portava solo l'ostilità degli uomini, l'altro anche quella degli elementi.

Gli esploratori tornarono a riferire quanto avevano visto sui fuochi che ardevano nella pianura: Tissaferne aveva fatto bruciare gli ultimi villaggi lungo il fiume perché non potessimo più rifornirci di viveri. I nostri cavalieri avevano incontrato centinaia di contadini disperati che fuggivano con le famiglie portando con sé il poco che avevano potuto caricarsi sulle spalle.

Cercavo di capire quali pensieri dovevano passare nelle menti di gente che probabilmente era vissuta in pace fin dalla nascita, che aveva sempre condotto la stessa esistenza degli abitanti dei miei villaggi, povera e monotona, ma appagata del necessario, del cibo e del tetto, e d'un tratto non aveva più niente e guardava ammutolita il fuoco che annientava passato, presente e futuro.

La guerra.

Quando Xeno venne a coricarsi accanto a me gli chiesi: «Di che cosa vivremo?».

«Di quello che troveremo» rispose.

Non domandai altro. Avevo capito benissimo cosa intendeva: da quel momento saremmo andati avanti consumando le risorse dei territori che avremmo attraversato, come uno stormo di corvi, come uno sciame di locuste, creando il deserto al nostro passaggio. Ora tutti dormivano pensando forse alle spose e ai figli che avevano lasciato a casa, ma domani sarebbero ridiventati "I Diecimila", i demoni della guerra, avrebbero nascosto l'umanità del volto dietro la maschera dell'elmo perché ogni giorno e ogni notte, per decadi e per mesi o forse per anni, avrebbero dovuto vincere o morire.

Il giorno dopo vedemmo salire soltanto fumo dalla pianura e l'armata di Tissaferne schierata a presidiare il Grande Incrocio. Temevano ancora che volessimo tornare indietro! Ma chi avrebbe potuto anche solo immaginare di affrontare il più potente Impero della terra?

Prendemmo la nostra strada fiancheggiando un torrente vorticoso e spumeggiante che correva a gettarsi nel Tigri. Uno dei guerrieri cercò di sondarne la profondità, ma la lancia spariva completamente sott'acqua senza arrivare a toccarne il fondo.

Il nostro bagaglio lo avevamo caricato sulla soma di tre muli, legati uno all'altro a formare un piccolo convoglio. Io stavo davanti a guidare il primo per la cavezza. Cercai con lo sguardo Melissa ma non riuscivo a individuarla. Il sentiero non era molto largo e l'esercito formava una fila lunghissima che si snodava a fondo valle in direzione di un valico che ora si vedeva sempre più chiaramente davanti a noi, quando i raggi del sole, non oscurati dalla coltre nuvolosa, illuminavano le vette scolpendole sullo sfondo nero dei nembi.

Cominciammo a salire, inerpicandoci per il sentiero montano sparso di pietre aguzze, a volte a strapiombo sulla valle, a precipizio sul torrente che ribolliva in basso di spume candide fra i giganteschi macigni che spuntavano dal fondo e dalle sponde. I fianchi della montagna erano coperti di boschi, di piante secolari dagli enormi fusti rugosi. Avanzavo con grande fatica: non avevo mai camminato in montagna e se da un lato soffrivo gli stenti, le escoriazioni e i tagli che mi procuravo camminando sulle pietre, dall'altro mi eccitava la sensazione di salire sempre più in alto quasi a ogni passo.

Abituata a percorrere lunghe distanze sempre nella stessa prospettiva, sempre con la medesima piatta sterminata distesa della steppa e del deserto, il mutare della visuale e l'estendersi del dominio della vista quasi a ogni curva del sentiero mi accendevano di meraviglia e mi riempivano di stupore.

A un certo momento, voltandomi indietro, la mia attenzione fu attratta da due diverse immagini: una lontana, l'armata di Tissaferne che muoveva verso occidente e sembrava un lungo serpente nero che scivolava sulla sabbia del deserto, l'altra vicina, la ragazza incinta che avevo visto sul carro.

Il generale persiano conduceva il suo esercito verso l'Anatolia e verso il mare per prendere possesso della nuova provincia al posto di Ciro, ormai sicuro che saremmo tutti morti fra le aspre montagne e i picchi acuminati del settentrione, nella regione che genera le tempeste e il vento che romba. La ragazza stava distesa ai margini del sentiero, incapace di muoversi, affranta. Per lei e per il figlio che portava in grembo non c'era domani. Nessuno si fermava. I guerrieri le passavano accanto appoggiandosi alla lancia, i loro mantelli a volte l'accarezzavano, ma non c'era chi le porgesse una mano.

Rallentai di proposito approfittando del fatto che Xeno era lontano, di retroguardia con i suoi cavalieri, finché mi fermai. Legai il mulo che stava in testa a un querciolo e raggiunsi la ragazza.

«Alzati immediatamente» le ordinai.

«Non ce la faccio.»

«Alzati, stupida, vuoi finire divorata dalle bestie del bosco? Ti mangeranno viva un po' per volta, così la tua carne non andrà a male e nemmeno quella del piccolo bastardo che porti in pancia. Alzati, idiota, o farai pigliare un sacco di botte anche a me.»

Fui convincente, e la ragazza con il mio aiuto riuscì a rimettersi in piedi e a seguirmi fino ai muli.

«Adesso attaccati alla coda dell'ultimo mulo e fatti trascinare. E guai a te se la lasci andare, ti ammazzo io di botte. Mi hai sentito?»

«Ti ho sentita» rispose la ragazza.

«Benissimo. Allora andiamo avanti.»

Mi chiedevo dove si trovasse Melissa in quel momento e m'immaginavo che non fosse in una condizione molto migliore della ragazza che mi trascinavo dietro appesa alla coda del terzo mulo. Mi chiedevo anche che fine avesse fatto Nicarco di Arcadia, il giovane che ci aveva salvati tutti vincendo il dolore della sua carne squarciata per dare l'allarme. Avrei voluto chiederlo a uno dei chirurghi: loro sicuramente lo sapevano, ma il pensiero che mi dessero la risposta che temevo m'impediva di farlo. Così mi rimaneva almeno il conforto del dubbio.

In questo modo raggiungemmo il valico, una sella fra due cime coperte di boschi, poi l'esercito prese a scendere. Quando fu il nostro turno potei vedere alcuni villaggi, annidati fra le pieghe della montagna, costruiti con la stessa pietra delle rocce su cui si trovavano. Era necessario prestare grande attenzione per distinguerli dal terreno circostante. Ovunque c'era una strana calma. Si udiva il canto degli uccelli e poi neanche quello. Forse tacevano nell'imminenza del temporale che le nubi nere addensate sulle cime lasciavano presagire. Finalmente arrivammo a fondo valle ed entrammo nei villaggi.

Non c'era anima viva.

I nostri uomini si guardavano intorno interdetti: era evidente che la gente aveva abitato in quelle case fino a poche ore prima. C'erano le bestie nei recinti, le stoviglie sulle tavole, i fuochi che languivano nei focolari. Feci entrare la ragazza incinta in una delle case perché si scaldasse al fuoco e le diedi qualcosa da mangiare. Faceva molto freddo in quel luogo.

I soldati cominciarono a saccheggiare le abitazioni ma Sophos li fermò. Salì su uno sperone di roccia e cominciò a parlare: «Che nessuno di voi tocchi niente! Ascoltate: prendiamo soltanto quello che ci serve per mangiare, niente altro. Capiranno che non abbiamo intenzioni ostili e speriamo che ciò basti a tenerli buoni. Guardatevi attorno: dovremo passare quelle giogaie, valicare passi montani come quello che abbiamo appena attraversato e questi possono farci a pezzi quando vogliono. Conoscono ogni palmo del loro territorio. Possono essere presenti dappertutto senza che noi ce ne accorgiamo, colpirci impunemente in qualunque momento. La nostra forza è dispiegarci spalla a spalla in campo aperto, dispersi in una lunga fila siamo vulnerabili. Dobbiamo fare il possibile per non farceli nemici».

Gli uomini mugugnarono un poco e poi obbedirono. Ormai avevo capito che in quell'esercito gli ordini venivano eseguiti, ma era necessario che i soldati fossero convinti dai loro comandanti che stavano facendo la cosa giusta.

Perquisirono i villaggi per raccogliere tutte le provviste che potevano trovare, le radunarono al centro su uno spiazzo e contarono gli animali che potevamo portare con noi per garantirci la sopravvivenza il più a lungo possibile. Durante le ricerche trovarono che dentro ad alcune grotte nascoste dalla vegetazione c'erano donne e ragazzi che furono messi subito sotto sorveglianza. Forse non avevano voluto seguire gli uomini sulle montagne, forse non avevano fatto a tempo. Era una scoperta importante e i comandanti se ne rallegrarono: avevano in mano ostaggi da scambiare con il nostro passaggio. Ma io non condividevo il loro entusiasmo e non pensavo che gli abitanti dei villaggi si sarebbero piegati facilmente.

La colonna dei nostri uomini in marcia era così lunga che quando gli ultimi arrivarono cominciava già a fare scuro. Non portavano buone notizie. Dopo aver passato il valico erano stati attaccati alle spalle dagli indigeni: avevano perso quattro dei loro compagni, abbattuti da un fitto lancio di frecce e di pietre e si portavano dietro una decina di feriti. Il benvenuto di quella terra selvaggia.

Xeno con la sua retroguardia aveva catturato qualche prigioniero: pastori che non avevano voluto abbandonare il gregge.

A quel punto ognuno cercò un riparo per la notte. Gli ufficiali furono sistemati per primi nelle case. Gli altri si ammassarono in gran numero negli spazi restanti. Nessuno voleva dormire all'addiaccio perché cominciava a fare freddo e la notte sarebbe stata umida. Ovviamente le abitazioni non bastarono neanche per un quarto dei nostri soldati. Chi era riuscito a conservare una tenda la montò, gli altri si costruirono ripari di fortuna con frasche o stuoie trovate in giro o sotto le tettoie per gli animali.

Pensavo a cosa sarebbe successo l'indomani a quella povera ragazza gravida, a come avrebbe potuto trascinarsi fino al prossimo valico aggrappandosi alla coda del mio mulo.

Xeno fece montare dai servitori la nostra tenda e riuscii anche a cucinargli qualcosa per la cena. Non aveva rinunciato a scrivere: al lume della lucerna aprì la sua cassetta, estrasse un rotolo bianco, lo fissò ai bordi del coperchio, come se fosse un tavolino, e prese a tracciare i segni della sua lingua. Avrei tanto voluto capire che cosa scriveva ma mi aveva già dato una risposta: «Non era necessario». A volte però, se era di buon umore o se gli era piaciuto fare l'amore con me, mi leggeva quello che aveva scritto. Molte cose che lui raccontava le avevo viste o notate anch'io ma con altri occhi. A mia volta, io avevo visto cose a cui lui non aveva dato importanza. Gliele facevo considerare, le narravo con precisione e abbondanza di particolari ma sapevo già che non sarebbero mai entrate nel rotolo bianco che svolgeva man mano, quasi ogni giorno, riempiendolo di tanti piccoli segni regolari, perfettamente allineati. Erano un po' come il suo pensiero: preciso, organizzato, in un certo senso prevedibile, eppure qua e là si vedeva un salto, un inciampo, un improvviso impennarsi dei caratteri e pensavo che quelli fossero i carattere dell'emozione.

Uscii prima di coricarmi e mi guardai intorno. Non ero

la sola; molti altri guardavano verso settentrione perché le cime dei monti erano costellate di fuochi: dall'alto i nostri nemici ci stavano osservando. Chiamai: «Xeno!».

«Lo so» rispose tranquilla la sua voce, «ci sono fuochi sui monti.»

«Come lo sai se non vieni a vedere?» domandai.

«Sento i discorsi di chi li sta osservando.»

Era così preso da ciò che scriveva che non poteva staccarsi dal suo rotolo bianco. Feci per rientrare ma qualcosa attirò la mia attenzione: una figura avvolta in uno scialle si avvicinava all'alloggio di uno dei nostri comandanti, forse di Kleanor. Mi sembrò di riconoscere un certo modo di ancheggiare e la curva di quei fianchi sotto l'abito piuttosto attillato, ma era scuro ormai e non potevo fidarmi del tutto dei miei occhi.

Quando Xeno spense la lampada io ero già nel primo sonno, in quel torpore che ti permette di udire e percepire ciò che accade intorno a te ma che ti impedisce di muoverti. Udii ancora per qualche tempo i richiami delle sentinelle che gridavano il proprio nome e reparto per mantenersi all'erta, poi la stanchezza mi vinse e sprofondai nel silenzio.

Quando riaprii gli occhi Xeno non c'era più. E subito dopo la tenda venne smontata e ripiegata dai nostri due servitori e io restai sotto il cielo aperto percorso da nubi sempre più nere. Il vento soffiava ormai impetuoso e si udiva di tanto in tanto il brontolio lontano del tuono. In alto, sulle montagne, si vedevano bianche colonne d'acqua scendere dal cielo e le querce piegarsi al soffio furioso del vento. Mi alzai raccogliendo in fretta le nostre cose per caricarle sui muli. Prima fra tutte la cassetta con il rotolo bianco.

Xeno era assieme agli altri comandanti radunati attorno a Sophos per prendere decisioni. Poco dopo vidi partire un gruppo dei nostri con uno dei prigionieri diretti verso il valico. Andavano a parlamentare, a chiedere di lasciarci passare offrendo in cambio gli ostaggi, e non era detto che avrebbero avuto successo.

I nostri inviati tornarono presto. Uno di loro, ferito da un colpo di pietra, zoppicava. Non li avevano nemmeno lasciati avvicinare.

L'unica cosa che sapevamo dei nostri nemici era il nome. Si chiamavano Kardacha e si consideravano nemici del Gran Re, né da quello che si vedeva poteva essere diversamente. Il fatto che anche noi lo fossimo a loro non importava nulla. Alla fine della riunione Sophos impartì gli ordini che erano stati stabiliti: tutte le bestie non valide dovevano essere abbandonate, i prigionieri liberati, a parte alcuni. E per assicurarsi che l'ordine venisse rispettato una dozzina di ufficiali si piazzarono lungo il sentiero. Così alcuni soldati vennero scoperti mentre cercavano di portarsi dietro qualche bella ragazza o, a seconda dei gusti, qualche bel ragazzo che si erano scelti fra i prigionieri, e furono obbligati a lasciarli nei villaggi.

Vidi che l'impresario che affittava le sue prostitute ai soldati ne abbandonò anch'egli tre o quattro. Un paio di loro zoppicavano: dovevano essersi slogate una caviglia sul sentiero accidentato che avevamo percorso e certo non avrebbero potuto affrontare la salita; altre stavano male, avevano la febbre. Il ruffiano bastardo avrebbe ben potuto farle salire in groppa a uno dei suoi asini ma evidentemente questi gli premevano di più data la situazione. Quanto a me non potevo far nulla: ne avevo già una sulle spalle e Xeno non avrebbe certo permesso che ne prendessi con me delle altre. Anche a lui premevano i muli.

Sophos voleva dimostrare agli indigeni che non aveva intenzioni ostili, visto che non aveva preso ostaggi, non aveva permesso stupri né violenze, e nemmeno furti malgrado che nelle case fossero stati trovati molti oggetti di bronzo. Ma la sua buona volontà non avrebbe ottenuto alcun risultato. Quei selvaggi avevano una sola convinzione: chiunque calpestasse la loro terra doveva morire.

L'esercito cominciò a salire verso il valico, e io mi assicurai che la ragazza incinta avesse afferrato la coda del mulo e mi venisse dietro. Ogni tanto mi facevo sentire per accertarmi che fosse ancora là. Sapevo bene che se fosse caduta nessuno si sarebbe fermato ad aiutarla.

Ognuno dei guerrieri procedeva completamente rivestito della sua armatura. Capii allora perché avevano gambe così grosse e muscolose: si abituavano fin da ragazzi a marciare per giorni interi con addosso il peso delle armi. La loro forza era impressionante: avanzavano con l'enorme scudo al braccio, con il petto rivestito da un guscio di bronzo, con la pesante spada a tracolla e la lancia lunga e massiccia stretta nel pugno come se fossero parte del loro stesso corpo.

L'esercito aveva una sua voce che mutava con le situazioni. Era un suono confuso fatto di tutte le voci e di tutti i rumori. In pianura c'era il rullo del tamburo e il suono dei flauti che scandivano il passo, ma in montagna era diverso: si andava avanti come si poteva, ora più rapidi, ora più lenti, e non c'era spazio per il tamburo e per i flauti. Il silenzio veniva quindi riempito dalle mille e mille voci dei guerrieri in marcia. L'insieme era qualcosa di strano: la somma di tante parole, di richiami, di ragli e nitriti, di tintinnare di armi a ogni passo, rumori sfasati, dissonanti, che pure si univano in una voce unica. Quella voce poteva improvvisamente tacere oppure farsi più cupa. Il tintinnio delle armi poteva diventare dominante, e allora l'esercito parlava un suono metallico e tagliente, oppure la voce degli uomini poteva prendere il sopravvento, espressione di un corpo gigantesco e multiforme che risuonava come un brusio o un brontolio cupo, o come un tuono montante o uno stridore acuto come i picchi montani che incombevano.

Il sentiero si faceva sempre più ripido e tuttavia la marcia sembrava procedere senza intoppi. Ma il cielo era nero e gonfio e presto cominciò a piovere a dirotto, una pioggia fredda, fitta e pesante che subito m'inzuppò completamente. Sentivo il rivolo d'acqua scorrermi fra le spalle giù per la schiena, i capelli incollati alla fronte, gli abiti che aderivano alle gambe e quasi impedivano il passo. I fulmini mi atterrivano: torrenti di fuoco squarciavano il cielo plumbeo, laceravano le grandi nubi nere che galoppavano scarmigliate avvolgendo le cime in una densa caligine, e il tuono scoppiava così fragoroso da far tremare il cuore dentro al petto.

I guerrieri non sembravano colpiti dalla furia della tempesta: continuavano ad avanzare con ritmo regolare, sostenendo il passo con la lancia; si erano calati l'elmo sul capo e a ogni lampo, a ogni scoccare di fulmine le loro armature lucenti risplendevano di bagliori accecanti. Chi aveva il cavallo andava a piedi e se lo tirava dietro per le briglie, guidandolo nei punti difficili o cercando di calmarlo quando s'imbizzarriva per lo scoppio dei tuoni e la luce abbacinante delle folgori e dei lampi.

Mi voltavo indietro a guardare la ragazza che sembrava a ogni momento sempre più in difficoltà e contavo i passi che ancora avrebbe potuto muovere prima di crollare. Era magra e smunta, livida per il freddo, e il suo ventre sembrava ancora più grande e insostenibilmente pesante. Tutto il calore che le rimaneva in corpo si concentrava a difesa del bambino, ma presto anche lui avrebbe avuto freddo e sarebbe stata la fine. Barcollava, scivolava, e la sua totale fragilità si contrapponeva all'andatura possente dei guerrieri coperti di bronzo. Ogni volta che cadeva metteva avanti una mano per non battere il ventre e si tagliava e feriva sulle pietre appuntite. E la strada da percorrere era ancora lunga e difficile.

Le nubi erano sempre più vicine e io che fin da bambina le avevo viste correre alte e distanti nel cielo, piccole e candide, mi chiedevo come sarebbero state quando le avessi toccate. A un certo punto il sentiero piegò a sinistra così che mi vedevo sfilare davanti la colonna per intero e notai, non molto distante da me, prima la mole imponente di Kleanor, poi il suo cavallo, i suoi due aiutanti di campo e quindi uno strano apparecchio: due muli, uno davanti all'altro, i cui finimenti sostenevano due stanghe che a loro volta reggevano un palanchino di fortuna coperto da pelli conciate. Un riparo di invidiabile benessere nella condizione miserabile in cui tutti ci trovavamo.

Quale tesoro poteva mai essere custodito nella portantina che avanzava oscillando al passo dei muli? Non dubitai per un solo istante che il tesoro fosse Melissa, con ciò che teneva bene al caldo fra le cosce.

Nello stesso istante si udì un grido e un gruppo di Kardacha si avventò sulla nostra avanguardia. Subito le trombe squillarono e i guerrieri accorsero verso la testa della colonna arrancando su per il pendio scivoloso fino a formare lo schieramento frontale. La carica degli assalitori si abbatté contro gli scudi, s'infranse sulle lance protese in avanti e molti caddero al primo impatto. Gli altri furono accerchiati dai nostri incursori e massacrati. La marcia riprese sotto la pioggia battente.

Passai anch'io, quando fu il mio momento, di fianco ai caduti: giacevano sparsi sul terreno e fra le rocce. La più parte uno sull'altro lungo la stessa linea, gli altri più su, dove i nostri leggeri li avevano circondati e uccisi mentre cercavano di fuggire. Erano irsuti, vestiti di tessuti di lana grezza, uose di pelle non conciata ai piedi, con barbe e capelli lunghi, e le loro armi erano coltellacci simili a quelli dei macellai. Povera gente che difendeva la propria terra e le proprie famiglie contro guerrieri invincibili, pensai a quanto coraggio dovevano avere avuto nell'attaccare automi coperti di bronzo e di ferro, tutti uguali l'uno all'altro, senza volto, simili a creature fantastiche, esseri chimerici generati da seme non umano. Immaginai il momento in cui i loro corpi sarebbero stati riportati alle loro capanne, al pianto delle vedove e dei figli orfani.

Forse non avevano capito che volevamo soltanto passare e che non saremmo tornati mai più, non erano ancora rientrati ai villaggi per scoprire che avevamo preso solo cibo senza toccare null'altro. I morti avrebbero rinfocolato l'odio e la sete di vendetta, ci sarebbero state altre battaglie e altri scontri feroci, altri morti e altri feriti. Attraversare quella terra sarebbe stata impresa durissima, perché non solo gli uomini, ma anche il cielo e la terra erano contro di noi.

Più tardi vidi Xeno in fondo alla colonna che proteggeva la retroguardia con i suoi cavalieri appiedati. Lo distinguevo dal cimiero, vedevo che si esponeva continuamente e tremavo per lui. Poi, di nuovo, volgevo lo sguardo alla ragazza incinta che arrancava tenendosi con le mani alla coda del mulo. Sapevo che l'animale era docile e che si era abituato a trascinarsi dietro un peso che non gli apparteneva. Sarebbe bastato un calcio solo dei suoi temibili zoccoli e due vite sarebbero state spente in un solo istante.

Non riuscivo a capire quale energia sostenesse la ragazza e pensai alla forza misteriosa che spinge tutte le creature della terra a conservare la propria vita e quella della propria prole. Pensai a quante vite avevo visto stroncare durante la mia avventura con Xeno e alle poche che avevo cercato di salvare. La Morte non poteva certo notare i miei sforzi, troppo grande era la sproporzione fra ciò che si era presa e ciò che tentavo di strapparle.

Mi era venuta un'idea in mente, ma stavo ancora riflettendo quando vidi la testa della colonna affondare nel ventre della nube che copriva la vetta della montagna.

E sparire.

# 17

Entrare in una nube non è nulla di particolarmente strano. Da lontano appare come qualcosa che ha una forma e una consistenza; man mano che ci si avvicina, però, non ha più un aspetto, è solo aria più densa, una specie di foschia che ti circonda dappertutto: i suoni si attenuano, le voci si abbassano, le forme si confondono, diventano vaghe o addirittura indistinguibili. I nostri uomini sembravano ombre emerse dall'aldilà, e l'ondeggiare dei loro mantelli appariva un fenomeno della natura come lo stormire delle foglie o il fluttuare dell'erba sulle pendici del monte.

Quando arrivammo finalmente sul crinale udimmo grida e clangore di armi provenire dalla retroguardia e mi sentii presa dall'angoscia. Xeno era esposto davanti a tutti: come se la sarebbe cavata nella foschia davanti a nemici appostati nei boschi o tra le pieghe del terreno? Lo avrei rivisto o sarei rimasta sola?

Davanti a noi la nube si apriva rivelando un terreno ancora più impervio e difficile, una costa rocciosa attraversata da un sentiero che saliva verso la sommità del monte. Mi resi conto che in montagna non si può mai avere la certezza di essere arrivati da nessuna parte, dopo una cima ne può apparire una più alta, ciò che sembra vicino può essere molto lontano e ciò che appare lontano può essere in realtà relativamente vicino. L'uomo deve adattare il proprio cammino alle forme e ai contorni del suolo che non sono mai gli stessi.

Per fortuna il temporale si era calmato e cadevano poche gocce ogni tanto, o anche scrosci improvvisi dalle fronde degli alberi mosse dal vento, che facevano rabbrividire. Ma a un tratto si verificò qualcosa che mi spaventò: la velocità della marcia era aumentata, gli uomini affrettavano continuamente il passo senza che se ne comprendesse la ragione. Anche se ciò che accadeva in testa o in coda a una colonna così lunga rimaneva sconosciuto, ognuno sapeva di doversi adattare al comportamento di tutto l'esercito, proprio come ogni muscolo nel corpo sinuoso di un serpente collabora ai movimenti delle sue spire adattandosi a ciò che si muove davanti e dietro.

Il cammino era sempre più faticoso e in salita, eppure la marcia si faceva sempre più spedita. Noi donne non saremmo riuscite a tenere il passo ancora per molto e inutilmente mi affannavo sollecitando la ragazza a non darsi per vinta. Con la coda dell'occhio osservavo i movimenti sgraziati del suo corpo goffo e sbilanciato, gli sforzi per mantenersi in equilibrio, udivo le grida di dolore che le sfuggivano dalla bocca. Possibile che nessuno mi aiutasse? Non ci vedevano neppure, solo i muli che conducevo erano preziosi. E Xeno era troppo occupato nei suoi doveri di comandante, nel dimostrare quanto valeva e quanto era stato misconosciuto fino a quando i nostri capi erano stati traditi e fatti prigionieri. Colui che tutti chiamavano con sarcasmo "lo scrittore" ora volteggiava a cavallo con straordinaria maestria, colpiva con precisione, uccideva e feriva, attaccava e ripiegava, instancabile e conscio, a ogni movimento che faceva, a ogni ondeggiare del cimiero sull'elmo, dell'effetto che produceva sugli altri.

Io e la ragazza che mi trascinavo dietro, sporche, fradicie e infangate, non avevamo invece nulla di bello o di affascinante, nulla che attraesse l'attenzione: non avevamo alcuna importanza ed era indifferente all'esercito che sopravvivessimo o soccombessimo. E questo mi indispettiva a tal punto che quando vidi la ragazza spintonata e buttata malamente in terra da uno dei soldati che correva in avanti lo tirai per il mantello, appena fu a portata di mano, e gridai: «Ehi, tu, bastardo, perché non guardi dove metti i piedi! La vedi quella là con quel pancione che hai buttato in terra? La sua fica non vale niente adesso, vero? Meno di uno sputo, maledizione, e se crepa non frega niente a nessuno, ma se non ci fosse stata una come lei a covarti per nove mesi non esisteresti nemmeno. Corri, maledizione, corri a farti fottere!».

Con mia somma meraviglia avevo pronunciato parole che in condizioni normali sarei arrossita solo a concepire, ma l'uomo si fermò e si tolse l'elmo scoprendo una doppia fila di denti bianchissimi: «Se non corriamo moriremo, ragazza, corriamo perché è necessario arrivare da qualche parte al più presto. Quando saremo giunti e se sarò ancora vivo, vedrò di trovarvi e di darvi una mano. Cercate di tenere duro».

Non credevo ai miei occhi e alle mie orecchie: quel giovane era Nicarco di Arcadia, l'eroe che era riuscito a tornare per dare l'allarme con le budella fra le mani. Balbettai: «Ma tu... ma io...». Inutile: era già sparito, si era calcato l'elmo in testa ed era ridiventato una maschera di bronzo, come gli altri, uno dei Diecimila.

Era un miracolo, pensai: se ce l'aveva fatta lui ce l'avremmo fatta anche noi: «Dobbiamo andare avanti» gridai alla ragazza. «Stringi i denti e non mollare, vedrai che ce la faremo!»

Le nubi si diradarono e capii finalmente quello che stava accadendo in testa alla colonna. I Kardacha avevano occupato il passo ed erano schierati numerosi e compatti in posizione elevata. Avevano archi enormi, così alti che si vedevano a distanza, e avevano ammassato grandi pietre che ci avrebbero scagliato addosso.

La colonna si fermò.

Subito dopo vidi Xeno passare veloce a cavallo e raggiungere in testa Sophos. Potevo immaginare quello che si stavano dicendo:

"Ma siete impazziti? Ci avevate lasciati indietro senza dirci niente ed eravamo sotto continuo attacco."

"Non ci vedi? Dai un'occhiata lassù, stavo cercando di arrivare per primo al valico."

Eravamo bloccati e si capiva che Sophos non aveva alcuna intenzione di affrontare un combattimento in condizioni di inferiorità.

Almeno potevamo riprendere fiato. La ragazza aveva abbandonato la coda del mulo e si era seduta ansimando. Legai il mulo di testa a un arbusto e la raggiunsi: aveva occhiaie nere e profonde, era pallida e magra e aveva il fiato corto. C'era vicino a lei una pozzanghera di acqua piovana raccolta in una cavità della roccia.

«Bevi» le dissi, «e poi lavati le mani che sono coperte di merda di mulo. Ho ancora qualcosa da mangiare.» Le diedi un pezzo di pane che addentò voracemente. Non ricordavo da quanto tempo non mangiasse.

Xeno protestò comunque perché voleva essere avvertito se c'erano dei pericoli ed era sconvolto perché aveva perso due dei suoi uomini migliori. Basias di Arcadia era stato colpito da un masso rotolato dall'alto che gli aveva schiacciato l'elmo e sfondato il cranio. L'altro era stato trapassato da una freccia che aveva perforato lo scudo e la corazza e gli si era piantata nel fianco: le pesanti, micidiali frecce dei Kardacha con grosse punte a piramide.

Ma ciò che più lo turbava era di aver dovuto abbandonare insepolti i suoi caduti. Xeno era religioso e l'idea che i corpi dei suoi uomini subissero offese e mutilazioni, che i loro spiriti non potessero trovare pace nell'aldilà per la mancanza delle esequie lo tormentava. D'altra parte nella battaglia del canalone loro avevano inflitto mutilazioni orrende ai corpi dei nemici caduti, solo per spaventare i Persiani. Era una religione che valeva solo per i Greci.

Nell'incertezza generale propose una soluzione: negli scontri di retroguardia era riuscito a catturare due prigionieri, bisognava interrogarli per sapere se ci fosse un altro passaggio da cui potessero salire anche gli animali da soma. Avevamo un interprete, anzi due. Uno sapeva il persiano e il kardacha, l'altro sapeva il persiano e il greco. Chissà quando se li erano procurati! Evidentemente c'era qualcuno nell'esercito che pensava a queste cose e sapeva come provvedere. Ma sicuramente questo era accaduto dopo che i comandanti erano stati catturati e dopo che avevamo deciso di marciare verso settentrione.

Il primo prigioniero non diceva una parola. Né le minacce, né le botte al volto e al corpo erano valse a sciogliergli la lingua. Kleanor lo colpì con il manico dell'asta allo stomaco piegandolo in due e poi sulla schiena con grande forza facendolo crollare sulle ginocchia, ma non ottenne una parola. A quel punto Sophos fece un cenno a uno dei suoi uomini che sguainò la spada e lo trapassò da parte a parte. Il kardacha si afflosciò come un sacco vuoto spargendo sul terreno una larga chiazza di sangue.

Xeno restò sorpreso da quel gesto, ma subito dopo capì che era stata la scelta giusta perché l'altro cominciò a parlare dicendo che sì, esisteva un altro passaggio da dove si poteva salire con i muli e le bestie da soma verso il valico. Aveva taciuto sino ad allora per il timore di quel che avrebbe potuto riferire il compagno.

«C'è altro che dobbiamo sapere?» domandò Sophos. E parlava tranquillamente mentre l'uomo passato a fil di spada sussultava a terra dando gli ultimi tratti di agonia.

«Sì» rispose il kardacha. «C'è un'altura che domina il passo e bisogna occuparla in anticipo altrimenti sarete di nuovo in trappola e nessuno vi potrà aiutare.»

Il cielo nel frattempo si era aperto e il sole che cominciava a declinare incendiava le nubi di rosso e di oro e spandeva nella valle un'aura di pace e di serenità. Si udivano i richiami degli uccelli e lo stormire dei grandi alberi che io non avevo mai visto in vita mia. Alcuni avevano tronchi enormi e chiome così vaste che avrebbero potuto offrire riparo a più di cento uomini. Altri, più in alto verso le cime, avevano forma acuminata ed erano di un verde molto cupo oppure di un intenso colore azzurro. L'acqua scorreva dappertutto. In fondo alla valle spumeggiava e rombava fra massi colossali, lungo i fianchi delle montagne precipitando di balza in balza con salti abissali, colonne bianche di spuma che spandevano aloni iridati nel rifrangersi della luce e nelle foschie lasciate dal temporale. Nella foresta gocciolava dai rami e stillava dalle foglie, ornava gli steli dei fiori con perle splendenti e traslucide. A me che venivo dall'aridità della steppa sembrava una ricchezza inconcepibile ma anche il segno di una natura tanto smisurata e ostile da minacciare la nostra vita.

Era necessario organizzare un'operazione molto impegnativa perché i due passaggi, quello già presidiato dai Kardacha e quello che i nostri volevano occupare, erano in vista uno dell'altro. Gli ufficiali decisero che dovevano scattare due operazioni contemporaneamente: Xeno avrebbe attaccato frontalmente i Kardacha che occupavano il valico perché pensassero che volevamo forzarlo, distogliendo così la loro attenzione dall'azione principale, e un contingente di volontari avrebbe seguito il prigioniero con il favore della notte e avrebbe occupato l'altura che dominava l'altro valico. All'alba uno squillo di tromba avrebbe segnalato che il grosso dell'esercito poteva passare. A quel punto i nemici si sarebbero accorti dell'inganno e avrebbero attaccato per bloccare anche il secondo valico, e il nostro contingente già sul posto avrebbe dovuto contrattaccare e tenere a ogni costo la posizione finché il nostro esercito non fosse passato e la retroguardia di Xeno non si fosse attestata a proteggerne la fuga.

Fu Xeno a spiegarmi tutto prima di partire e con tale chiarezza ed efficacia che compresi senza sforzo. Doveva essere l'abitudine a vivere con i soldati ma ormai anch'io cominciavo ad avere qualche nozione di tattica militare e anche qualche idea sul come agire in certe situazioni.

«Quando partirà questo piano?» gli domandai.

«Ora.»

«Ti sei offerto tu di guidare l'azione diversiva con l'assalto al passo?»

«Sì.»

«Perché? Hai già combattuto oggi, hai perso due dei tuoi uomini migliori. Altri potrebbero farlo al posto tuo e nessuno ti biasimerebbe.»

«Perché sono il migliore in questo tipo di azioni. E perché Agasìas di Stinfalo guiderà l'altra azione: la marcia verso il secondo valico, assieme alla guida indigena. Dopo di me lui è il migliore.»

«E Sophos?»

«Lui è fuori da ogni paragone.»

«Sì, hai ragione, lui è fuori. Ed è forse per questo che è sempre apparso al momento giusto nel posto giusto.»

«Che cosa vuoi dire?»

«Nulla. Solo una sensazione... Mi manchi. Da quando siamo entrati in questa regione ti vedo solo da lontano, qualche volta. Vivo nel terrore che ti succeda qualcosa. La morte è in agguato dietro ogni albero in questa terra.»

Xeno mi sfiorò la guancia con una ruvida carezza: «Dal momento in cui veniamo al mondo sul nostro capo pende una condanna a morte. Resta solo da sapere come e quando».

«Io la vedo diversamente.»

«Lo so. Tu combatti la morte, pensi di poter cambiare il corso degli eventi. Piccola barbara presuntuosa.»

«E ci riesco anche. Ho rivisto Nicarco di Arcadia.»

«Anch'io ho sentito dire che se l'è cavata. Sta nel reparto di Agasìas, con altri Arcadi. Quel ragazzo ha la pelle dura.»

«Non esporti inutilmente. Morire per niente è da stupidi.»

Xeno non reagì. Guardò la ragazza incinta: «Pensi di salvare anche lei?».

«Lei e suo figlio.»

Il sole calava dietro i monti. Xeno calzò l'elmo, imbracciò lo scudo e mi lasciò in consegna Halys, il suo cavallo. Era un animale meraviglioso, di mantello chiaro con occhi grandi ed espressivi, garretti sottili, muscolatura possente e una lunga criniera che Xeno pettinava sempre ogni sera quando i servi lo strigliavano.

«Stai sempre al riparo» mi raccomandò. «Quelli tirano a distanza incredibile. Voglio trovarti quando tornerò. Mi hai capito bene? E voglio trovare anche lui» aggiunse battendo la mano sulla groppa del cavallo. Halys sbuffò compiaciuto.

Sorrisi e accennai di sì con il capo mentre si allontanava.

Intanto l'altro contingente si era già radunato sotto il comando di Agasìas che portava con sé la guida con le mani legate dietro la schiena. Aspettavano dentro il bosco che Xeno partisse all'attacco e si tirasse addosso la reazione furibonda dei Kardacha.

Gente dura, e feroce.

Non si accontentavano che uscissimo dal loro paese, dovevamo lasciarci tutti la vita per aver osato entrarci. Nessuno di noi doveva sopravvivere. Non di rado pensavo che una simile accanita determinazione avesse una ragione diversa dalla semplice difesa del territorio, ma il segreto dei Kardacha, se esisteva, doveva essere custodito molto gelosamente.

Ordinai alla ragazza di stare ferma e al riparo, portai Halys dietro un gruppo di piante secolari e andai a cercarmi un posto da cui seguire il corso degli eventi.

Xeno stava salendo, vedevo il suo cimiero bianco agitato da folate di vento. Il sole era sparito e la valle era rischiarata da una luce livida, irreale. Gli uomini lo seguivano disposti a ventaglio al riparo degli scudi.

Il valico era già coperto da nembi tempestosi illuminati continuamente da lampi. E subito scrosciò una pioggia pesante, a raffiche violentissime. Xeno gridò per sovrastare il boato dei tuoni e guidò i suoi uomini all'assalto del valico. Ma appena cominciarono ad arrampicarsi per l'erta, un rumore ancora più minaccioso dei tuoni esplose in alto, come se la montagna si disgregasse dall'interno.

Vidi una valanga di massi rovinare a valle con tremendo frastuono. Le pietre si urtavano l'una con l'altra, rimbalzavano sulle rocce, si frantumavano schizzando da tutte le parti, trascinando nella caduta altre pietre. Xeno gridò ancora più forte per sovrastare il rumore minaccioso della frana e i suoi uomini corsero velocissimi a cercarsi un riparo.

Altri, non potendo raggiungere in tempo uno sperone roccioso abbastanza grande e sporgente, si appiattirono al suolo coprendosi con gli scudi.

Il temporale aumentò di intensità e a ogni scoccare di lampo, a ogni bagliore di fulmine vedevo le armature dei nostri luccicanti di pioggia risplendere come fuoco.

Io non potevo scorgerlo, ma doveva esserci un ostacolo fra i nostri e la posizione dei Kardacha perché Xeno si era fermato e cercava di procedere ora da una parte ora dall'altra senza mai riuscirvi. A ogni tentativo i nemici facevano rotolare pietre in gran numero e i crolli rovinosi provocavano lo slittamento di altre masse di ciottoli e di schegge di roccia trascinate dai turbolenti rivoli d'acqua che la tempesta rovesciava dai fianchi della montagna. Era uno spettacolo terribile che le folgori rendevano ancora più spaventoso. Un fulmine colpì in pieno un albero colossale che si abbatté al suolo in un'immane rovina e subito s'incendiò come una torcia, spandendo una chiazza di luce vermiglia su tutta la valle.

Xeno aspettò che la forza del fuoco si fosse attenuata e riprese a lanciare assalti su assalti tenendo impegnati i nemici fino a notte. A quel punto rientrarono al campo perché non ci si vedeva più e gli uomini erano esausti. A molti di loro, che non avevano neanche potuto rifocillarsi, non restava più in corpo una sola scintilla di energia.

Li guardai rientrare e mi si strinse il cuore. Erano coperti di fango, non pochi perdevano sangue per i colpi subiti, altri si appoggiavano ai compagni comprimendosi con la mano le ferite e avevano negli occhi un'espressione difficile da descrivere ma impossibile da dimenticare.

Xeno arrivò per ultimo dopo che tutti gli uomini che gli erano stati affidati furono rientrati e si presentò a Sophos per sapere che cosa ne era degli altri.

Agasìas e i suoi dovevano oramai essere a destinazione e dovevano aver preso l'altura da cui si poteva controllare il secondo valico. Forse l'indomani saremmo riusciti a eludere la trappola dei Kardacha. Guardai la ragazza incinta e pensai che quella avrebbe potuto essere la sua ultima tappa. Avremmo dovuto marciare alla stessa velocità degli uomini, affrontare gli stessi rischi tra valanghe di pietre e fitti lanci di frecce micidiali. I nostri avevano riportato alcuni di quei dardi: erano lunghi due braccia e sembravano dei giavellotti, quando cadevano dall'alto avevano una forza irresistibile.

C'era solo una soluzione, ma avrei dovuto agire di sorpresa e forse usare addirittura la forza, anche se la parola mi faceva sorridere al solo pensarla. Xeno uscì per prendere parte a una riunione. Mi occupai allora della ragazza e le portai delle coperte e ancora qualcosa da mangiare.

«Come ti chiami?» le chiesi, rendendomi conto che non sapevo ancora il suo nome.

«Lystra.»

«E che razza di nome è?»

«Non lo so. Il padrone mi ha sempre chiamato così.»

Il suo greco era peggiore del mio, con un accento strano e bastardo, mescolanza di tanti dialetti e di tanti gerghi.

«E di dove sei?»

«Non lo so. Ero molto piccola quando mi ha comprata.»

«E quindi non sai nemmeno quanti anni hai.»

«No.»

«E sai quanto manca alla nascita del bambino?»

«No. Tanto che differenza fa?»

Non potevo darle torto.

«Ascoltami bene. Ora mangia e poi dormi. Cerca di riposare meglio che puoi. Sistemati sotto quella sporgenza di roccia in modo da non bagnarti se dovesse piovere ancora. Ora ha smesso ma non si può mai dire in questo posto.»

La ragazza prese subito a mangiare senza farselo ripetere.

«Domani viene il peggio. Se riusciamo a cavarcela forse per un po' potremo stare, non dico tranquille, ma nemmeno con il cuore in gola a ogni istante. Domani potrà succedere di tutto e ognuna dovrà badare a se stessa, non dobbiamo aspettarci aiuto da nessuno. Non so se sarà peggio o meglio di quel che è stato oggi ma tu non perdere mai la coda del mulo. Se dovesse succedere grida e io cercherò di darti una mano, ma non è detto che sia in condizione di farlo.»

Lystra mi guardò con la sua espressione da bestia spaurita.

«Non è detto che dobbiamo morire, possiamo anche farcela ma tu non contare su nessuno, neanche su di me. Hai capito?»

«Ho capito» rispose la ragazza con la stessa espressione atterrita.

Le diedi ancora un pezzo di pane. Era vecchio e duro ma pur sempre pane.

«Questo tienilo per domani, e mangialo solo quando senti che non puoi farne a meno. Non c'è una situazione così cattiva che non ce ne possa essere una peggiore Hai capito?»

«Ho capito.»

«Adesso va' a dormire.»

Mi voltai per allontanarmi e andai quasi a sbattere contro la corazza di ferro di un giovanotto.

«Vi ho trovate finalmente. Prima non ho potuto, c'era troppo da menare le mani. Ma vedo che state bene e sono contento. Non volevo buttarla in terra.»

«Nicarco di Arcadia. Chi lo avrebbe mai detto? Lo sai che io ti ho assistito quando eri più di là che di qua?»

«La tua faccia non mi è nuova, infatti.»

«Vedi di non farti riaprire la pancia perché questa volta non sarà facile ricucirti.»

Sorrise con la sua espressione da adolescente troppo cresciuto, da eroe inconsapevole, e si allontanò cercando il suo reparto.

Feci rizzare la tenda e accesi il fuoco. Non era facile perché tutta la legna disponibile era umida, ma c'erano degli schiavi in ogni reparto che dovevano mantenerlo vivo sempre, giorno e notte, dentro a una giara dalla quale ognuno poteva attingere. Alla fine riuscii a ottenere una fiamma abbastanza robusta e non troppo fumosa e a cuocere anche qualcosa di caldo, una minestra d'orzo insaporita con olio d'oliva. Ne avevamo ancora una piccola riserva che Xeno conservava come un tesoro prezioso e che dovevo usare con la massima parsimonia. Riuscii a portarne un poco anche a Lystra.

Xeno tornò più tardi dalla riunione dei comandanti, dove avevano programmato quasi ogni passo per ciascuno dei reparti, l'indomani.

Eravamo immersi in un'atmosfera strana, sospesa. Dall'alto giungevano fino a noi rumori indecifrabili, grida e richiami in una lingua che nessuno capiva; ogni tanto un franare di ciottoli denunciava che qualcuno si muoveva lassù nel buio e ci spiava.

Anche le nostre sentinelle erano all'erta, si passavano la voce in continuazione e questo spargeva un senso di inquietudine quasi palpabile. A un tratto, un sibilo improvviso, e un dardo enorme si conficcò con un rumore sordo nel tronco di una pianta poco distante. Avrebbe potuto trapassare un uomo da parte a parte.

Accadde subito dopo: un altro sibilo, un grido di agonia. Poi la voce di Xanthi alta come un grido d'aquila: «Tutti al riparo! Al riparo!».

Un rombo solcò l'aria, suono di centinaia di dardi che trapassavano l'aria. Xeno balzò in piedi e mi coprì con lo scudo: una freccia colpì l'orlo, un'altra l'umbone e fu deviata a terra. Grida dappertutto, confusione, richiami.

Potemmo contare i morti e i feriti soltanto l'indomani con la luce del sole. Tanti.

Eravamo circondati da un nemico invisibile che dopo essere stato colto di sorpresa si era adeguato al nostro modo di combattere, alle caratteristiche delle nostre armi, e reagiva con tutta la forza e il coraggio di cui era capace.

L'indomani ci attendeva una prova durissima, i nostri uomini avrebbero dovuto superare ostacoli quasi insormontabili, si sarebbero dovuti battere con energia e coraggio sovrumani. Tutto era in gioco e se alla fine della giornata i nostri avessero dovuto cedere, i sopravvissuti non avrebbero avuto altra scelta se non battersi fino all'ultimo respiro e fino all'ultima goccia di sangue per non morire come animali al macello dopo aver subito le torture più efferate.

I chirurghi erano già all'opera per salvare i nostri feriti.

Xeno, deposta l'armatura, sciolta la spada dal fianco, scriveva al lume della lucerna.

# 18

Mentre ci disponevamo a dormire il nostro contingente con la guida avanzava lungo il sentiero per occupare il valico da cui avremmo dovuto passare. Procedevano in silenzio stando attenti a non far rumore o a non far cadere sassi. Arrivarono così verso la cima del colle dove i nemici che la presidiavano stavano preparando il bivacco per passare la notte. Furono colti di sorpresa e falciati. I pochi che si erano salvati si diedero alla fuga. Ma la montagna è ingannevole: non era quello il punto che dominava il valico. C'era un'altra altura in posizione più elevata con un altro gruppo di Kardacha di guardia, ma ormai era troppo buio per tentare un assalto e i nostri si fermarono.

All'alba si mossero mentre anche noi ci mettevamo in cammino e si diressero verso la seconda altura. Si era alzata una foschia umida, che somigliava alla nube che avevo attraversato il giorno prima, ma veniva dalla terra anziché dal cielo. Strisciava come un fantasma tra le forre e i dirupi, lasciando spuntare le asperità, le cuspidi taglienti, le cime degli alberi. Era un velo lattiginoso e fluttuante entro cui i nostri guerrieri potevano muoversi senza farsi vedere. Quando i nemici si accorsero di loro erano già troppo vicini e furono spazzati via.

Forse l'aveva mandata uno degli dèi che proteggono i mantelli rossi e che si muovono non visti fra le pieghe più nascoste del cielo.

Subito dopo udimmo squillare la tromba che ci chiamava a raggiungere il valico. Avevo dormito male e tutto mi feriva, anche quel suono stridente, ma risvegliava le forze. Il secondo squillo della tromba mi parve quasi il canto del gallo che al mio villaggio annunciava il sorgere del sole.

Si era già svegliata Lystra, la mia ragazza incinta, e si era messa in fila con i muli. Il cielo era quasi sgombro, l'aria fredda lo faceva tremare qua e là di brividi azzurri.

Xeno non c'era più, e neanche il suo cavallo. Meglio così, avrei potuto agire con maggiore libertà.

Quando ci mettemmo in movimento mi resi conto di quanto stava succedendo: la maggior parte degli uomini, sotto la guida di Sophos, saliva direttamente il pendio verso l'altura occupata dai nostri. Vedevo altri comandanti, Timàs di Dardania, Xanthi dalla chioma fluente, Kleanor luccicante di sudore, cercare altri sentieri per attaccare il pendio ripido incitando i loro uomini. Si aiutavano per salire, porgendosi l'un l'altro le aste delle lance.

Noi, invece, dovevamo usare il sentiero più largo, quello che consentiva il passaggio anche agli animali da soma.

Vidi Xeno, finalmente. Alle nostre spalle, come un cane da pastore con il suo gregge, stava attento che nessuno rimanesse indietro, nessuno si perdesse. Eravamo protetti da destra e da dietro e i nemici arrivarono da sinistra. Gruppi di urlanti Kardacha, con i loro archi smisurati. Anche Xeno gridò, chiamò i suoi uomini che subito si disposero in colonne parallele e attaccarono l'altura su cui erano apparsi i nemici. Attirarono su di sé i dardi e le pietre perché noi potessimo continuare a salire in una lunga fila tortuosa. Avrebbe potuto disporre le sue colonne a tenaglia ma non lo fece: era evidente che voleva lasciare loro una via di scampo se avessero voluto ritirarsi. In un certo senso faceva la guerra offrendo condizioni di pace, il che sembra una contraddizione. Ma i Kardacha non avrebbero capito o comunque non avrebbero accettato. Mentre salivo senza mai staccare gli occhi dalla manovra che Xeno stava conducendo, mi venne in mente quello che avevo pensato sugli interpreti: che certo qualcuno aveva provveduto a procurarli. Che sciocchezza! Chi avrebbe potuto, e come? E quando c'era stato il tempo? I Persiani ci avevano sempre incalzato da vicino e lo stesso avevano fatto i Kardacha che non ci davano tregua anche dopo che avevamo lasciato i loro villaggi. Se fossi stata un uomo, uno dei comandanti delle grandi unità o uno dei comandanti di battaglione, avrei voluto saperne di più su questi interpreti, ma già i miei dubbi non erano stati presi in considerazione quando avevo messo in guardia Xeno su ciò che sarebbe potuto accadere all'incontro con Tissaferne. E avevamo perduto tutti e cinque i nostri comandanti...

Prima del nostro arrivo al terzo tornante Xeno aveva occupato l'altura e messo in fuga i nemici. La strada verso il valico era libera. E anche il cielo continuava a essere sgombro. Solo qualche cirro passava lieve come un bioccolo di lana e spariva dietro le cime. Xeno si dispose a mezza costa tenendo davanti i leggeri e dietro i fanti di pesante armatura. Non si fidava a tornare di retroguardia.

E aveva ragione: dopo qualche tempo un'altra incursione si verificò da un'altra altura. Temetti che non sarebbe più finita, che ci avrebbero attaccato senza sosta, da ogni anfratto, sbucando da ogni forra, gola o dirupo. Non ci sarebbe stato termine agli attacchi, non avremmo mai più avuto pace finché fosse rimasto vivo uno di noi.

Un terzo attacco e poi un quarto. Non li contavo più. A ogni picco, a ogni sella apparivano come spuntando dal nulla e lanciavano dardi, a nubi, a stormi, che sibilavano acuti precipitando come una grandine letale. E pietre in quantità smisurata.

Guardavo Lystra di tanto in tanto che saliva sempre più affannata. Le gridavo: «Attaccati alla coda del mulo!», ma forse aveva paura perché gli animali erano inquieti e ombrosi per tutto quel chiasso e quelle grida che esplodevano improvvisamente e si trascinava penosamente con le sue sole forze cercando di non perdere il contatto. Man mano che conquistava un'altura Xeno vi lasciava un presidio e procedeva per occupare quella successiva. Dovevamo ricongiungerci agli altri o saremmo stati tagliati fuori e fatti a pezzi.

Xeno lanciò poco dopo il suo terzo attacco contro un'altura occupata dai nemici e riuscì a cacciarli: la conclusione della nostra fatica sembrava a portata di mano, ma in quel momento arrivarono di corsa un paio di guerrieri gridando per richiamare la sua attenzione. Xeno si lanciò dabbasso: «Che cosa succede?» esclamò prima ancora di incontrarli.

«I nemici hanno ripreso la prima collina» risposero ansimando, «erano migliaia, non ce l'abbiamo fatta, parecchi dei nostri sono morti, altri sono feriti. Guardali, sono lassù.»

Xeno si volse verso il secondo colle da cui i Kardacha lanciavano il loro grido di guerra e di vittoria, un urlo stridulo e sincopato, simile a quello di un rapace notturno.

Cercò con lo sguardo il suo attendente e quando l'ebbe trovato lo chiamò con un fischio: «Portami qui un interprete» disse appena quello si fu avvicinato.

L'interprete arrivò in poco tempo.

«Vai lassù» gli ordinò Xeno, «digli che chiedo una tregua perché ognuno possa raccogliere i propri morti.»

Non rin nciava mai alle sue convinzioni: faceva la guerra, feriva, uccideva come gli altri ma osservare certe regole, adempiere a certi riti lo faceva sentire un essere umano e non una belva. Il rito della pietà per i caduti era uno di questi. Abbandonare insepolto un compagno gli procurava un dolore immenso e si tormentava a volte per giorni.

Mentre avevano luogo le trattative i nemici si raggruppavano sempre più numerosi e i due tronconi del nostro esercito, quello che aveva occupato il valico e quello che saliva faticosamente lungo il sentiero, cercavano di ricongiungersi sul passo. Accettare la trattativa era stato evidentemente solo uno stratagemma per i Kardacha. Improvvisamente attaccarono in massa lanciando urla selvagge e facendo rotolare enormi macigni giù per il pendio. Corsi verso la ragazza e la trascinai a terra sotto il bordo del sentiero.

«Giù la testa!» gridavo. «Tieni giù la testa!»

Un masso colpì in pieno uno dei nostri muli e lo fece crollare a terra con la spina dorsale spezzata. Lo guardavo mentre cercava penosamente di rimettersi in piedi e non dimenticherò mai l'espressione di terrore panico nei suoi occhi sbarrati. Uno dei guerrieri, passandogli accanto, gli piantò il giavellotto alla base del cranio con un colpo secco e lo freddò. Pose fine al suo strazio e permise alla colonna di avanzare.

Appena cessò la caduta dei massi alzai la testa e vidi Xeno in pieno campo guidare i suoi al contrattacco. Andava come un pazzo verso la sommità del colle gridando: «Avanti, avanti!». Era straordinario, non c'era limite al suo coraggio e arrancava, primo fra tutti, incurante della pioggia di dardi che martellavano il suolo attorno a lui.

A un tratto, ancora quel fragore spaventoso, il rombo della frana che travolge ogni cosa. I Kardacha rovesciavano altri massi e pietre contro i nostri. E Xeno era senza scudo! Dovendo muoversi veloce per guidare l'attacco l'aveva lasciato appeso alla sella del cavallo. Vidi una pietra enorme urtare uno scoglio roccioso e spaccarsi in quattro proiettili micidiali. Uno dei nostri fu preso in pieno petto e scaraventato a venti passi di distanza; un altro fu colpito alla coscia sinistra che si sfracellò. Il giovane crollò urlando dal dolore e subito il grido si spense perché tutto il suo sangue era defluito in pochi istanti dal suo arto maciullato.

Guardavo con il cuore in gola il cimiero bianco di Xeno ondeggiare temerario tra il grandinare di dardi e pietre sfidando i ministri della Morte che cercavano di azzannarlo a ogni passo, come cani rabbiosi.

"Ora cade" dicevo dentro di me e mi sentivo mancare, "ora cade", a ogni pietra che gli sfiorava l'elmo, a ogni freccia che si conficcava a un palmo dal suo piede o volava tra il collo e la spalla, sembrando trafiggerlo, senza scalfirlo.

I miei occhi videro scintillare, colpita dal sole, la punta di un dardo e ne intesi, perfetta, la traiettoria. Questa volta il mio cuore moriva, questa volta la mia vita si sarebbe spenta con la sua e quella di Lystra e quella di tutti i giovani combattenti che lo seguivano su per il monte. Il dardo cercava il petto di Xeno e lo colpì con velocità sibilante, ma senza affondare nella carne e nei visceri rimbombò, all'ultimo, sul metallo! Uno scudo si era parato a coprirlo, un giovane eroe aveva opposto il suo scoglio di bronzo a proteggerlo deviando il dardo che si piantò in terra. Poi, fianco a fianco, ambedue riparati dallo scudo splendente, ripresero a salire tirandosi dietro gli altri. E anche il contingente che aveva occupato di notte il valico volò in soccorso. Le schiere si compattarono, i mantelli rossi fiammeggiarono nella luce del giorno alto, gli scudi lampeggiarono abbagliando i nemici.

Ora i Kardacha erano vicini, i loro sguardi ferini mostravano il terrore, non erano più fantasmi oscuri della notte, forze arcane e incombenti, spiriti delle vette che facevano crollare frane, erano irsuti pastori coperti di pelli che fuggivano in rotta seminando il terreno di morti e feriti. Vidi Timàs di Dardania condurre i suoi agitando un vessillo rosso con l'asta della lancia, Kleanor ruggire come un leone portando all'inseguimento il battaglione dei suoi Arcadi e le chiome di Xanthi rimbalzargli sulle spalle a ogni salto. E il suono dei flauti seguiva la marcia e scandiva il grido di guerra: «Alalalài! Alalalài!».

Era finita. Giunti sul valico si aprì la valle, e gli uomini si fermarono, appoggiati alle lance, a riprendere fiato e a rendersi conto di essere ancora vivi. E io vidi il cimiero bianco e dimenticai anche la ragazza incinta. Gridai con quanto fiato avevo in corpo «Xeno! Xenoooo!» e mi precipitai verso di lui gettandogli le braccia al collo. Sapevo che lo avrei messo in imbarazzo, così davanti a tutti, ma non m'importava nulla, volevo solo sentire come batteva il suo cuore, vedere come gli brillavano gli occhi, come stillavano di sudore i capelli sotto la celata dell'elmo.

Mi abbracciò anche lui e mi tenne stretta per qualche istante, come se fossimo soli, davanti al pozzo di Beth Qadà. Poi lo sguardo di Sophos lo cercò e lui rispose. Ma appena ebbe un po' di tempo cercò il ragazzo che gli aveva salvato la vita. Si chiamava Euriloco di Lusi ed era giovanissimo: non credo avesse più di diciotto o diciannove anni e aveva lo sguardo luminoso e incosciente degli adolescenti ma spalle e braccia da lottatore.

«Ti devo la vita» gli disse Xeno.

Euriloco sorrise: «Gliele abbiamo suonate a quei caproni, e abbiamo portato a casa la pelle, almeno per il momento, e questo è l'importante».

C'era un gruppo di villaggi, anche quelli deserti, e gli uomini poterono sistemarsi per riposare e stare al riparo dall'umidità e dal freddo della notte che si faceva ogni giorno più pungente. C'erano anche delle provviste per noi indispensabili e addirittura del vino. Lo trovò uno degli uomini di Xanthi, nascosto dentro a cisterne scavate nella roccia e intonacate all'interno. Ce n'era da ubriacare mezzo esercito e Sophos diede subito ordine di metterlo sotto sorveglianza. Non si poteva escludere che lo avessero fatto trovare apposta: anche il vino, così forte e abbondante, poteva essere un'arma in una simile situazione. La sera apparentemente tranquilla non incantava nessuno. Si sapeva come agivano i Kardacha.

Quando ormai gli uomini si preparavano al riposo arrivò l'attendente di Xeno assieme all'interprete con una notizia che lasciò tutti meravigliati.

«Hanno accettato, comandante» disse.

«Che cosa?» domandò Xeno.

«La tregua per raccogliere i caduti.»

Xeno lo guardò incredulo: «A quali condizioni?».

«Noi raccogliamo i nostri morti, i Kardacha raccolgono i loro.»

«Niente altro?»

«Vogliono anche...» volse lo sguardo intorno finché non localizzò la guida che aveva condotto Agasìas e i suoi sul valico «... lui.»

«La guida? Per me va bene.»

Ma non andava bene per lui. Quando si rese conto che lo avremmo riconsegnato ai suoi l'uomo si disperò, implorò e pianse, si prostrò davanti a ciascuno dei comandanti che aveva imparato a riconoscere dagli elmi crestati e dalle armature riccamente decorate cercando di aggrapparsi alle loro mani. Respinto da uno s'inginocchiava davanti a un altro, gli abbracciava le ginocchia, supplicava con tale accorata passione che avrebbe commosso un cuore di pietra. Sapevano quale atroce punizione lo attendeva e lo sapeva lui ancora meglio. Quando aveva ceduto alla violenza aveva probabilmente pensato che lo avremmo tenuto con noi, che ci avrebbe fatto comodo uno che conosceva i luoghi e i passaggi e che forse lo avremmo lasciato andare nel momento in cui non ne avessimo più avuto bisogno. Forse sapeva dove rifugiarsi, da parenti, da amici che vivevano in qualche sperduto villaggio dove mai sarebbero venuti a sapere del suo forzato tradimento.

Non avrebbe mai immaginato che, vivo, sarebbe stato scambiato con dei morti.

Lo condussero via e prima di essere trascinato al suo destino, non so perché, si volse anche verso di me, verso una donna che non contava nulla, forse perché vide compassione sul mio volto. E io percepii nei suoi occhi lo stesso terrore panico che avevo colto in quelli del mio mulo quando, colpito da un masso, si era reso conto in un attimo che metà del suo corpo era già morta.

I nostri si inerpicarono per il sentiero su cui avevano combattuto solo poche ore prima portando torce accese per illuminare il cammino, seguiti da portatori con barelle improvvisate, e tornarono a notte inoltrata con i corpi dei nostri caduti.

Erano una trentina almeno, stroncati nel pieno della gioventù, sopravvissuti alla grande battaglia alle porte di Babilonia per incontrare una morte oscura e insignificante, in un paese selvaggio. Li guardai uno per uno e non potei trattenere il pianto.

Il volto di un giovane di vent'anni pallido di morte, con gli occhi opachi e aperti sul nulla, trafigge il cuore.

Xeno officiò le esequie: un battaglione dell'esercito venne schierato a rendere gli onori mentre i flauti intonavano una musica tesa e acuta come un grido di dolore. I corpi vennero arsi su tre grandi cataste di legna, le ceneri raccolte in vasi di coccio, asperse con vino, i nomi dei caduti gridati dieci volte con le lance puntate verso il cielo e, mentre il riverbero delle fiamme tingeva di rosso gli scudi e le corazze, le loro spade arroventate nel fuoco della pira vennero piegate ritualmente perché nessuno mai più potesse usarle e sepolte con le urne.

Poi si levò un canto, un inno di cupa malinconia come quelli che ascoltavo nelle notti tiepide di Siria sotto il cielo stellato del deserto, e mi sembrava di udire la voce sola e potente di Menon di Tessaglia spiccare fra quelle dei compagni. Anche lui non era più, come i giovani bruciati nel fuoco, i giovani che quella stessa mattina avevo visto arrancare per i pendii scoscesi, aiutarsi l'un l'altro con le aste delle lance, chiamarsi reciprocamente, per farsi coraggio, per tenere lontana la morte che già li aveva puntati come un lupo rabbioso. Il canto dolente e poderoso degli amici li accompagnava nell'aldilà, nel mondo cieco dove l'aria è polvere e il pane è argilla.

Il giorno seguente riprendemmo la marcia e ci rendemmo subito conto di esserci illusi. I nemici erano ancora più aggressivi, il cammino sempre più duro e difficile. Si procedeva attraverso un territorio ancora più aspro, fatto di montagne imponenti, di giogaie che si susseguivano senza interruzione, un territorio in cui non c'era più tregua, né possibilità di trattativa. La nazione selvaggia che ci incalzava ci voleva morti, sterminati dal primo all'ultimo.

Ricominciò lo scontro implacabile, colle dopo colle, altura dopo altura. Xeno questa volta stava davanti in sella al suo destriero mentre Sophos chiudeva di retroguardia la coda dell'esercito. Passavano nel cielo nubi grigie, lunghe e sottili come ferri di lancia, e volavano verso meridione in senso contrario alla nostra direzione di marcia. Forse Xeno l'avrebbe visto come un presagio infausto.

Ma intanto si muoveva con incredibile energia e velocità: ogni volta che vedeva un'altura da cui il nemico avrebbe potuto colpirci o impedirci il passo, si lanciava a occuparla seguito dai suoi; se il colle era già in mano nemica attaccava con foga instancabile. Ma i Kardacha erano astuti, tante volte lasciavano la posizione prima che lo scontro avvenisse e andavano a nascondersi o a occuparne un'altra. Per loro era facile: erano vestiti solo di pelli e portavano un arco, mentre i nostri erano ricoperti di ferro e di bronzo e imbracciavano uno scudo enorme, ogni loro passo costava il doppio.

I Kardacha volevano sfiancarli, spogliarli di ogni energia e poi, forse, infliggere il colpo di grazia quando fossero stati incapaci di muovere anche solo un passo. Ma non conoscevano i mantelli rossi: vidi Euriloco di Lusi, il ragazzo che aveva salvato Xeno con il suo scudo, battersi come una giovane belva; raccoglieva i dardi dei Kardacha e li scagliava di nuovo contro di loro come giavellotti, spesso cogliendo nel bersaglio, e vidi le braccia scure di Agasìas di Stinfalo, luccicanti di sudore, colpire con instancabile ferocia, falciare uomini come spighe di grano, aprirsi la strada nel sangue e tra le urla, e Timàs e Kleanor trascinare i loro battaglioni verso l'alto, alternativamente, cosicché gli uni recuperassero il fiato mentre gli altri si battevano. Sotto la protezione della loro immane fatica, a prezzo del loro sangue e delle loro ferite, la lunga colonna con le bestie da soma, i servi e le donne avanzava lentamente, passo dopo passo verso un punto di sosta che ancora non potevamo immaginare.

Poi la fatica ebbe termine, il sole si posò sulle chiome dei boschi, le ultime grida si spensero in rantoli di morte o in un ansare affannoso, un falco spiccò il volo verso il punto più alto del cielo e d'improvviso, quasi all'imbrunire, apparve una valle.

Lo sguardo si adagiò su una visione di pace.

La piana era vasta e appena ondulata, chiusa sul fondo da una lieve altura ed era percorsa da un lato all'altro da un torrente dalle acque limpide. Sul lato settentrionale s'innalzava uno sperone roccioso arrossato dai raggi del tramonto e sormontato da un villaggio. Case di pietra: erano le prime che vedevamo da lungo tempo. Coperte da tetti di paglia, con piccole finestre e piccole porte. Un sentiero intagliato nella roccia scendeva verso il torrente e una ragazza dagli abiti rossi e verdi, dai capelli neri cerchiati di rame fulgente, scendeva aggraziata reggendo sul capo un cercine e un'anfora. Tale divenne il silenzio a quella vista che mi parve di udire il tintinnare degli anelli che portava alle caviglie.

Avremmo finalmente dormito al riparo, in una delle molte case; altri cercavano di sistemarsi nei magazzini del grano e altri sotto le tettoie che proteggevano il bestiame.

Sophos dispose sentinelle attorno al villaggio e una seconda linea ai piedi delle alture che circondavano la spianata.

Tutti speravano che fosse finita.

Nessuno ci credeva.

La ragazza che avevo visto scendere al fiume non tornò. E ancora penso alla sua figura aggraziata e superba e mi chiedo se non fosse una visione, una divinità dei monti o del fiume che abbandonava il suo luogo desolato e deserto per sparire nel bosco o nelle acque limpide che scorrevano fra le rocce e la sabbia.

I soldati accesero i fuochi sapendo che comunque eravamo osservati e tanto valeva mangiare finalmente cibo caldo. Xeno invitò alla sua mensa Euriloco di Lusi e Nicarco di Arcadia assieme a Sophos e Kleanor. Non capivo se era una cena d'addio e un appuntamento nell'aldilà come aveva fatto ottant'anni prima un re dei mantelli rossi che si era battuto contro la più grande armata persiana di tutti i tempi. Me l'aveva raccontata Xeno la storia di quel re che aveva fatto sorgere una leggenda, un re che non portava corona né mitra né vesti ricamate, soltanto una tunica di lana grezza e il mantello rosso come i suoi trecento giovani che morirono per non arrendersi e rinunciare alla libertà in un luogo chiamato Porte Ardenti. Una storia emozionante.

Mi vennero in mente le parole di Sophos: «Mangiamo e beviamo... domani...»; il vento, soffiando improvviso, si portò via le ultime parole.

Quando tutti furono tornati ai loro alloggi mi avvicinai a Xeno con una ciotola di vino caldo.

«Che cosa accadrà domani?» gli chiesi.

«Non lo so.»

«Attaccheranno ancora?»

«Finché ci sarà uno solo di loro e finché avrà respiro.»

«Ma perché, perché non ci lasciano andare? Non capiscono quello che a loro conviene di più?»

«Vuoi dire che lasciarci passare costerebbe loro infinitamente meno che cercare di impedircelo?»

«Esattamente. Hanno perso molti uomini, ancora di più sono rimasti feriti e altri ne perderanno. Che senso c'è? Combattere vale la pena se si vuole respingere un nemico, ma noi siamo già qui e vogliamo solo uscire da un'altra parte. Sanno bene anche loro che l'arma che ti rimane in corpo ti uccide, quella che ti passa da parte a parte senza ledere organi vitali ti risparmia. Nessuno vuole morire senza motivo. Come te lo spieghi?»

Xeno bevve un sorso del suo vino e rispose: «Sai quello che ci disse l'interprete: un esercito del Gran Re invase questo paese e sparì nel nulla. Lo hanno già fatto e lo rifaranno ancora, con noi. Semplicemente vogliono che si sappia che qualunque esercito entri nel loro territorio viene annientato. Così non ci saranno più eserciti che invaderanno il loro paese».

«E Tissaferne? Anche lui voleva annientarci. Sempre per lo stesso motivo?»

Xeno annuì: «Per lo stesso: chi entra poi non esce più».

«Ma perché non lo hanno fatto quando eravamo circondati, senza cibo e senza acqua? Perché hanno voluto uccidere i nostri comandanti?»

Xeno scosse il capo.

«E gli interpreti da dove vengono? Chi ce li ha mandati?»

«Non lo so.»

Gli avevo insinuato dei dubbi, gli stessi che avevo io quando i nostri comandanti erano andati all'incontro con i Persiani.

«Attento, Xeno, la virtù non conta contro l'inganno.»

«Lo so, ma qui tutti si battono con lo stesso valore, tutti rischiano ugualmente la vita. Ognuno dei miei compagni, dal comandante in capo fino all'ultimo soldato ha la mia piena fiducia. E c'è un'altra cosa: nessuno ha interesse a tradire. L'unico modo per cui ciascuno di noi può sperare di salvarsi è di fare il suo dovere, di essere un corpo unico con il resto dell'esercito.»

«È vero» risposi, «ma dimmi: c'è qualcuno che ha interesse a che questo esercito scompaia nel nulla? C'è qualcuno che avrebbe danno grave se l'esercito tornasse?»

Xeno mi fissò per un istante con un'espressione indecifrabile. Era come se volesse comunicarmi un pensiero indicibile, proprio come la serva della Regina Madre. Non insistetti, non dissi altro. Era già tanto che lui stesse ad ascoltarmi. Lo aiutai a togliersi l'armatura e andai a prendergli l'acqua nel torrente perché potesse lavarsi e distendersi nel sonno. Solo dopo andai a vedere la ragazza incinta. Era stremata e si era lasciata andare sulla nuda terra.

Il vento rinforzò trascinando per il cielo deboli forme biancastre, un'orda di spettri tremanti, anime smarrite di chi non era più.

# 19

«Alzati» le dissi. «Ti darò una pelle di montone e una coperta. Il basto del mulo ti farà da guanciale.»

Pianse: «Non ci riesco. E perderò il bambino, fra le pietre di queste montagne».

«E invece lo salverai: è figlio dei Diecimila, il piccolo bastardo, ce la farà. E per lui salverai te stessa... O per lei. Potrebbe essere una bambina.»

«Meglio di no. Nascere femmina è una sorte amara.»

«Nascere è duro per tutti. Quanti giovani, ieri, oggi, hanno perso la vita, quanti ancora la perderanno! Tu e io siamo vive. Dimmi, hai mai amato qualcuno?»

«Amato? No. Ma so che cosa vuol dire. Una volta l'ho sognato. Ho sognato un giovane che mi guardava con l'incanto nello sguardo e mi faceva sentire bella. Io lo aspettavo perché venisse a visitarmi appena chiudevo le palpebre.»

«E ora, non torna più a visitarti nel sonno?»

«È morto. La morte è più potente dei sogni. Ci seppellirai quando moriremo? Se puoi, coprici di terra e di pietre, non lasciarci alle bestie del bosco.»

«Smettila. Quando uno è morto non gli importa più di nulla.»

Presi la pelle di montone e la coperta e l'aiutai a distendersi. Le portai gli avanzi della cena che avevo nascosto e un po' di vino per darle forza.

Si adagiò nel sonno e sperai che il suo giovane venisse a visitarla sotto le palpebre.

La luna si alzò dalle montagne illuminando la valle, brillò riflessa in mille barbagli d'argento nel torrente che correva gorgogliando su un letto di sabbia pulita.

Volevo solo dormire, abbandonarmi sfinita accanto a Xeno, ma guardai i guerrieri che montavano la guardia, stanchi come bambini che cascano dal sonno; vegliavano chiusi nei loro gusci di metallo avvolti nei mantelli che s'incupivano con la notte.

Avrei voluto conoscere i loro pensieri.

Gli altri già dormivano con gli ultimi echi del combattimento ancora negli orecchi. Quali erano mai i loro sogni? Il passo di una madre, forse, che portava fra le mani la fragranza e il tepore di un pane dorato.

C'erano dei cani randagi che seguivano da tempo l'esercito, sempre più magri perché non c'erano avanzi per loro. Uggiolavano tristi alla luna.

Il vento soffiò dagli angoli freddi del cielo, aveva spiccato il volo come un rapace notturno dal suo nido fra i monti nevosi, ma la tenda era tiepida del calore di Xeno, il suo corpo era morbido sotto la lana del mantello e io mi addormentai nel suo calore sognando altri paesaggi, altri suoni, altri cieli. L'ultima immagine che vidi prima di cadere nel sonno fu la gruccia che reggeva le sue armi e il suo mantello: nell'oscurità sembrava un guerriero feroce che veglia meditando stragi fra una moltitudine di addormentati. L'ultimo suono che udii fu la voce di un fiume più grande, il ribollire di acque impetuose fra scabri macigni, tra forre rupestri. Il vento...

Il vento era cambiato.

Mi svegliai per il freddo pungente che mi gelava i piedi; vidi che erano nudi fuori dalla coperta e mi alzai a sedere per coprirli. Xeno non c'era più, e la gruccia che portava la sua armatura era vuota.

Porsi l'orecchio e udii uno strano rumore, un brusio confuso e in lontananza nitriti e sbuffi di cavalli e lunghi, lamentosi suoni di corno.

I cani abbaiavano aggirandosi macilenti attorno al campo.

Balzai in piedi, mi vestii e uscii dalla tenda. Un gruppo di ufficiali correva al galoppo avanti e indietro lungo il basso crinale che chiudeva il nostro orizzonte verso settentrione. A poca distanza da me i comandanti delle grandi unità, Xanthi, Kleanor, Agasìas, Timàs, Xeno erano riuniti attorno a Sophos, armati, le mani strette all'impugnatura delle lance, gli scudi appoggiati a terra. Tenevano consiglio.

Vidi che i guerrieri indicavano qualcosa e mi girai a mia volta: le cime dei monti alle nostre spalle erano gremite di Kardacha. Agitavano le picche e si udivano i loro corni di guerra soffiare fino a noi una collera implacabile.

«Non se ne andranno mai» diceva uno, «li avremo sempre addosso.»

«Allora aspettiamoli qui e affrontiamoli una volta per tutte» rispose un altro.

«Non verranno, resteranno sulle cime a colpirci da lontano, a far rotolare macigni, a tendere imboscate. Hanno capito ormai: colpiscono e fuggono, non si lasciano più agganciare.»

«Guardate! Che succede da quella parte?» gridò un quarto.

Molti soldati correvano verso il crinale dove gli ufficiali a cavallo si erano fermati e osservavano qualcosa che avevano davanti. Andai anch'io nella stessa direzione portando un otre come se volessi riempirlo nel torrente. E ciò che vidi quando fui giunta sul crinale mi fece morire il cuore in petto: c'era un fiume davanti a noi che attraversava la valle da occidente verso oriente e riceveva il corso d'acqua che scorreva a lato del nostro accampamento. Dall'altra parte era schierato un intero esercito!

Questi non erano pastori selvaggi, erano guerrieri con

pesanti armature, fanti e cavalieri con corazze e gambali di cuoio, elmi conici con pennacchi di crine, neri e ocra.

Erano migliaia.

I loro massicci destrieri scalpitavano soffiando nubi di vapore dalle froge.

Eravamo in trappola, chiusi fra le montagne e il fiume impetuoso, con un'orda di guerrieri implacabili alle spalle e di fronte un'armata possente attestata sulla sponda opposta. Erano arrivati giusto in tempo per impedirci il passaggio e alle nostre spalle i Kardacha, che ci eravamo illusi di aver lasciato indietro, erano più numerosi e agguerriti che mai. Come era possibile? Chi aveva coordinato due eserciti di due diverse nazioni nemiche fra di loro con tanta precisione? Mille pensieri e sospetti inquietanti affollarono la mia mente in un attimo e contemporaneamente fui presa da un sentimento ancora più angoscioso di impotenza: se anche i nostri comandanti avessero avuto i miei stessi pensieri non sarebbe servito a nulla. Soltanto gli dèi, se esistevano e se si curavano di noi, avrebbero potuto toglierci dal vicolo cieco in cui eravamo.

Due degli ufficiali a cavallo, poco distanti da me, scuri in volto, i mantelli agitati dal vento, si stagliavano contro un cielo torbido. I loro discorsi non sembravano diversi dai miei pensieri.

«Questa volta non abbiamo scampo.»

«Non dirlo, porta male. Ma chi sono quelli? Non sono Persiani e nemmeno Medi o Assiri.»

«Sono Armeni.»

«Come lo sai?»

«Lo ha detto il comandante di battaglione.»

«Noi abbiamo armi migliori e più pesanti.»

«Ma abbiamo dietro i Kardacha pronti a battersi fino all'ultimo uomo.»

«Anche noi.»

«Già. Anche noi.»

Arrivò al galoppo Timàs di Dardania.

«Che si fa, comandante?» chiese il primo dei due ufficiali.

«Non è così terribile come sembra.»

«Ah, no?»

«No.»

«E chi l'ha detto?»

«Il comandante Cheirisophos.»

«Che ha un certo senso dell'umorismo, lo sanno tutti... Io la vedo brutta.»

«Anch'io» confermò l'altro ufficiale.

«Un momento, ascoltate» disse Timàs. «I Kardacha sanno bene che se scendono da quei monti li facciamo a pezzi. Anzi, è quello che cerchiamo: che ci provino, avremo posto fine per sempre alla loro interminabile persecuzione. E poi qui la valle è molto larga e non possono farci rotolare addosso le loro pietre. Dall'altra parte abbiamo quelli, che sono il vero problema.»

«E il fiume? Anche il fiume è un problema.»

«Vero» replicò Timàs. «Il comandante Cheirisophos dice che l'unica cosa da fare è attraversare il guado, attaccare e disperderli prima che i Kardacha si decidano a scendere. Quando avremo il fiume alle spalle i selvaggi non ci daranno più fastidio.»

«Quando?»

«Ora. Si fa colazione e poi si attacca, abbiamo bisogno di tutte le nostre forze.»

Timàs voltò il cavallo e spronò verso l'accampamento. La tromba avvertiva che il cibo era pronto.

«Bene, si fa colazione, si passa di là, li massacriamo e si riprende il cammino. Che ci vuole? Già, facile a dirsi. Ma quanto è fonda l'acqua?»

«Vediamo» rispose il secondo ufficiale e subito dopo smontò e scese verso il fiume. L'altro lo seguì e proteggendosi con lo scudo avanzarono verso il centro della corrente. Gli Armeni si tenevano a distanza e non sembravano interessati a quanto stava succedendo. Forse sapevano il perché.

E anch'io lo immaginai subito. Gridai: «Attenti!», e nello stesso istante il primo dei due scivolò e fu portato via dalla corrente. Il secondo cercò di afferrarlo, ma scivolò a sua volta e li vidi annaspare fra le onde vorticose, cercando di aggrapparsi a qualunque appiglio. I cavalli nitrirono, scalpitarono e subito partirono di corsa con le briglie fra le zampe seguendo i loro padroni.

Mi misi a gridare: «Aiutateli! Di là, di là da quella parte!». Alcuni soldati si resero conto e spronarono le loro cavalcature a grande velocità lungo la sponda, ma li vidi fermarsi dopo un poco. Si erano arresi a una sorte ineluttabile.

Sophos diceva sul serio. Appena fatta colazione l'esercito si dispose formando una colonna con un fronte di cinquanta uomini e marciò rapido verso il fiume. Pochi rimasero a proteggere il campo e a guardare loro le spalle contro i Kardacha che continuavano a gridare e a lanciare prolungati richiami con i corni. Si aveva l'impressione che aumentassero di numero.

Forse alcuni degli uomini lo avvertirono di quanto era successo, ma evidentemente non c'era alternativa all'azione prevista e l'esercito andò avanti. La testa della colonna entrò nel fiume, ma il fondo era coperto di massi scivolosi per le alghe ed era molto difficile reggersi in piedi. Si diedero mano gli uni con gli altri, ma non erano ancora arrivati al centro del fiume che avevano l'acqua al petto, e la corrente era così impetuosa che urtava gli scudi e diveniva quasi impossibile reggerne la forza. Qualcuno tentò di alzarli in alto sopra la testa, ma subito gli Armeni scagliarono una salva di dardi e gli scudi furono immediatamente calati a proteggere il petto e il ventre. Davanti ai miei occhi avevo un esercito che combatteva contro un fiume, ma era una lotta impari, la violenza dei vortici era insostenibile e l'acqua era gelida. Poco dopo, con squilli ripetuti, la tromba suonò la ritirata e i nostri ripiegarono trascinandosi dietro i feriti e chiamando a gran voce i chirurghi.

Eravamo in trappola. I nemici avrebbero dovuto soltanto attendere. I Kardacha cominciavano a scendere, passo dopo passo. Gli Armeni restavano immobili.

Sophos mandò verso le montagne reparti di leggeri, frombolieri e arcieri cretesi, per tenere a distanza i Kardacha.

Non accadde nulla per tutto il giorno e si respirava il senso di impotenza che gravava sul campo, se non di disperazione.

Calò un'altra notte.

Lystra, almeno, poteva riposarsi e recuperare le forze. Ma dov'era Melissa? Non riuscivo a individuarla da nessuna parte mentre, al calare della sera, si vedevano parecchie delle giovani prostitute seguire qua e là i soldati che le conducevano per mano sotto le tende. Forse i guerrieri presagivano la fine e volevano godere dell'amore un'ultima volta. Verso mezzanotte un gruppo di Tessali e di Arcadi si radunarono attorno al bivacco e dopo aver cenato cominciarono a cantare.

Erano gli uomini di Menon di Tessaglia e avevano voci potenti e profonde che evocavano le valli e i monti della loro terra. Non capivo bene le parole, ma l'armonia era così intensa e struggente che mi vennero le lacrime agli occhi. E quando a un certo momento il canto crebbe ancora di intensità fino a divenire un'unica voce tonante e poi si unì per un momento al grido solitario della tromba e subito tacque, l'eco rimbalzò più volte sulle montagne con tanta forza che sembrò risvegliarle dal loro sonno di pietra. Solo passando accanto al falò crepitante, al vortice di faville che saliva verso l'alto, solo quando osservai i volti dei soldati illuminati dalla luce rossa del fuoco, capii che quell'ultimo grido si era innalzato con tanta potenza per farsi udire da lui, dal comandante Menon, nel sotterraneo mondo dei morti.

Mi aggiravo per il campo con il capo coperto e ascoltavo frammenti di discorsi, parole che si sovrapponevano ad altre, lamenti a volte, richiami, colpi di tosse. La voce dell'esercito, quella che da lontano suonava unita e discorde, armonica e dissonante nello stesso tempo, mostrava e faceva udire i suoni umani e ferini di cui era composta. Voci della memoria, d'imprecazioni, d'ira soffocata, di paura, di malinconia. E versi di animali e cupo ansimare di corpi avvinti nell'orgasmo di un amore che ormai confinava con la morte.

Tornata alla tenda la trovai ancora vuota: Xeno vegliava con gli altri capi a cercare una via d'uscita ora che tutto sembrava precluso, quando la lunga marcia di uomini indomabili sembrava giunta al suo epilogo. Mi parve di vedere per un istante fra i tronchi del bosco fluttuare un lembo biancastro, il fantasma di una figura incerta, sfuggente, poi nulla. I morti venivano a prenderci...

E invece, nel frattempo, accadeva l'imprevedibile.

Come seppi più tardi i due ufficiali – uno si chiamava Epikrates, il secondo Arkagoras ed era fra quelli che avevano occupato per primi la collina del valico – si erano battuti con tutte le forze per non essere trascinati sotto dai mulinelli e dai gorghi provocati dalla velocità della corrente e dai massi enormi che quasi a ogni ansa, a ogni gomito, la contrastavano generando formidabili turbolenze. Più volte avevano cercato di afferrarsi l'un l'altro per unire le forze, altrettante la violenza della corrente li aveva separati, non solo nella distanza ma anche in profondità perché il peso dell'armatura si faceva sempre più grave. Sarebbe stata ormai questione di poco e poi la corazza di lino pesto si sarebbe completamente inzuppata e li avrebbe trascinati giù. Sballottati continuamente da una parte e dall'altra venivano scagliati contro i massi, le pietre, gli spuntoni rocciosi, tormentati a ogni colpo da fitte lancinanti. Il gelo penetrava fin dentro le ossa e il respiro si faceva sempre più breve e faticoso.

A un tratto, quando ormai sfinito stava per abbandonarsi all'abbraccio mortale del fiume, Arkagoras vide a poca distanza davanti a sé un tronco caduto dalla sponda nell'acqua. Era una quercia molto grande che ancora restava abbarbicata alla riva con una grossa radice, ma l'acqua stava per scalzarla, per trascinare via il colosso abbattuto. Arkagoras vi si diresse con le ultime forze che gli restavano e vi si aggrappò e subito si sentì preso per un piede: era Epikrates, il suo compagno, che pure aveva intravisto la salvezza e non voleva certamente lasciarsela sfuggire.

Arkagoras fu quasi strappato via dal suo appiglio ma, resosi conto di quanto stava accadendo, si tenne ancora più tenacemente, permettendo al compagno di afferrarsi alla sua cintura, alle sue spalle e finalmente di issarsi sul tronco. Di là fu lui ad aiutarlo a salire e a mettersi in salvo.

Balzarono a terra nello stesso istante in cui la quercia, con un secco schianto, definitivamente sradicata, fu trascinata via in un ribollire di schiuma. Poi, dopo essersi ripresi, si misero in cammino lungo le sponde dirupate risalendo la corrente per raggiungere l'accampamento prima che l'esercito si muovesse dandoli per dispersi e perduti.

Ancora una volta, stremati e soli in un territorio sconosciuto, dovevano combattere una lotta contro il tempo. Marciarono stringendo i denti, vincendo il dolore che procurava loro ogni movimento per le contusioni e le ferite riportate urtando contro le rocce nella loro rovinosa discesa sulle rapide del fiume. Marciarono vincendo i crampi della fame e del freddo, con il vento che raggelava loro addosso gli indumenti bagnati, fermandosi soltanto quando le contratture dei muscoli paralizzavano le membra e obbedendo solo alla loro strenua volontà di andare avanti e raggiungere i compagni.

L'alba grigia rischiarò alla fine la distesa di montagne e di boschi e il fiume fece udire la sua voce dal fondo della gola rupestre in cui precipitava furioso. Arkagoras ed Epikrates si sporsero a guardare in basso e videro che la strettoia generava un riflusso che allargava il letto del fiume più a monte in uno specchio piuttosto ampio e tranquillo, percorso solo al centro da una corrente più veloce. Il riflusso aveva accumulato un deposito di sabbia e di ghiaia che rallentava il fluire dell'acqua nel punto più largo fra le due sponde.

Mentre si riposavano videro sull'altra sponda un vecchio, una donna e due bambini che entravano in una grotta che si apriva sotto uno spuntone roccioso e nascondevano dei fagotti che forse contenevano i loro poveri averi.

«Se sono passati loro possiamo passare anche noi» disse Arkagoras.

«Vediamo subito» approvò Epikrates. Scesi verso la proda e arrivati in un punto pianeggiante, si tolsero l'armatura, il cinturone e la spada, e si addentrarono nella corrente armati soltanto di pugnale. Il fondo era di sabbia o ghiaia molto fine e quando furono al centro l'acqua non arrivava nemmeno all'inguine.

«Lo sai che cosa significa questo?» disse Arkagoras.

«Significa che abbiamo scoperto il guado, che l'esercito può passare di qui e attaccare gli Armeni alle spalle.»

«Bene. Corriamo subito ad avvisarli prima che facciano pazzie.»

Tornarono indietro e dopo aver indossato le armature si incamminarono di nuovo verso una collina che si ergeva a poca distanza, coperta di un bosco di querce. C'era un sentiero che saliva, creato dal passaggio di pastori e armenti, e i due ufficiali lo percorsero fino alla sommità dove finalmente si aprì la vista del campo, e della valle attraversata dal torrente. Ma allo stesso tempo scorsero l'esercito, schierato in colonna e in assetto da combattimento, che marciava la seconda volta per attraversare e attaccare gli Armeni, mentre i Kardacha scendevano correndo dai monti per prenderli alle spalle. Arkagoras cominciò a gridare: «Fermatevi! Fermateviiii!».

«Smettila, non ti possono sentire. Cerchiamo di raggiungerli, corriamo, presto!» replicò Epikrates e si lanciò di corsa, ma appena si mosse un orso enorme uscito dal bosco gli si parò di fronte.

«Vattene, maledizione!» gridò cercando di cacciarlo con un bastone, ma l'orso si faceva sempre più aggressivo e dovette mettere mano alla spada cercando di tenerlo a distanza. L'animale grugniva minaccioso, spalancava la bocca mostrando zanne enormi e si alzava sulle zampe posteriori sfoderando i poderosi unghioni. Epikrates cercò di schivarlo, passando di lato, ma la belva lo precedeva con movimenti rapidissimi e si avvicinava minacciosa. Arkagoras gridò: «Corri verso di me, presto, indietro, indietro!». Ma Epikrates vedeva i compagni giù nella pianura affrontare un duello mortale con il fiume e con i nemici e voleva raggiungerli a tutti i costi. Un attimo prima che l'orso lo investisse con la sua mole enorme, le mani di Arkagoras lo trascinarono via e lo scaraventarono a terra.

«Ma che fai?» gridò saltando di nuovo in piedi, ma subito si rese conto. L'orso si era calmato e stava attraversando il sentiero in direzione del fiume.

Era un'orsa e i suoi cuccioli giocavano sull'orlo del precipizio. Li raccolse e se li riportò tranquilla nel bosco.

Epikrates rifiatò: «Come hai fatto a...».

«Ho visto i piccoli e ho capito» rispose Arkagoras. «Sono un arcade e sono abituato agli orsi da quando sono bambino. La prima regola è: se ti metti fra un cucciolo e la madre sei morto. Per fortuna li ho visti e ho capito. E adesso, corriamo.»

Si precipitarono giù per il pendio, a perdifiato.

Due sentinelle che montavano di guardia lungo il fiume videro un paio di figure avvicinarsi di corsa.

«Fermi!» gridarono. «O siete morti.» E mentre uno si avvicinava l'altro brandeggiava la lancia tenendosi pronto a colpire.

«Stupido, non mi riconosci?» fu la risposta.

«Comandante Arkagoras... Comandante Epikrates...»

«Correte subito dal comandante Sophos, dite che abbiamo trovato il guado. Presto, noi siamo stremati.»

I due giovani corsero via veloci come atleti sorpassandosi a vicenda l'un l'altro. Arkagoras ed Epikrates si lasciarono crollare a terra completamente esausti.

La colonna venne fermata un momento prima di scendere nel fiume.

Arkagoras ed Epikrates furono condotti alla presenza di Sophos. Il consiglio che si era sciolto solo poche ore prima fu immediatamente riconvocato per ascoltare ciò che i due avevano da dire. Era presente anche il nuovo amico di Xeno, Licio di Siracusa, che aveva il comando del piccolo gruppo di cavalleria costituito dopo l'abbandono dei carri.

Un distaccamento di duemila uomini fu mandato a fronteggiare i Kardacha che sorpresi si fermarono, il resto rimase schierato in linea lungo il fiume.

«Un tronco d'albero sradicato da qualche tempesta si protendeva verso il centro del fiume» cominciò Arkagoras «e sono riuscito ad afferrare uno dei rami. Epikrates che vedete qui al mio fianco è riuscito ad aggrapparsi alla mia gamba destra e tutti e due alla fine ci siamo issati sul tronco. È stato un miracolo: eravamo congelati e stavamo per cedere.»

«Siamo riusciti a saltare sulla riva» continuò l'altro «e ci siamo subito messi in cammino. La corrente era velocissima e ci aveva trascinati a valle per parecchi stadi. Non volevamo che ci lasciaste indietro...»

«... o perderci la festa se aveste deciso di attaccare» completò l'altro.

«Sì» riprese a dire Arkagoras, «ed è stato con il sorgere del sole che ci siamo resi conto di dove eravamo: a meno di un'ora di marcia dall'accampamento. Stavamo ancora guardandoci intorno quando abbiamo sentito delle voci e ci siamo nascosti. Erano una coppia di anziani e due bambini che attraversavano il fiume verso l'altra sponda.

Proprio in quel punto c'era uno sperone roccioso a strapiombo sull'acqua e alla base della roccia una grotticella dove l'uomo e la donna cercavano di nascondere alcuni fagotti. Insomma, se due vecchietti e due bambini sono riusciti ad attraversare senza difficoltà, mi pare che potremo passare anche noi.»

Epikrates raccontò anche dell'orsa e a tutti sembrò un prodigio degli dèi quell'avventura che aveva indicato all'esercito la via di scampo.

Fu approntato immediatamente un piano: una parte dell'esercito avrebbe simulato un nuovo tentativo di attraversare il fiume, mentre il resto avrebbe passato il guado più a valle e attaccato gli Armeni alle spalle. Un battaglione avrebbe tenuto a bada i Kardacha.

Xeno mi chiese di portare del vino, l'ultimo che ci era rimasto, per offrirlo ai due amici che avevano scoperto il guado.

«Bevete, ve lo siete meritato.» I due lo tracannarono e sembrarono aver riacquistato un po' di forza.

«E adesso muoviamoci» ordinò Sophos. L'esercito si mise in marcia lungo la sponda del fiume dietro agli ufficiali che avevano scoperto il guado. Xeno guidava come al solito la retroguardia. Al centro c'erano le bestie da soma con i bagagli e le ragazze che seguivano l'esercito. Le avevano raggruppate tutte assieme ed erano tante.

Il battaglione rimasto indietro si appoggiò al fiume da una parte e fronteggiò i Kardacha dall'altra. Ma quando gli Armeni videro che i nostri scendevano la sponda del fiume nel senso della corrente distaccarono due squadroni a cavallo e li mandarono nella stessa direzione. Io stavo con le ragazze assieme a Lystra perché quello mi sembrava il posto giusto in un simile frangente e cercai a lungo con lo sguardo Melissa senza riuscire a trovarla. Dov'era finita?

Arrivati sul guado i nostri cominciarono a procedere verso l'altra sponda dove già erano arrivati i cavalieri e appena ebbero passato il punto più profondo si gettarono in avanti urlando: «Alalalài!».

Erano di nuovo loro: i mantelli rossi, irresistibili, temerari, travolgenti, e le ragazze dalla sponda, come impazzite, li incitavano gridando a squarciagola:

«Forza! Avanti, avanti! Più veloci!»

«Fategli vedere a quelli chi è che ha le palle!»

E altre oscenità ancora più svergognate che anch'io mi misi a gridare e che non oso ripetere, ma i nostri si sentirono sostenuti da quegli incitamenti e spinti a far vedere di che cosa erano capaci. Nello stesso tempo Xeno e Licio di Siracusa si lanciarono in acqua con la cavalleria sollevando una nube di spruzzi e aggredendo subito sul fianco lo squadrone nemico.

Le ragazze erano tanto sicure dei loro uomini che già avevano cominciato a passare il guado. Molte per non bagnarsi le vesti le tiravano su fino all'inguine a mostrare il premio che i guerrieri avrebbero avuto se avessero vinto. Ma in quel momento i guerrieri dovevano guardare davanti a sé, e non perdere di vista i nemici neppure per un istante.

Vidi in cima a una collina due cavalieri armeni, forse due comandanti, voltare i cavalli e correre via a gran velocità verso settentrione. Sapevano già come sarebbe finita. Poco dopo la cavalleria armena ripiegò sotto l'urto insostenibile dei nostri. L'aver trovato una via di scampo così insperata e in circostanze quasi miracolose aveva moltiplicato le loro forze a dismisura. Erano tornati a essere la valanga di bronzo che aveva travolto ogni ostacolo dalle Porte Cilicie fino al Tigri e ai monti dell'Armenia.

Sophos sloggiò i fanti dal promontorio roccioso che sovrastava la grotta e continuò ad avanzare, ma la cavalleria si era ritirata solo per una distanza sufficiente a prendere la rincorsa per caricare. Questa volta facevano sul serio. Sophos comprese e schierò i suoi uomini per resistere all'urto. Gridò: «Prima fila: in ginocchio! Seconda fila: a ridosso! Terza fila: in piedi! Lance... giù!».

Ero così vicina che potevo udire i suoi ordini e potevo vedere la cavalleria armena attaccare sui suoi massicci destrieri. Presero velocità, scagliarono una, due salve di giavellotti e, alla fine, andarono a schiantarsi contro un muro di bronzo. I nostri non cedettero di un palmo, la quarta, quinta e sesta linea sostennero i compagni con le spalle e con gli scudi. I cavalli e i cavalieri armeni s'infilzarono sulle punte delle lance, molti crollarono al suolo provocando altre cadute. Ancora una volta si scatenò la sanguinosa orgia crudele dei maschi: la battaglia!

Lo scontro si trasformò in mischia rabbiosa, in una carneficina, in un magma di strepiti e di nitriti, di grida e di ordini urlati, di clangori d'acciaio.

Poi il fragore tacque quasi d'improvviso e udimmo il canto di vittoria che i Greci chiamavano: "Paiàn!".

La battaglia si era conclusa.

I mantelli rossi avevano vinto.

Licio e i suoi cavalieri si gettarono all'inseguimento dei superstiti e si fermarono solo quando videro il loro accampamento incustodito, pieno di rifornimenti e di oggetti preziosi.

Xeno, resosi conto che la sua presenza non era più necessaria, tornò indietro per dare man forte ai compagni stretti fra due armate nemiche sul primo guado.

Quando arrivò vide che una parte del battaglione stava cercando di attraversare in un punto un poco meno difficile per andare a stabilire una testa di ponte sull'altra riva. Dal lato opposto, verso meridione, i Kardacha erano scesi a valle e si erano schierati per attaccare frontalmente.

Contavano sul numero perché il battaglione rimasto da solo appariva come un gruppo piccolo, una facile preda. Il suono del corno diede il segnale d'attacco e si misero in marcia intonando un canto che non si era mai sentito.

Dalla parte settentrionale del fiume Sophos attaccò la fanteria armena e la mise in fuga, poi schierò i suoi a proteggere il guado. Nel silenzio che era caduto sul fiume udimmo anche noi il canto dei Kardacha.

Non c'era in quelle voci entusiasmo né eccitazione, non c'erano le grida bellicose che fanno dimenticare agli uomini la morte, era un canto lugubre fatto di due toni ora assonanti e armonici intrisi di malinconia, ora dissonanti e quasi striduli come pianti di prefiche, accompagnato dal suono ancora più cupo del tamburo. Andavano ignari contro l'annientamento.

Assistemmo in silenzio alla mattanza. I nostri si dispiegarono a cuneo, abbassarono le lance e attaccarono di corsa gridando ossessivamente: «Alalalài!». Affondarono nella massa dei nemici come un coltello nel pane e non si fermarono finché non li ebbero annientati. Per giorni e giorni avevano visto i compagni maciullati dai macigni rotolati dall'alto, feriti dai dardi che piovevano dal cielo, trapassati di notte da coltelli che saettavano nel buio. Ora saldavano il conto secondo le leggi della guerra.

Quando ebbero finito tornarono verso il fiume. Lavarono le armi nella corrente e si unirono al canto dei compagni che gridavano: «Iò Paiàn!». Mi chiesi se qualcuno avesse capito che i Diecimila non si potevano fermare, che non solo gli uomini ma nemmeno il fiume vi era riuscito.

Xeno mi vide e spinse il cavallo nella corrente per venire da me.

# 20

Fu una festa memorabile: nel campo degli Armeni c'erano viveri, coperte, tende, animali da soma, armi, e una quantità di oggetti preziosi: coppe, tappeti, piatti d'argento, perfino una vasca da bagno. Xeno prese una stoffa per me: bellissima, come non ne avevo viste mai nella mia vita, gialla con fili d'oro sull'orlo. E trovò anche uno specchio perché mi guardassi mentre me la drappeggiavo addosso. Era una lastra di bronzo lucidata che rifletteva le immagini, un po' come quando ci si sporge sull'acqua di uno stagno o di un pozzo.

Venne imbandito un banchetto sontuoso a cui parteciparono molte delle ragazze. Si erano agghindate anche loro ed erano incredibilmente attraenti. Basta poco a una donna giovane per rendersi bella e desiderabile. Qualcuna si era perfino truccata con il bistro sugli occhi e il minio sulle labbra. Le guardavo come abbracciavano e baciavano i giovani guerrieri, come passavano dall'uno all'altro dando a ognuno il calore e l'eccitazione di cui erano capaci. Erano le amanti e le spose di quei ragazzi e si vedeva che, non essendo nella possibilità di amarne solo uno come forse avrebbero desiderato, li amavano tutti meglio che potevano. Me ne ero resa conto quando le avevo viste incitarli a combattere e a vincere, sostenendoli con le grida, con le acclamazioni, con le oscenità.

I cinque comandanti si presentarono con le vesti migliori e con altri ornamenti presi nel campo armeno e avevano un aspetto impressionante. Timàs fra tutti era il più giovane, dimostrando poco più di vent'anni, era snello e asciutto, con denti bianchissimi, occhi scuri ed espressivi, e si era battuto con energia inesauribile. Era stato lui a guidare l'ultimo assalto contro i Kardacha. Era lui la punta del cuneo che era penetrato a fondo nel loro schieramento spezzandolo in due e poi travolgendo l'una e l'altra ala.

Vidi anche Agasìas di Stinfalo con due ragazze, una per parte, e Xanthi di Achaia con la sua chioma sciolta come la criniera di un leone che ne teneva un'altra sulle ginocchia, mezza nuda benché cominciasse a fare fresco. Il vino aiutava. E finalmente Kleanor di Arcadia. Doveva esserci Melissa con lui ma non la vidi. Me l'aspettavo: lei non era da dividere con nessuno. In questo era abilissima, nel divenire indispensabile e irrinunciabile per un uomo, rendendolo schiavo della sua bellezza e delle sue arti a tal punto da fargli fare qualunque cosa. Forse Menon di Tessaglia aveva fatto solo ciò che lui voleva e per questo aveva lasciato in lei un ricordo e forse anche un sentimento.

Sophos si divertiva ma sembrava lucido, beveva con moderazione e non si lasciava andare con le ragazze. Si controllava e teneva sempre la mano appoggiata all'impugnatura della spada.

Mancava solo Xeno. Qualcuno doveva vigilare mentre gli altri si abbandonavano al divertimento, dimenticando di essere stati prossimi a morire. Aveva disposto un doppio cordone di sentinelle e un cambio perché gli altri sarebbero stati probabilmente inutilizzabili per il vino e l'orgia, e lui in persona passava da un corpo di guardia all'altro completamente armato a controllare che tutto fosse in ordine, che ognuno facesse il proprio dovere.

Lo vidi seduto in cima a un colle a scrutare il paesaggio. Era una bella notte e la luna quasi piena si alzava dalle creste dei monti e illuminava da sotto piccole nubi bianche veloci, striandole di una luce perlacea. Mi avvicinai camminando tranquilla lungo il pendio.

«Bella serata, non è vero? E non è nemmeno molto freddo.»

«Se resta sereno questa notte lo sarà. Dovrai coprirti bene.»

«Grande vittoria, quando tutto sembrava ormai perduto.»

«Già. Ho offerto un sacrificio agli dèi per ringraziarli. Credo che questo sia stato un prodigio.»

«Credi davvero agli dèi?»

«Il mio maestro ad Atene ci credeva, anche se a modo suo.»

La luna si liberò in quel momento del velo effimero di una nube e illuminò quasi a giorno la valle che si stendeva davanti: un territorio pianeggiante con un altro fiume abbastanza grande che l'attraversava obliquamente da un lato all'altro. Per quanto lo sguardo poteva spingersi non si vedeva anima viva, non un villaggio, non una capanna, non una tenda.

«Non abita nessuno in questi luoghi. È strano, sono terre buone per il pascolo.»

«Hanno paura dei Kardacha» rispose Xeno, «forse fanno incursioni oltre il fiume.»

«Dunque sono nemici.»

«Senza dubbio.»

«Però ieri gli Armeni sono apparsi esattamente nel punto e nel momento in cui potevamo essere stritolati fra due attacchi concentrici. Come se si fossero messi d'accordo.»

«Non ricominciare con questi sospetti. La cosa non è possibile. Questi due popoli si odiano.»

«Allora qualcuno potrebbe averli coordinati. Come sapevano gli Armeni quando saremmo stati al guado per attraversare?»

«Puro caso.»

«E il tempo? Ormai mi sono abituata a osservare: lo vedo bene quanto ci vuole al mattino a mobilitare l'esercito, quanto a mangiare, a vestirsi, a governare gli animali, a indossare l'armatura, a prendere posto nei ranghi. L'esercito degli Armeni era più grande del nostro, da quanto sapevano che saremmo stati qui proprio ieri? Come sono riusciti ad arrivare al momento giusto con tanta precisione?»

Xeno guardava pensieroso il fiume brillare davanti a sé nella valle: «Questa terra è incredibilmente ricca di acqua: quello è il Tigri e noi ne risaliremo la corrente fino alla fonte».

«Non vuoi rispondere alla mia domanda.»

«Cheirisophos è spartano, io sono ateniese. Le nostre città si sono combattute per trent'anni in un conflitto sanguinoso e devastatore, la gioventù più forte e fiorente è stata falciata, campi bruciati, città saccheggiate, navi finite in fondo al mare con i loro equipaggi; vendette, rappresaglie, stupri, torture...»

«So che cosa è la guerra.»

«Eppure noi due siamo amici, ci copriamo le spalle l'un l'altro, combattiamo per la stessa causa con lo stesso accanimento e passione.»

«E qual è la causa?»

«Salvare questo esercito, salvare i Diecimila. Sono loro la patria comune, ognuno di noi è il soggetto e l'oggetto del combattimento, del valore, del coraggio. Capisci?»

«Capisco, ma non riesco comunque a nutrire la tua stessa fiducia.»

«Questa terra è Impero persiano: ti stupisce che cerchino di annientarci? Gli Armeni erano guidati da ufficiali persiani e obbedivano a un satrapo. Il suo nome è Tirbaz. Non ci daranno tregua ma siamo pronti.»

«Lo so. Io sono solo una ragazza ignorante ma ricordati che le donne vedono e sentono ciò che gli uomini non vedono e non sentono. Quando non ci saranno più nemici in grado di affrontarvi, ne sorgeranno di nuovi da dove non te lo aspetteresti mai.»

«Che cosa vuoi dire?»

«Niente. Ma quel giorno ricordati di queste mie parole.»

Restai accanto a lui a guardare la luna che saliva nel cielo, ad ascoltare le grida e gli schiamazzi che venivano dal campo, gli strilli di gioia delle ragazze, i richiami delle sentinelle che rimbalzavano da un colle all'altro, i nomi dei compagni che chiamavano i compagni per tenere lontano il buio, perché le presenze oscure e invisibili della notte sapessero che il sonno non avrebbe vinto la loro ostinazione.

Alla fine i rumori della festa si attenuarono, per spegnersi poi del tutto. Quando scese il silenzio la tromba squillò solitaria e il secondo turno di guardia salì a dare il cambio.

Xeno mi portò sotto la tenda e mi amò con passione ma in completo silenzio. Non una parola, non un sospiro. Sentiva le mie parole risuonare come lugubre profezia e non ne aveva altre da opporre, nemmeno parole d'amore.

Più tardi lo vidi alzarsi e con del vino in una coppa d'argento raggiungere la sponda del fiume che ci eravamo lasciati alle spalle. Libò alla divinità vorticosa versando il vino perché quel giorno vi aveva sparso sangue contaminandone le acque purissime.

Il fiume impetuoso come un toro selvaggio si chiamava Kentrites e l'indomani ce lo lasciammo alle spalle e cominciammo a percorrere l'altopiano che saliva e saliva, lentamente, quasi impercettibilmente, se non fosse stato per l'aria che si faceva più fina e più fredda e il nostro respiro sempre più frequente.

Lystra poteva ora camminare senza troppo soffrire: il terreno era coperto da erba secca che le greggi avevano brucato fino a ridurla a un tappeto fitto e uniforme, di un colore giallo e grigio continuamente cangiante con il mutare della luce. Qua e là steli di avena con le loro minuscole spighe che splendevano come l'oro e un'altra pianta i cui semi avevano la forma di piccoli dischi d'argento, come le monete dei Greci. La colonna avanzava speditamente e percorremmo un'intera tappa dal mattino al tramonto senza che si manifestasse alcun pericolo. Xeno e Licio di Siracusa vigilavano con i loro esploratori a cavallo, galoppando su e giù dall'avanguardia alla retroguardia per prevenire ogni possibile assalto.

Il paesaggio mutava in continuazione e davanti a noi si ergevano grandiosi corrugamenti montuosi, immani giogaie, valli profonde come crepacci che la luce del sole scolpiva in modo drammatico. Le giornate si accorciavano, la luce diventava più rossa e obliqua, il cielo più blu e quasi completamente sgombro da nubi.

I guerrieri avanzavano guardandosi attorno, osservando un paese che nessuno della loro razza aveva mai visto prima. La marcia sembrava così facile, così tranquilla, quasi piacevole, e cominciai a sperare che davvero saremmo giunti presto alla meta.

La meta era il mare.

Un mare interno, a settentrione, chiuso fra le terre, un mare su cui si affacciavano tante città greche con porti e navi da cui avremmo potuto andare in qualunque luogo.

Anche a casa.

Me lo aveva detto Xeno e lui sapeva tutto: di terre, di mari, di monti e fiumi, sapeva le antiche leggende e le parole dei savi, e scriveva, scriveva ancora, ogni notte al lume della lucerna.

Dopo alcuni giorni giungemmo alle sorgenti del Tigri e io mi sedetti vicino al piccolo ruscello che sgorgava da una rupe, limpido come l'aria dopo un temporale. Era come un bambino: inquieto, garrulo, mutevole, ma io sapevo come sarebbe stato da adulto perché lo avevo visto: enorme, placido, maestoso, così forte e potente da portare sul dorso intere navi e quelle barche strane, rotonde e a forma di cestone.

Mi lavai la faccia e le gambe nell'acqua gelida e ne ebbi una sensazione magnifica, di grande vigore e dissi anche a Lystra di bagnarsi: avrebbe dato forza al bambino e le avrebbe anche portato fortuna perché quell'acqua nutriva milioni di persone, dava loro ristoro e sostentamento, irrigava i loro campi affinché avessero pane, riempiva di pesci le reti dei pescatori. Quale misteriosa meraviglia scintillava nell'acqua del ruscello che cantava fra le rocce e sulle sabbie nere e lucenti! Bevemmo a lunghi sorsi un'acqua così pura che la sentimmo fluire dentro di noi come linfa vitale. L'acqua doveva essere così dappertutto il giorno in cui era nato il mondo.

Poi attraversammo un altro fiume che scorreva su un vasto altopiano ricco di villaggi. Qui arrivarono dei messaggeri da parte del governatore persiano dicendo che aveva interpreti e voleva parlare con i nostri comandanti.

Appena lo seppi da Xeno feci per implorarlo di non andare, ma lui sorrise: «Ci credi proprio così stupidi? Non pensi che abbiamo imparato la lezione? Stai tranquilla che questa volta non accadrà nulla».

Infatti l'intero esercito andò all'appuntamento perché la grande pianura lo consentiva. Schierati come quando comandava Klearchos: su cinque file su un fronte lungo duemila passi, in pieno assetto, con gli scudi lucidati a specchio, gli elmi crestati, gli schinieri scintillanti, i ferri delle lance che sembravano forare il cielo.

Sophos, Xanthi, Timàs, Kleanor, Agasìas, a cavallo, si portarono a tiro di voce. Sophos leggermente davanti agli altri quattro.

Dietro di loro a dieci passi, negli interspazi, Xeno, Licio, Arkagoras, Aristonimo... e Neon.

Dietro ancora, un piccolo reparto di cavalleria, non meno risplendente degli altri.

Di fronte avevano un forte contingente di truppe armene, forse addirittura quelle che avevamo combattuto sul Kentrites, e in testa Tirbaz, il satrapo con la mitra floscia sul capo, la spada d'oro al fianco, la barba nerissima accuratamente arricciata, al comando di uno squadrone di magnifici cavalieri.

Venne avanti l'interprete che parlava un greco perfetto, segno che veniva da una delle città sulla riva del mare settentrionale che non dovevano essere lontane:

«Parlo a nome di Tirbaz» disse, «satrapo di Armenia e occhio del Gran Re, l'uomo che lo aiuta a montare a cavallo. Tirbaz vi manda a dire: non incendiate i villaggi, non bruciate le case, prendete solo il cibo che vi serve e vi lasceremo passare, non subirete altri attacchi.»

Sophos si volse per consultare con uno sguardo i suoi ufficiali superiori: ognuno di loro accennò di sì, che andava bene e lui si avvicinò all'interprete: «Riferirai a Tirbaz, satrapo di Armenia, occhio del Gran Re, l'uomo che lo aiuta a montare a cavallo, che la sua proposta ci sta bene e intendiamo mantenervi fede. Da parte nostra non avrà nulla da temere, ma se dovesse lui venire meno ai patti, che guardi questi uomini schierati e ricordi che tutti coloro che ci hanno attaccato hanno subito una dura punizione».

L'interprete annuì, fece un inchino, poi voltò il cavallo e andò a riferire al suo padrone. Subito dopo fece cenno che l'accordo era valido e l'esercito si mise in moto con una conversione perfetta dando fronte a settentrione. Gli Armeni non si mossero e più tardi gli esploratori ci dissero che ci seguivano da lontano a una distanza di circa dieci stadi. Non si fidavano, evidentemente.

Andammo avanti così per diversi giorni, sempre con gli Armeni alle spalle e sempre salendo più in alto. Una mattina mi svegliai all'alba e vidi uno spettacolo di una bellezza al di là di ogni immaginazione. Davanti a me si estendeva un paesaggio di montagne a perdita d'occhio ma su queste cime e gioghi infiniti si ergevano tre o quattro picchi molto più alti, candidi, che si stagliavano contro il cielo di un blu intensissimo e ci fu un breve tempo in cui solo loro furono colpiti dalla luce del sole e s'illuminarono come cristalli, come pietre preziose, scintillando solitari sull'immensa distesa montuosa ancora immersa nell'oscurità.

Risplendevano di un colore rosato, intenso e limpido come fossero fatti di una sostanza eterea, gemme titaniche scolpite dalle mani degli dèi. Mi accorsi che anche un gruppo di altri giovani guerrieri contemplava lo spettacolo con identica ammirazione e meraviglia. Xeno invece dormiva, stremato dalle fatiche che ogni giorno doveva affrontare per assicurare la tranquillità all'esercito in marcia. Le gemme solitarie della terra d'Armenia non sarebbero entrate nel suo racconto, nei fitti caratteri regolari con cui riempiva il suo rotolo sempre più voluminoso.

Quando si svegliò glieli indicai ma la magia era svanita. Disse: «Sono montagne coperte di ghiaccio; ne abbiamo anche in Grecia: l'Olimpo, il Parnaso, il Pelio e l'Ossa, ma non sono certo così alte. Il ghiaccio riflette la luce come solo le gemme preziose possono. Fra poco lo vedrai».

Me lo disse con un tono che non aveva nulla di entusiastico.

Una sera arrivammo a un gruppo di villaggi assembrati attorno a un grande palazzo. Ogni villaggio era costruito sopra un'altura, con case fatte di pietra e coperte di paglia, e da ogni comignolo fuoriusciva un filo di fumo bianco e denso per la temperatura ormai molto fredda dell'aria. Il sole che tramontava attraversava con i raggi le colonne di fumo arrossandole e quasi evidenziandole una per una. Erano centinaia sparse su una decina di alture disseminate nell'altopiano. Dal palazzo non proveniva invece alcun segno di vita.

I soldati si sparsero a prendere alloggio in tutte le case e le trovarono piene di ogni tipo di viveri: grano, orzo, mandorle, frutta secca, uva passita, vino invecchiato, dolce e forte, carne salata o affumicata di pecora, di bue e di capra. Era una terra di abbondanza.

Io alloggiai con Xeno e i suoi servi in una costruzione massiccia che sorgeva ai margini della prima altura che avevamo incontrato. Era un magazzino e un seccatoio per la carne, ma ci si stava bene e Xeno la preferì perché aveva comunque un focolare e non doveva condividerla con altra gente.

Accesi il fuoco e cucinai, e non dimenticherò mai il senso di conforto, di riposo e di calma che mi diede quella cena tranquilla accanto all'uomo che amavo in una terra meravigliosa, in un luogo magico che mai avrei nemmeno immaginato che potesse esistere. Poi...

La neve!

Non l'avevo mai vista anche se sapevo che cos'era. I mercanti che passavano il Tauro d'inverno la descrivevano a noi bambini che ascoltavamo intenti, ma non c'era nulla di paragonabile a ciò che si manifestava davanti ai miei occhi. Avevo aperto la porta e guardavo muta dallo stupore: il riverbero del focolare si spandeva all'esterno a rivelare un'apparizione di una bellezza struggente, la manifestazione della grandezza della natura e degli dèi che l'abitano e che prendono forme mutevoli con il passare delle stagioni e il cambiare dei luoghi.

Innumerevoli fiocchi candidi cadevano dal cielo in una danza morbida e lieve, mulinando nell'aria e posandosi al suolo che si andava imbiancando quasi a ogni istante di un tappeto soffice e morbido come il vello di un agnello appena nato. In lontananza le colonne di fumo che salivano dai comignoli, ora che s'era fatto buio, portavano con sé verso il cielo l'anima del fuoco che le alimentava. La neve che cadeva sempre più fitta le attraversava arrossandosi per un istante e poi ritrovando l'immacolato candore della sua natura, e mi trasmetteva un senso di attonita meraviglia, così profonda e vibrante che non la potrei descrivere e nemmeno richiamare alla memoria.

Benché fosse notte c'era nell'aria una luce appena percettibile, tenue, diffusa e onnipresente, priva di ombre, per cui si sarebbe potuto camminare senza smarrire la direzione e distinguere ogni forma e ogni presenza. Erano i fiocchi bianchi che la portavano imprigionata dentro e la irradiavano dalla terra e dal cielo.

Chissà perché, pensai in quel momento che solo l'immacolato mantello di Menon di Tessaglia avrebbe potuto confondersi con quel candore, non lasciando altro segno che le tracce di un passo silenzioso. Tracce... che vidi e non vidi, forse immaginai.

Si udì l'abbaiare di un cane; l'ululato del suo fratello

selvaggio gli rispose dalle foreste sui monti trasformati in bianchi colossi assopiti, si udirono le voci dei nostri soldati, poi i richiami delle sentinelle e poi nulla.

Il mondo intero era bianco, sia il cielo che la terra, e tutto sprofondava in un silenzio abissale.

Dormii profondamente accanto al fuoco acceso: un grande ciocco che bruciò per tutta la notte diffondendo nell'ambiente un tepore mite e gradevole. Forse il silenzio, forse l'atmosfera così soffice e morbida mi conciliarono il sonno, forse la consapevolezza di avere fatto la scelta giusta quando avevo seguito Xeno: una scelta che mi regalava esperienze intensissime, visioni di sogno, paesaggi incantati, sensazioni di violenza e di delirio, momenti di estenuata dolcezza.

Anche Xeno era tiepido accanto a me, e lo sentivo muovere ogni tanto Una volta, aperti gli occhi, vidi la sua mano cercare l'impugnatura della spada e poi adagiarsi di nuovo nel sonno che dominava il suo corpo. Fuori, sotto la tettoia, Halys, il suo cavallo, faceva udire a volte la sua presenza con sbuffi e sommessi nitriti o raspando il suolo gelato con lo zoccolo. Era un animale fiero e possente che aveva molte volte sottratto Xeno da mortali pericoli. Amavo anche lui e nel mezzo della notte gli portai una coperta per difenderlo dai rigori del freddo. Lui mi fregò il muso contro una spalla: il suo modo di ringraziare.

Il mattino dopo ci svegliammo per un incredibile schiamazzo che proveniva dall'esterno e Xeno si gettò fuori con la spada in pugno, ma era un falso allarme. I nostri erano usciti e giocavano come bambini nella neve: se la tiravano addosso, vi seppellivano i compagni, la pressavano e lanciavano le palle così ottenute con le mani o con le fionde.

Gli abitanti del villaggio erano anch'essi usciti dalle loro case e osservavano sorridendo i guerrieri venuti da lontano divertirsi in quel modo inoffensivo. Alcuni dei loro bambini si unirono al gioco prima che i genitori potessero impedirlo.

Il sole splendeva, si affacciava sulla vasta distesa innevata e suscitava dal manto immacolato uno scintillio magico, come se vi fossero incorporati diamanti o cristalli di rocca. Vidi ancora torreggiare all'orizzonte, in tre punti diversi e distanti, i picchi eccelsi colpiti dal sole dell'aurora, rosseggianti come rubini, e pensai a come dovevano essere quando fossimo giunti a contemplarli da vicino. Poi d'un tratto risuonarono grida d'allarme e di disperazione: era divampato il fuoco in alcune delle abitazioni.

Sophos gridò: «Spegnete quei fuochi, subito!» e gli uomini si precipitarono con secchi e pale a gettare neve sulle case che bruciavano perché l'acqua era congelata. Fu tutto inutile: le case, che avevano tetti di legno e di paglia, andarono in cenere in poco tempo e rimasero solo dei ruderi anneriti che sembravano un insulto nel candore accecante del villaggio. La gente che ci abitava piangeva in disparte.

Sophos fece suonare l'adunata e gli uomini si schierarono in uno spazio pianeggiante fuori dal villaggio.

«Chi ha dato fuoco alle case?» domandò.

«Sono bruciate da sole» risposero alcuni.

«Tutte quante?... Bene. Se gli autori di questa bravata escono e confessano se la caveranno con una punizione, se lo scoprirò io, e lo scoprirò, applicherò la punizione massima, l'esecuzione capitale. Abbiamo un patto con i Persiani: che ci lasceranno passare se non daremo fuoco ai villaggi. Chi ha giocato con il fuoco ha messo a repentaglio la vita dei suoi compagni.»

Una ventina di soldati, a testa bassa, fra cui quelli che avevano parlato, uno dopo l'altro, fece un passo avanti.

«Perché?» chiese Sophos.

«Credevamo che oggi ce ne saremmo andati.»

«E quindi non vi importava niente della gente che rimaneva senza tetto nel colmo dell'inverno.»

Nessuno disse una parola: sembravano ammutoliti.

«Benissimo. Vi siete comportati da stupidi e dovrete

imparare a vostre spese che cosa significa restare senza tetto d'inverno. Questa notte dormirete all'addiaccio, fuori dal recinto sorvegliato dalle sentinelle. Se non doveste sopravvivere tanto meglio: mi sarò liberato di un gruppo di idioti. Ora aiuterete gli abitanti delle case che avete bruciato a riparare il tetto, a rimettere porte e finestre.»

Gli uomini obbedirono e quando calò la notte furono accompagnati fuori dalla cerchia sorvegliata e abbandonati con un pugnale e un mantello come unici strumenti di sopravvivenza.

Il cielo intanto si era coperto. Ricominciò a nevicare.

## 21

Stavo male per loro.

Erano stati degli incoscienti, degli stupidi. Avevano bruciato le case di povera gente che non aveva fatto loro niente di male ma non è forse normale che su diecimila uomini ci siano una ventina di stolti?

In fondo non avevano ucciso nessuno. Era stata una bravata che rischiavano di pagare con la vita.

«Se resta sereno moriranno» disse Xeno.

«Perché?»

«Altrimenti li ammazzeranno i nemici se si accorgono che sono fuori dalla linea di sorveglianza delle sentinelle.»

«Ma perché il sereno dovrebbe ucciderli?»

«Perché il calore fugge verso l'alto: se ci sono le nuvole lo trattengono. È come avere un tetto sulla testa.»

«L'ordine di Sophos vale per tutti?»

«Anche per te.»

«Ma io non sono un soldato.»

«Non cambia nulla. Gli ordini di Cheirisophos valgono per tutti. Lui è il comandante supremo, e inoltre se lo meritano. Devono provare di persona che cosa significa non avere un tetto in una terra come questa, di questa stagione e di notte.»

Cercai di ideare il modo di portare fuori delle coperte ma Xeno mi esortò a non farlo. Mi sistemai allora vicino alla finestra e di tanto in tanto guardavo il cielo: si vedevano delle nubi avanzare da occidente, ma erano ancora lontane. Se non fossero arrivate in tempo a coprire il cielo quei ragazzi là fuori sarebbero morti.

Xeno mi raccontò una storia, di quelle che si rappresentavano nei loro teatri, la storia di una ragazza come me che aveva disobbedito agli ordini del re della sua città per pietà nei confronti di due ragazzi: i suoi fratelli.

«Un re di una antica città della mia terra, chiamata Tebe, prima di andarsene, aveva lasciato il regno ai suoi due figli con un patto giurato da ambedue: avrebbero regnato un anno a testa, avvicendandosi. Scaduto il primo anno colui che era in carica sarebbe uscito dalla città e l'altro sarebbe entrato per regnare. Purtroppo l'avidità del potere ebbe la meglio e quando Polinice, questo il nome del secondo, si presentò per regnare, l'altro, Eteocle, si rifiutò di lasciare la città. Polinice allora strinse un'alleanza di sette re e mise l'assedio a Tebe.

I guerrieri delle due parti combatterono furiosamente alimentati da un odio sempre più spietato. Alla fine i due fratelli decisero di affrontarsi l'un l'altro in duello, ma dallo scontro all'ultimo sangue che ne seguì nessuno dei due uscì vincitore. Morirono ambedue per le ferite riportate.

Il successore, di nome Creonte, diede ordine che i corpi venissero lasciati insepolti come monito per chiunque infrangesse le leggi dei legami di sangue e della fede ai giuramenti fatti.

I due giovani avevano una sorella di nome Antigone, fidanzata con il figlio di Creonte. Incurante della volontà del sovrano che aveva comminato la pena di morte a chi avesse infranto il suo decreto, Antigone seppellì ritualmente i fratelli gettando sui loro corpi qualche manciata di polvere. Sorpresa dalle guardie venne arrestata e tradotta in giudizio. Antigone proclamò di essere innocente perché c'era una legge più alta di quella dei re e delle città: la legge del cuore, il diritto naturale che impone la pietà per i morti, qualunque sia il crimine di cui si sono macchiati, l'obbligo morale di concedere le esequie ai propri congiunti, la legge dell'anima e della coscienza, superiore a qualunque altra stabilita dall'uomo.»

Mentre Xeno mi raccontava la storia di Antigone il tempo era trascorso senza che quasi me ne fossi accorta e quando volsi lo sguardo alla finestra vidi fioccare la neve, il cielo bianco, la terra immacolata dove ogni traccia del passaggio dell'uomo era stata cancellata. La visione magica che incantava il mio sguardo, così lontana dalla polvere di Beth Qadà, le meravigliose falde bianche, milioni di farfalle di ghiaccio che s'inseguivano come in una danza d'amore prima di posarsi al suolo e sparire nel manto di spuma leggera non mi fecero dimenticare che la natura è sempre crudele e ciò che a me sembrava meraviglioso mentre ero circondata dal tepore del fuoco, per altri era letale.

«Come andò a finire la storia?» chiesi come risvegliandomi da un sogno.

«Male» rispose Xeno, «in una catena di morti. Per questo non farti venire strani pensieri. Dormi ora. Io andrò in giro a ispezionare i corpi di guardia.»

Ma io avevo già preso la mia decisione e la storia di Xeno mi aveva convinto ancora di più – perché mai me l'aveva raccontata? –: avrei portato pelli di pecora e di capra ai giovani stolti che giacevano fuori al freddo e sotto la neve protetti solo dai loro mantelli. Ma mentre stavo per uscire la tromba lacerò l'atmosfera immota con un lungo squillo d'allarme. Lasciai cadere le pelli e uscii. Sui monti attorno a noi brillavano fuochi nel buio, grandi falò, lame di fuoco che irradiavano un rosso alone tremulo attraverso il turbinare della neve.

I guerrieri uscirono dalle abitazioni in cui erano alloggiati, armati e rivestiti dei loro mantelli. Sophos e i suoi comandanti si rivolsero ai soldati: «È troppo pericoloso dormire separati in piccoli gruppi. Potrebbero sorprenderci nel sonno con il favore della notte e del silenzio e massacrarci. Passeremo la notte tutti assieme al centro del villaggio principale armati e pronti al combattimento!

Chiunque verrà trovato rintanato in una casa sarà cacciato fuori dal campo solo con un mantello e un pugnale».

E così fu. Gli uomini sparsero la paglia dei fienili a terra e si sdraiarono gli uni vicino agli altri. Solo le ragazze restarono nelle case. Io pure rimasi con Lystra, che avevo sistemato in una stalla dove il calore degli animali l'avrebbe protetta dal gelo.

Nevicò per l'intera notte e il mattino dopo sulla terra si era accumulata una spessa coltre bianca: anche sui nostri uomini. Erano torpidi e intirizziti, ma i mantelli di lana grezza avevano trattenuto un po' di calore e loro erano riusciti a superare anche quella prova.

I venti compagni che erano stati cacciati fuori dal cerchio delle sentinelle erano sopravvissuti dormendo solo per brevi periodi a turno vigilati dagli altri. Ora però bisognava riscuotere i soldati dal torpore prima di un possibile attacco.

Xeno diede l'esempio. Si alzò in piedi, afferrò un'ascia e si mise a spaccare legna a torso nudo. Intanto si era fatto giorno pieno: l'aria era fredda, ma lasciava passare i raggi del sole che cominciavano a essere caldi. Dai tetti delle case pendevano dei pugnali di ghiaccio da cui iniziò a gocciolare acqua man mano che il sole si faceva più caldo. Al vedere quello che faceva Xeno anche gli altri si diedero da fare e in breve il campo si animò di frenetiche attività. Fu trovato del grasso animale e anche un unguento tratto da una pianta che cresce da quelle parti. Lo misero al fuoco e lo fecero sciogliere, dopo di che le ragazze furono chiamate a ungere e massaggiare il torso e la schiena dei nostri soldati intirizziti per restituire loro l'energia. Non fu troppo difficile: avevano vent'anni.

Venne preparata la colazione e gli uomini ripresero forza. Un gruppo di esploratori fu mandato sui monti in ricognizione e tornò verso mezzogiorno con un prigioniero che sapeva molte cose. Tirbaz preparava un'imboscata in un passaggio obbligato.

Ricominciava tutto da capo: una battaglia a ogni valico, un agguato in ogni strettoia. C'era una maledizione che pendeva sul nostro capo, una sorte che avrebbe inesorabilmente colpito. Ma i Diecimila non sembravano darsene pensiero: appena la cosa venne comunicata i soldati non ebbero una sola esitazione. Terminata la colazione, si armarono e si misero in marcia.

Il cielo ricominciava a coprirsi, cosa che non mi dispiaceva: il riflesso del sole sulla neve era peggio di quello sul deserto. Un bagliore insopportabile che mi faceva stringere le palpebre fino a ridurle a fessure.

La vista dell'esercito che si muoveva nel paesaggio innevato era impressionante: un lungo serpente scuro che si snodava lentamente attraverso il biancore intatto della neve. Mi chiesi come si potesse riconoscere la strada quando i sentieri e i passaggi erano indistinguibili, ma in questo caso l'itinerario era obbligato e portava verso una linea di montagne posta di traverso al nostro cammino e sormontata da una cima più imponente delle altre. Dopo alcune ore di marcia un distaccamento di fanteria leggera si separò dal resto dell'esercito e puntò diretto al valico sulle montagne per una scorciatoia indicata dal prigioniero. Voleva occupare il valico prima che Tirbaz vi appostasse le sue truppe.

Dietro ai leggeri Sophos mandò anche un contingente di fanteria pesante, i mantelli rossi con i loro pesantissimi scudi. I primi servivano per arrivare al valico, gli altri per difenderlo in caso di contrattacco del nemico.

Prima di sera i nostri occuparono il valico e ne scacciarono gli Armeni e gli altri mercenari che vi erano stati mandati, e si impadronirono dell'accampamento di Tirbaz pieno di ogni sorta di ricchezze. Se il satrapo di Armenia voleva farsi bello agli occhi del suo Re con quell'azione gli era andata male. Ormai dovevo smettere di preoccuparmi. I cupi pensieri che avevo al mattino si erano dileguati prima del tramonto: non sembrava esistere ostacolo che i nostri non riuscissero a travolgere senza difficoltà.

Le perdite erano state fino a quel momento limitate. Tre o quattrocento uomini in tutto, compresi i feriti che erano morti in seguito. Cominciavo a ragionare come un soldato e mi sentii male. Tre o quattrocento uomini caduti in combattimento erano invece molti, erano troppi: anche se fossero stati cento o cinquanta o anche soltanto uno. Un giovane di vent'anni che muore è un disastro irrimediabile. Per lui, per i suoi genitori che lo hanno messo al mondo, per la donna che lo ama se ne ha una, per ciò che gli è stato tolto e che non avrà mai. E per il fatto che da quando esiste il mondo non è mai nato e mai nascerà uno come lui fino alla fine dei tempi.

Vidi anche l'Eufrate, anche lui piccolo come il Tigri, e mi sembrò una cosa sacra perché era il padre e il dio della nostra terra. Senza di lui tutto sarebbe stato arido e dominio incontrastato del deserto. Lo attraversammo con l'acqua poco sotto la cintura e ricordo ancora il gelo che per un po' mi fece perdere sensibilità alle gambe.

La neve era sempre più spessa man mano che si avanzava e i guerrieri quando si sostava nei villaggi si procuravano della stoffa per fasciarsi le gambe, abitualmente nude, e i piedi, ma non pochi continuavano a portare solo la corta tunica militare perché non riuscivano a trovare stoffa o perché preferivano così. Finché camminavano le cose andavano abbastanza bene, ma quando si fermavano diventavano lividi per il freddo.

Avanzammo così per diversi giorni, sempre salendo, passando alle pendici di montagne altissime, di roccia viva, candide contro il cielo blu o grigie contro il cielo nuvoloso. L'aria tagliava la faccia come un coltello.

Mi resi conto che Lystra non ce la faceva più: camminare nella neve alta le costava una fatica enorme e la sua gravidanza era sempre più avanzata. Era solo questione di poco e l'avremmo persa. Un giorno, mentre cercavo di aiutarla a rialzarsi, scorsi i due muli con la portantina che avevo visto quando avevamo affrontato le prime montagne del paese dei Kardacha. Lasciai la ragazza e, correndo più in fretta che potevo, fermai il mulo di testa. Il servo che conduceva quel convoglio alzò le briglie per colpirmi, ma evitai il colpo.

«Levati di mezzo!» gridò. «Vuoi fermare tutta la colonna?»

«No, che non mi levo di mezzo. Devo parlare con la donna che sta lì dentro.»

«Non c'è nessuno lì dentro, solo provviste.»

«Ah, sì? Allora fammici parlare lo stesso.»

Si era creato un assembramento. Con la coda dell'occhio notai Kleanor guardare indietro verso di noi con un'espressione inquieta confermando i miei sospetti. Gridai: «Melissa, esci di lì. Lo so che ci sei! Esci, ti ho detto!».

Alla fine Melissa si lasciò vedere scostando il drappo che la teneva nascosta.

«Abira... è molto tempo che non ci vediamo.»

Intanto i soldati avevano leggermente deviato il loro cammino curvando attorno a noi cosicché non c'era più motivo di affrettarci.

«È molto tempo che ti nascondi» risposi. «Io ti ho sempre cercata.»

«Bene, ora mi hai trovata. Ci vediamo questa sera all'ora di cena e parliamo, va bene?»

«No, è una cosa che dobbiamo fare adesso. Vedi quella ragazza là, quella con la pancia? Non ce la fa più, fra un po' si lascerà andare nella neve e morirà e con lei il bambino. Non l'ho portata fino qua, nutrita e soccorsa per vederla crepare.»

«E allora?»

«Allora devi prenderla con te.»

«Non c'è posto, mi dispiace.»

«Allora scendi tu.»

«Sei pazza? Non ci penso nemmeno.»

«Io sono andata fino al campo persiano per te, perché non potevi restare senza notizie di Menon. Ho rischiato la vita, e tu non sei capace di fare questo per me? Stai benissimo, hai chi si prende cura di te. Devi solo camminare a piedi per un po', lasciare che si riposi e si riscaldi, poi camminerà lei per una certa distanza. Per te è un sacrificio sopportabile, per lei è la vita, anzi, due vite.»

Melissa era irremovibile. Semplicemente non poteva concepire di rinunciare alle sue comodità e la sua condizione presente le sembrava anche troppo disagiata per accettarne una peggiore.

«Ti ho detto di scendere.»

Melissa scosse il capo.

Lystra si avvicinò: «Per favore... lascia stare, me la caverò».

«Zitta tu!»

Melissa tirò la tenda. La trattativa era finita. Quel gesto mi fece andare il sangue alla testa: «Apri quella tenda, smorfiosa, puttana! Scendi immediatamente!».

Le strappai di mano la tenda, l'afferrai per un braccio e tirai con tutta la mia forza.

«Lasciami!» gridava, «lasciami subito. Kleanor! Kleanor, aiuto!»

Per fortuna Kleanor aveva altro da fare: due muli carichi di viveri erano caduti in ginocchio più avanti e stava cercando con i suoi uomini di rimetterli in piedi.

La strattonai con violenza e la feci cadere nella neve. Si mise a strillare ancora più forte, ma i soldati ridevano divertiti e nessuno pensava a intromettersi in una baruffa di donne. Mi afferrò per un piede cercando di tirarmi giù, ma le assestai un pugno in piena faccia così forte che la mandai lunga distesa per terra. E mentre lei strillava e piagnucolava aiutai la ragazza a salire. Il mulattiere guardava allibito senza sapere che pesci pigliare.

«E tu che cosa guardi, scimunito!» gridai decisa. «Muovi il culo, maledizione, muoviti!»

Non so come e perché ma obbedì. Il mio modo di imprecare come un soldato dovette sorprenderlo e il mio aspetto doveva essere così inviperito che non accennò la minima reazione. Il convoglio si mise in moto e io dietro di loro. Melissa, vedendo che nessuno le prestava attenzione, si alzò in piedi e riprese anche lei a camminare.

«Aspettami» piagnucolava, «aspettami.»

Non le badai. E nemmeno mi voltai in seguito quando gemeva: «Ho freddo, mi si gelano le gambe, sto male, non mi reggo in piedi... aiuto, qualcuno mi aiuti!».

Alla fine si rassegnò, smise di piangere e di lamentarsi e quando ci fermammo per una sosta mi presi cura anche di lei, le misi della neve in una benda e l'appoggiai sull'occhio pesto e gonfio.

«Faccio schifo, non mi vorrà più nessuno.»

«Sciocchezze, sei bellissima e se ci tieni sopra la neve si sgonfierà presto. L'ho visto fare da uno dei chirurghi. In più imparerai a cavartela da sola, ti farà comodo: non siamo ancora usciti da questo imbroglio.»

«Mi hai fatto male.»

«Anche tu mi hai fatto male. Siamo pari.»

Si asciugò gli occhi con il rovescio della manica e mi sentii intenerire: «Guarda quella poverina» dissi indicando Lystra. «Potrebbe partorire da un momento all'altro, pensa se fossi tu nella sua situazione. Cerca di resistere fino a sera. Poi ti riposerai.»

E così andammo avanti e avanti e avanti, senza sosta, senza riposo. Mentre il cielo si faceva sempre più fosco cominciò a soffiare un vento forte e freddo che intirizziva le membra e faceva screpolare le labbra. Avanzammo così per giorni: ogni tanto Lystra chiedeva di scendere per lasciare salire Melissa, ma questa si sentiva in imbarazzo ad accettare e il più delle volte rifiutava. Stava diventando una donna forte e degna di rispetto. E anche le altre ragazze si facevano onore: non si lamentavano, non chiedevano aiuto, e se qualcuna cadeva o stava male le altre l'aiutavano. La sera con ago e filo cercavano di confezionare calzari per affrontare meglio la neve, di riparare i buchi negli abiti loro e dei loro compagni. Il freddo era sempre più pungente, la possibilità di rifornirsi sempre più scarsa, i litigi più frequenti, soprattutto fra gli uomini.

Ora si stava combattendo un nemico diverso e veramente implacabile, un nemico senza volto ma con una voce, quella sibilante del vento e della bufera: l'inverno.

Continuavamo a salire: oltrepassammo il primo dei tre grandi picchi che avevo visto luccicare come diamanti dalla collina oltre il guado del fiume vorticoso. Il suo aspetto era quanto di più imponente avessi mai ammirato nella mia vita. Dai suoi fianchi discendevano larghe strisce di roccia nera che sembravano fiumi pietrificati.

Emergevano dalla neve simili a schiene di mostri addormentati e giungevano fino al sentiero che stavamo percorrendo. Incastonate nella roccia c'erano delle pietre nere, sfaccettate e luccicanti come gemme, più grandi di un pugno, perfette, stupende.

«È un vulcano addormentato» mi disse Xeno. «Quando si sveglia vomita fiumi di roccia incandescente che scorrono lungo i suoi fianchi e poi si raggrumano e si solidificano diventando quali li vedi ora.»

«Come lo sai?»

«Me lo ha detto un amico che è stato in Sicilia e ha visto la collera spaventosa dell'Etna.»

«Che cos'è la Sicilia?»

«È un'isola che sta a occidente e che ha un vulcano gigantesco che vomita fumo, fiamme e roccia fusa che si solidifica proprio come questa. Un giorno ci andrò, la voglio vedere di persona.»

«E porterai anche me?»

«Sì» rispose. «Porterò anche te. Non ci separeremo più.»

Mi vennero le lacrime agli occhi a udire quelle parole e il vento quasi le gelò sulle mie guance. Xeno era un giovane meraviglioso e avevo fatto bene a fidarmi di lui, a seguirlo in quella avventura. Anche se fossi morta, anche se alla fine il nostro viaggio si fosse concluso nella desolata distesa gelata che stavamo attraversando, non avrei avuto rimpianti.

A ogni sosta le difficoltà crescevano. Non era più questione di disagi da sopportare, era questione di vita o di morte: chi trovava un alloggio o un fuoco acceso viveva, chi non lo trovava moriva. Dopo qualche giorno di marcia ricominciò a nevicare e questa volta non c'era nulla di bello né di piacevole: non erano i grandi, candidi fiocchi che avevo visto danzare, al calore del focolare, nel cielo scuro ai villaggi dei falò, erano aghi di ghiaccio che il vento ci scagliava in faccia con furia insostenibile. Niente poteva fermare la tormenta: l'aria gelata penetrava qualunque difesa, trafiggeva le membra come un pugnale, induriva i movimenti, accecava la vista, faceva schioccare le vesti e i mantelli che invano cercavamo di stringerci addosso.

Il sibilo del vento diventava assordante, feriva le orecchie come un urlo continuo, disumano, ci si muoveva in un'atmosfera nebulosa dove tutto era incerto, dove ogni figura era un fantasma, una larva appena distinguibile nel mulinare del nevischio. La stanchezza e il freddo piegavano a ogni passo la volontà di resistere, si trasformavano in mortale spossatezza contro cui era quasi impossibile reagire. Gli animali erano sottoposti alle stesse durissime prove. Alcuni, esausti e carichi all'inverosimile, finivano per cedere e crollavano nella neve di schianto. Nessuno cercava di liberare le some, di recuperare il carico, perché nessuno aveva una stilla di energia in più di quella che gli consentiva di trascinare un passo dopo l'altro.

Arrivavano i lupi e dilaniavano muli e cavalli ancora vivi. I nitriti di dolore e di terrore degli animali echeggiavano nella valle sottostante e subito si spegnevano nel turbinio lattiginoso.

Verso sera la tormenta sembrava placarsi ma le stesse presenze incombevano, spaventose e inquietanti. Lungo e lamentoso, l'ululato dei lupi risuonava dalle montagne e dalle foreste piegate sotto il peso della neve. A volte, nella notte, potevamo vederne gli occhi rossi luccicare nel buio al riflesso dei nostri fuochi. Più volte il guaito disperato e subito spento dei cani che ci seguivano ci faceva capire che erano caduti vittime di una fame più potente e feroce della loro.

Ero stupefatta dell'eroismo di Melissa: lei, bellissima, irresistibile, la ragazza divenuta mitica per aver corso nuda dalla tenda di Ciro al campo di Klearchos, lei che ogni soldato avrebbe voluto possedere a qualunque prezzo, forse anche al prezzo della vita, avanzava nella neve fino al ginocchio con incredibile resistenza lasciando a Lystra, una piccola prostituta di infimo ordine, l'unico posto protetto della lunga colonna di guerrieri e di donne in marcia.

Non c'era più spazio per l'amore. Là dove l'oscurità ci sorprendeva cercavamo un riparo per adagiarci e strappare alla notte poche ore di sonno. I turni di guardia erano sempre più brevi perché resistere alla morsa del gelo era quasi impossibile e non di rado chi veniva per dare il cambio trovava i compagni freddi e rigidi, mummie di ghiaccio addossate a un albero con gli occhi spalancati e vitrei.

Una notte arrivammo in uno spiazzo pianeggiante protetto a settentrione da rupi abbastanza elevate che fermavano la neve; tutto attorno c'erano decine di tronchi semicarbonizzati, forse a causa di un incendio estivo. Alcuni soldati si misero ad abbatterli con le scuri, altri ad affastellare la ramaglia e poi coloro che custodivano il bene più prezioso, le braci sotto la cenere in orci di terracotta, accesero i fuochi. Subito tutti vi si radunarono intorno, poi se ne accesero altri e poi altri ancora, ma gli ultimi della colonna arrivarono tardi, quando era quasi buio e la legna disponibile era quasi finita, e non riuscirono a trovare un posto abbastanza vicino per scaldarsi. Scoppiarono risse, alterchi, alcuni misero mano alle armi, altri si dedicarono ad attività più vergognose: cedere un posto accanto al fuoco a pagamento. Si facevano dare grano, vino, olio, coperte, calzari, qualunque cosa potesse garantire la sopravvivenza per qualche giorno, qualche ora, qualunque cosa.

Capii che i nostri soldati si stavano arrendendo al più temibile dei nemici: l'egoismo. Kleanor di Arcadia, il toro, vide la scena, udì uno dei suoi che rifiutava di cedere il posto a un compagno che non aveva niente da dargli in cambio. Si gettò sul soldato divenuto spietato mercante, lo afferrò per le spalle e lo spinse contro il fuoco che ardeva: «Vuoi stare solo tu al caldo? Ti piace il calore, bastardo? Ti accontento io, figlio di un cane!». L'altro cercò di reagire, ma nulla poteva fermare la forza di Kleanor che lo spingeva sempre di più sino a che il suo mantello prese fuoco. A quel punto il comandante lo lasciò e quello corse via gridando, bruciando come una torcia. Si gettò a terra rotolandosi nella neve, salvò la vita, ma avrebbe portato per sempre le cicatrici della sua vergogna.

Fra gli ultimi ad arrivare c'era Xeno.

Sempre.

Il suo posto era fra gli ultimi a raccogliere chi cadeva, a incoraggiare i guerrieri stremati, a sostenere con l'esempio la disciplina, infaticabile. Aveva con sé Licio di Siracusa, Aristonimo ed Euriloco, incursori temerari e spavaldi, dotati di una forza formidabile e di un animo indomabile. Ma a volte il loro impegno non era sufficiente. Non bastava risollevare i caduti, scuoterli, schiaffeggiarli o prenderli a pugni urlando loro: «Alzati, verme, vigliacco buono a nulla, bastardo figlio di una troia!». Non bastava più. Uno dei chirurghi disse che quello che mangiavano non dava loro le forze per combattere contro il freddo, il vento, la fatica. Dovevano mangiare di più o sarebbero morti. E Xeno spinse il suo cavallo lungo la fila degli animali da soma, frugò dovunque fino a trovare del cibo e lo diede ai suoi ragazzi sfiniti.

Qualcuno si rialzò.

Altri si accasciarono senza più vita.

Un bianco sudario li coprì, le loro ultime parole svanirono nel sibilo della tormenta.

# 22

Mentre Sophos era in ricognizione con i suoi, Xeno rendendosi conto che i soldati non ce la facevano più li schierò in mezzo alla neve. I comandanti diedero l'attenti e gli uomini si ersero come guerrieri, malgrado la fatica, con coraggio, con dignità, stringendo le mani livide di freddo all'impugnatura delle lance. Le nocche bianche, le unghie scure.

Li passò in rassegna e sul suo volto scavato, sulla barba ispida e negli occhi arrossati, si leggeva tutta la sofferenza che vedeva in faccia ai ragazzi che soffrivano i suoi stessi dolori.

Li scrutava uno per uno, aggiustava loro il mantello attorno alle spalle, abbassava lo sguardo di fronte a piaghe e arti congelati, calzari e vestiti che non proteggevano più da nulla. Poi parlò.

«Uomini, ascoltate! Abbiamo superato molti pericoli, messo in rotta l'esercito più potente del mondo, abbiamo sconfitto una nazione barbara e selvaggia che voleva annientarci, sfidato la corrente dei fiumi, varcato i passi montani, siamo sfuggiti alla morsa di due eserciti contemporaneamente, ma ora dobbiamo fronteggiare un nemico senza volto e senza pietà, un nemico contro il quale le armi non valgono. Non pochi di noi sono già morti e abbiamo dovuto lasciarli indietro senza esequie e senza gli onori che meritavano. Siamo in una terra ostile in condizioni terribili, ma dobbiamo sopravvivere. Ricordate quello che diceva Klearchos? "Sopravvivete, uomini! Sopravvivete!" È questo l'ordine che vi do. Lo stesso che vi dava lui.

Ci tormentano due cose soprattutto: il freddo e la luce. Il freddo è il più pericoloso, dalla luce ci si può difendere.

Non state mai fermi di notte. Battete i piedi per terra quando siete di guardia, battete le mani attorno al corpo. Cercate sempre un punto riparato dal vento. Quando dormite sciogliete i calzari. Ho visto molti di voi con i piedi gonfi. È un brutto segno. I chirurghi dicono che subito dopo viene il congelamento e poi la morte. In altre condizioni potrebbero tentare di amputare. Qui sarebbe solo un'altra tortura inutile.

Molti di noi si sono persi perché sono rimasti abbacinati dalla luce che qui è molto forte. Quando viene sereno e il sole risplende il riflesso vi acceca. Molti di voi hanno gli occhi arrossati. Se non vi proteggete perderete la vista e subito dopo la vita. Copritevi gli occhi con una benda scura e lasciate solo una piccola fessura, non c'è altro modo.

Chi trova un riparo e un fuoco acceso vive, chi arriva tardi e dorme al freddo e al buio muore. Non è giusto che quelli che vi proteggono le spalle paghino con la vita. Ogni giorno il reparto di avanguardia si scambierà con le unità di retroguardia e così fino a un completo avvicendamento. In questo modo le probabilità di sopravvivere saranno uguali per tutti. Un'ultima cosa: ricordatevi che finché saremo uniti le possibilità di salvarci saranno maggiori, finché osserveremo le regole e il nostro codice di onore potremo vincere le difficoltà più dure. Chi salva la vita dei compagni salva la propria, chi cerca solo di salvare se stesso morirà e moriranno anche gli altri. E adesso in marcia!»

Spostò in retroguardia il reparto di testa ma rimase con loro. Per lui la regola non valeva.

Quanto tempo ancora sarebbe continuata la tortura? Sarebbe mai tornata la primavera? In che mese eravamo e in che giorno? Era passata una vita intera da quando ero partita dai miei cinque villaggi, e a volte rimpiangevo la polvere del deserto che soffocava e bruciava le fauci. In marcia non mi voltavo mai indietro perché non volevo vedere gli uomini cadere uno dopo l'altro, le bestie crollare sulle ginocchia e non rialzarsi, le file assottigliarsi.

Xeno non trovava più il tempo per scrivere ma ero sicura che non un evento, non un istante di un'avventura tanto tremenda sarebbe sfuggito alla sua memoria così come non sfuggiva alla mia. Non sapevo nemmeno dove fosse Melissa e dove fosse Lystra, la ragazza che ormai stava per partorire. Mancava poco.

Quella notte dovevamo raggiungere Sophos che era andato in ricognizione con un gruppo di leggeri e di Traci, i più resistenti, abituati com'erano al gelo che d'inverno attanagliava le loro terre. Al calare delle tenebre si erano acquartierati in alcuni villaggi e avevano fatto entrare quattro battaglioni: alcuni avevano trovato alloggio, altri erano rimasti all'aperto ma con grandi fuochi accesi. Gli ultimi, fra cui io stessa e Xeno con i suoi uomini, erano ancora così distanti che furono sorpresi dal buio in mezzo all'altopiano.

Una notte ventosa, serena, lunga e gelida. Milioni di stelle, anch'esse di ghiaccio, brillavano nel cielo nero, la via bianca che l'attraversava da un capo all'altro sembrava una scia di neve sollevata dal vento.

La zona era brulla e spoglia, non c'erano alberi né arbusti e non si vedeva un luogo riparato da nessuna parte. Xeno radunò gli uomini e gli animali, fece cercare nei basti e nelle some delle pale e cominciarono a liberare un'estensione sufficiente di terreno tutto attorno creando un argine che potesse frangere il vento tagliente. Accese qualche lanterna, distribuì il poco che c'era da mangiare e qualche sorso di vino. Fece radunare al centro prima gli animali e poi gli uomini ammassandoli l'uno accanto all'altro per non disperdere il calore. Gli ultimi, all'esterno di sentinella, vennero riparati con i mantelli.

Passammo così la notte, ma il mattino trovammo una

dozzina dei nostri stecchiti nella neve, rigidi, con gli occhi ridotti a perle di ghiaccio.

Ci rimettemmo in viaggio lungo una dorsale di basse colline e a un certo punto un gruppo che camminava sul crinale vide qualcosa: una zona scura in mezzo al bianco, un terreno libero dalla neve. Cominciarono a gridare: «Venite! Venite da questa parte!» e l'esercito si portò fino in cima. Di lassù si scorgeva la grande macchia scura da cui si alzava una colonna di vapore, dietro di noi si individuavano bande armate di indigeni che ci seguivano per uccidere e spogliare chi rimaneva indietro. Erano gruppi di una cinquantina di uomini ciascuno, coperti di pelli, armati di picche e di coltellacci. Nella zona libera dalla neve scoprimmo una sorgente di acqua calda al centro di una landa coperta di ghiaccio che riempiva una vasca naturale profonda un paio di cubiti. Anche il terreno attorno era caldo e gli uomini si buttarono a terra: terra asciutta!

Di là non volevano più muoversi. Xeno cercò di rimetterli in piedi: «Vi lascerò riposare ma dopo si riparte».

«Noi da qui non ci muoviamo più» disse uno.

«Ci puoi anche ammazzare, da qui non ce ne andiamo» aggiunse un altro.

«Siete pazzi. Che cosa pensate di fare qui? Non c'è niente, solo un po' di caldo. Se non morirete di freddo morirete di fame o sarete massacrati da quelli là. Che differenza fa?»

Li lasciò riposare sicuro che dopo si sarebbero sentiti meglio e avrebbero ripreso il cammino. Si sbagliava. Non pochi di loro avevano compiuto l'ultimo sforzo per raggiungere la fonte calda, si erano spogliati e stavano immersi nell'acqua, in un bagno meraviglioso che li consolava delle sofferenze patite, del disagio, del gelo. Xeno sapeva che cosa stavano pensando e lo sapevo anch'io. Meglio morire di estenuazione nella cavità della fonte miracolosa, come in un utero caldo, che affrontare ancora sofferenze, freddo, dolore senza tregua.

Xeno riuscì a rimetterne in piedi con le buone e con le cattive la maggior parte, ma in una trentina rimasero indietro perché non riuscivano nemmeno a camminare, né tantomeno a reggere il peso dell'armatura.

Si rassegnò: «Va bene» disse, «ma vi è stato detto che nessuno verrà lasciato indietro e intendo mantenere la parola. Andremo avanti fino al punto in cui troveremo un rifugio poi invierò dei compagni in grado di riportarvi con noi».

Non dimenticherò mai la vista di quei ragazzi nudi come bambini al bagno, nell'acqua trasparente, che ci guardavano partire con gli occhi pieni di una malinconia infinita. Xeno mormorò che gli sembravano i compagni di Odisseo fra i mangiatori di loto, ma non so cosa intendesse.

Penso che la nostra stanchezza dipendesse anche dall'aria. Non ero mai stata tanto in alto e nemmeno gli altri, ma mi rendevo conto che dovevo respirare molto più in fretta del solito e che ogni movimento mi costava una fatica maggiore.

Raggiungemmo finalmente l'avanguardia dell'esercito e Sophos ci venne incontro: «Venite dentro; qui c'è da mangiare e da bere, si dorme al caldo nelle case e c'è posto per tutti. La gente non è ostile».

Xeno si rallegrò: «Finalmente una buona notizia. Dammi dei cavalli o dei muli, del cibo, vestiti asciutti e un reparto fresco: ne ho bisogno subito».

Continuavo a pensare ai ragazzi nel loro bagno fumante. Il sole cominciava a declinare. La notte avanzava da settentrione come un velo scuro che copriva una parte del cielo. Avevano ancora un'ora di vita, forse due. Non di più.

Xeno ebbe i muli e i cavalli. Lasciò le consegne a Euriloco di Lusi e a Licio, poi si mise alla testa di un gruppo di leggeri e di assaltatori traci e tornò indietro.

I giovani stavano immersi nel loro bagno, giocavano, si spruzzavano l'acqua addosso ma fuori faceva a ogni istante più freddo. La luce s'indeboliva, il vapore si addensava sempre di più e ghiacciava attorno ad alcuni arbusti e a due alberi secchi che si ergevano come immagini disperate creando forme mirabili su cui i raggi del sole occiduo spargevano infinite sfumature di colore. La luna, ancora pallidissima, sorgeva dal profilo montuoso impassibile a osservare la scena. Le voci foravano il vapore, le immagini si confondevano, l'eco rimandava suoni indistinti.

Mancava poco alla notte.

Mancava poco alla morte.

La nera divinità scendeva dai picchi ghiacciati senza lasciar traccia nella neve immacolata, fendendo il vento con il tagliente profilo del suo nudo teschio. Guidava, invisibile, schiere di predoni che calavano dai pendii impugnando le armi della mattanza.

I giovani li vedevano arrivare ma non reagivano: a che scopo? La fine sarebbe stata rapida e tiepida: il tepore del sangue si sarebbe mescolato al tepore dell'acqua e poi buio e silenzio.

Xeno spuntò dalla sommità di un colle, impennò il cavallo che nitrì spirando vapore dalle narici come un drago, sguainò la spada e gridò:

«Alalalài!»

E subito, dietro di lui, spuntarono cinquecento guerrieri, incursori e assaltatori, ora sfamati e ben equipaggiati. Si disposero a ventaglio su tutto l'arco del pendio per precludere ogni via di scampo ai predoni. La loro corsa sollevava nubi di bianca polvere di neve. I guerrieri circonfusi d'iride si lanciavano contro i nemici, contro quelli che attaccavano la retroguardia, che assalivano i dispersi rimasti indietro soli e smarriti, quelli che si azzuffavano urlando nella notte per contendersi il bottino e le bestie da soma che non riuscivano più ad alzarsi.

I Traci e la fanteria d'assalto si abbatterono con grande foga contro gli avversari e li falciarono senza scampo, uno dopo l'altro, infilzandoli con i giavellotti, trafiggendoli con i pugnali, tagliandoli a pezzi con le lunghe spade affilate.

La bianca distesa si macchiò di nero e di rosso e su tutto scese il silenzio.

Xeno non prese parte al combattimento, non era necessario. L'osservò immobile in sella al suo Halys e solo quando fu terminato spinse l'animale con i talloni verso il centro della valle libero dalla neve. Scese a terra e si avvicinò alla sorgente calda da cui non proveniva ora alcun suono. Attraversò la nube di vapore e apparve ai suoi compagni che si erano fermati attoniti a osservare e ad ascoltare ciò che stava accadendo.

Xeno li guardò e li contò. Non mancava nessuno.

«Uscite di lì, vestitevi e indossate le armi. A quattro stadi da qui c'è tutto: alloggi, cibo e bevande e fuoco per scaldarvi. Siete salvi, uomini!»

I giovani lo guardarono come un'apparizione miracolosa, poi uscirono dall'acqua senza una parola, indossarono gli abiti asciutti, ripresero le armi e montarono sugli animali da soma che Xeno aveva condotto con sé.

La morte avrebbe aspettato.

Prima che facesse buio varcarono i cancelli del villaggio.

Nessuno aveva mai visto luoghi come quelli. C'erano almeno una decina di grandi villaggi fatti di case con i muri di pietra e il tetto di paglia, ma sotto ciascuna casa ce n'era un'altra scavata sottoterra. Nei sotterranei c'erano provviste di ogni sorta, e grandi orci di birra, leggera e spumeggiante, molto gradevole. C'erano anche galline e oche, asini e muli, grandi depositi pieni di fieno e le abitazioni degli uomini.

Era caldo là sotto, finalmente. Dopo tante sofferenze i nostri uomini potevano rifocillarsi e dormire senza allarmi e senza grida selvagge di predoni. Xeno riprese a scrivere, annotò con la massima precisione gli eventi degli ultimi giorni e visitò uno per uno i villaggi prendendo appunti. I comandanti delle grandi unità, Kleanor, Timàs, Agasìas e Xanthi si sistemarono nelle migliori abitazioni con le loro donne, io andai a trovare Melissa che si era salvata ed era di nuovo con Kleanor.

«Ora sei una vera donna, una persona che può affrontare qualunque prova nella vita. Hai avuto coraggio e passione...»

«Per forza» rispose ridendo, «mi hai obbligata.»

«Hai ragione, ma credevo fosse giusto. E lo credo ancora.»

«Mi hai chiamato puttana.»

«Mi dispiace. Ero fuori di me.»

«Non ho avuto la possibilità di scegliere il mio destino, ma ho dei sentimenti e li ho sempre avuti, sono una donna come te.»

«Adesso lo so.»

«Non offendermi mai più o ti caverò gli occhi.»

«D'accordo.»

«Quanto manca alla meta?»

«Temo che nessuno lo sappia.»

«Mi stai dicendo che non si sa dove stiamo andando? Xeno dovrebbe saperlo e tu sei la sua compagna.»

«L'esercito si orienta con il sole cercando di dirigere sempre a settentrione. Xeno prevede che dovremo attraversare ancora una grande catena montuosa prima di arrivare al mare.»

«E quanto ci vorrà?»

«Due decadi dovrebbero bastare. Nessuno dei nostri uomini ha mai attraversato questa regione. E inoltre...»

«Che cosa?»

«Ho dei dubbi, paure, sospetti...»

«Di che genere?»

«Forse sono solo sensazioni ma ci sono state molte, troppe coincidenze: l'inganno per i nostri comandanti, eserciti che appaiono come per magia a sbarrarci il passo, trappole che scattano improvvisamente, come al fiume vorticoso. La resistenza suicida dei Kardacha poi non aveva alcun senso... Ci sono nemici invisibili da cui è difficile difendersi. Penso che dovremo aspettarci di tutto.»

Melissa sospirò e chinò il capo avvilita.

«Non stare a sentirmi» continuai, «come ho detto, forse vedo ciò che non esiste.»

Melissa alzò il capo: «Se dovesse accadere qualcosa stammi vicina, aiutami ti prego. Sei l'unica persona di cui mi fido».

«Penso che Kleanor ti difenderà a ogni costo. Con lui sei al sicuro.»

«Stammi vicina ugualmente.»

La lasciai per raggiungere Lystra che avrebbe potuto partorire da un momento all'altro e chiesi a Xeno di farmi aiutare da uno dei chirurghi perché non avevo la minima idea di cosa fare.

«Le donne partoriscono da sole» rispose. «I chirurghi hanno altro di cui occuparsi.»

Me lo aspettavo.

Restammo per qualche tempo per riprendere le forze e più volte Sophos cenò con noi. Era un uomo di grande fascino, alto, atletico, sguardo ammiccante, aveva sempre la battuta pronta; sembrava che nulla lo preoccupasse. Aveva solo, di tanto in tanto, momenti quasi impercettibili di straniamento: lo sguardo si oscurava di pensieri improvvisi. Lui era un vero spartano, un discendente di quei trecento che ottant'anni prima avevano fermato il Gran Re alle strettoie delle Porte Ardenti come le chiamava Xeno.

Li sentivo discutere, valutare le possibilità, gli itinerari, le direzioni da prendere.

«Quando incontreremo un luogo noto ai Greci» disse una volta Xeno, «le nostre sofferenze saranno finite. Sapremo dove dirigerci e in poco tempo raggiungeremo un punto da cui tornare in patria. Siamo sempre andati a settentrione senza mai deviare se non per il minimo necessario. Almeno spero.»

Sophos sorrise: «Conoscevo un tale che era uscito ubriaco da una taverna per rientrare a casa. Camminò tutta la notte e alla mattina si ritrovò alla stessa taverna. O là si serviva il vino migliore del paese o aveva girato in cerchio senza accorgersene».

Xeno e gli altri ufficiali presenti risero di gusto. Ormai era fortissima la sensazione che la meta non dovesse essere lontana. Il cibo e la birra aiutavano l'ottimismo, e gli Armeni che abitavano i villaggi dove ci eravamo fermati sembravano gente tranquilla e disposta ad aiutarci. C'era motivo di pensare che il peggio fosse alle nostre spalle. Andai ancora a trovare Lystra prima di coricarmi: «Fallo ora questo figlio, ragazza, fallo qui dove c'è caldo e non ci manca nulla».

Lystra mi rispose con un sorriso stanco.

Ci rimettemmo in marcia una mattina grigia e senza vento. Sophos domandò al capo del villaggio di farci da guida e lui fu costretto ad accettare. Aveva sette figli maschi: gliene presero uno per essere sicuri che non ci avrebbe traditi e lo diedero in custodia a un tale di Atene. Ma forse lo avrebbe fatto comunque: aveva i Diecimila che mangiavano tre volte al giorno e doveva toglierseli di dosso in un modo o nell'altro.

Dopo alcuni giorni di marcia durissima nella neve alta fino all'inguine Sophos perse la pazienza perché non avevamo visto né una capanna né un villaggio e prese a insultare il capo che si difese con fermezza: «Non ci sono villaggi in questa regione. Non posso darvi quello che non c'è».

«Bastardo!» gridò Kleanor. «Ci stai portando fuori strada.»

«Non è vero!»

«Confessa che ci stai portando fuori strada!»

L'uomo reagì gridando ancora più forte. Kleanor allora prese un bastone e cominciò a picchiarlo. Il capo villaggio gridava, cercava di difendersi ma era inerme e i colpi calavano con potenza devastante. Xeno intervenne: «Lascialo, non vedi che non sa niente? Abbiamo in mano suo figlio. Se sapesse parlerebbe».

Kleanor non gli badò nemmeno e continuò a picchiarlo finché cadde a terra sputando sangue.

«Gli hai rotto le costole, sei contento adesso?» lo investì Xeno fuori di sé.

«Ho fatto quello che si doveva: questo bastardo ci prende per stupidi!»

Xeno chinò il capo e se ne andò. Lo sentii che borbottava fra sé: «Non c'è senso, non c'è senso...».

Nevicò per tutta la notte. Il mattino dopo l'uomo se n'era andato.

«Come se n'è andato?» esclamò Xeno appena glielo ebbero riferito. Si vestì in fretta e corse da Sophos: «Che significa che se n'è andato? Dov'erano le sentinelle? Perché nessuno lo ha visto?».

«Avranno pensato che ridotto com'era non potesse muoversi o che non avrebbe abbandonato il figlio.»

«Avranno pensato? Che significa avranno pensato? Dove sono i responsabili? Voglio interrogare gli uomini che erano di sentinella questa notte!»

Sophos gli rispose a muso duro: «Tu non interroghi nessuno, scrittore, tu non hai nessuna autorità, non hai grado militare in questo esercito».

Xeno gli volse le spalle furibondo: non era mai stato trattato così dal suo amico.

«Dove vai?»

«Dove mi pare!»

Sophos moderò il tono della voce: «Anch'io sono fuori di me, ma non posso punire uomini che hanno passato la notte sotto la neve e hanno alle spalle mesi di fatiche inumane. Ce la caveremo ugualmente».

«Se lo dici tu...» rispose asciutto Xeno e se ne andò.

Non li avevo mai visti litigare a quel modo e anche gli altri ufficiali ci rimasero male. Xanthi lo richiamò: «Aspetta, vieni qui. Dobbiamo parlare».

«Lascialo perdere» disse Timàs. «Non è aria. Parleremo più tardi.»

Xeno tornò alla retroguardia senza dire una parola. Era furibondo.

Ci rimettemmo in marcia e camminammo tutto il giorno e ancora il giorno successivo sotto la neve che cadeva sempre più fitta finché, verso sera, giungemmo alle rive di un fiume. A occidente la nuvolaglia si apriva lasciando qualche spiraglio in cui s'insinuavano gli ultimi raggi del tramonto spandendo un riflesso sanguigno sull'acqua e sulla neve.

Uno spettacolo irreale, un'atmosfera incantata che durò ancora per pochi istanti.

Il fiume era largo, correva pieno e veloce da sinistra verso destra e quindi, pensai, verso oriente. Non c'era modo di attraversarlo ma almeno non c'erano altri pericoli in vista.

Sophos riunì lo stato maggiore e convocò anche Xeno che non voleva andare, ma poi fu convinto da Agasìas e Kleanor giunti a portarlo via quasi di forza.

«Che cosa facciamo?» domandò Sophos scuro in volto.

«Un ponte» rispose Xanthi. «Ci sono degli alberi su quelle colline.»

«Un ponte?» replicò Timàs. «Si può fare. Piantiamo i pali due alla volta, li leghiamo fra di loro, prepariamo una passerella e procediamo con altri pali finché non siamo dall'altra parte.»

«Muoviamoci» disse Kleanor. «Secondo me se riusciamo a passare di là il più è fatto: dietro quella catena montuosa di fronte a noi dovremmo vedere il mare.»

«O un'altra catena montuosa» lo raffreddò Agasìas. «La montagna inganna, non te ne sei accorto?»

«Io dico che c'è il mare» ribadì Kleanor.

«Inutile discutere se c'è il mare o non c'è» commentò Agasìas.

Xeno taceva. Fissava la corrente e cercava di capire.

«Dovremmo scoprire che fiume è questo» disse. «E purtroppo la nostra guida se l'è svignata.»

«Vogliamo piantarla con questa storia della guida?» sbottò Sophos. «Ormai è andata, basta!»

«Cerchiamo di stare calmi» tentò di mettere pace Timàs.

Xeno riprese: «Questo è un fiume grande, importante, sicuramente ha un nome che forse anche noi conosciamo. Se riuscissimo a saperlo forse potrei calcolare con una certa precisione dove siamo e stabilire che direzione ci conviene prendere. Nelle nostre condizioni evitare lunghe deviazioni o impegnare tempo ed energie nella costruzione di un ponte può essere determinante».

Agasìas si prese la testa fra le mani come se vi cercasse un'idea: «Ci vorrebbe qualcuno di queste parti che però parlasse anche la nostra lingua. Non mi sembra che si veda nessuno in giro».

«Allora si fa il ponte» concluse a suo modo Xanthi.

«Un momento» lo interruppe Sophos. «Guardate laggiù.»

Proprio in quell'istante passava un uomo lungo la riva del fiume con un cane e una gerla di legna sulle spalle.

«Corriamo prima che scappi!» gridò Agasìas e gettati a terra lancia e scudo si mise a correre di gran carriera in direzione dell'uomo apparso come d'incanto. Gli altri gli andarono dietro e Xeno riuscì a superare Agasìas correndo dove la neve era meno alta.

L'uomo con la gerla si fermò a guardare più incuriosito che spaventato il gruppo di stranieri che si precipitavano verso di lui saltando come pazzi in mezzo ai mucchi di neve. Il cane si mise ad abbaiare allarmato ma non si mosse.

Xeno arrivò per primo, ansimando: «Che cos'è questo fiume?» chiese d'un fiato.

Il cane abbaiò ancora. L'uomo scosse il capo. Non capiva.

«Il nome di questo fiume!» gridò Timàs appena sopraggiunto.

Agasìas cominciò a gesticolare per rappresentare la corrente che passava fra le rive: «Il fiume, capisci? Come si chiama questo dannato fiume?».

«Non capisce, non vedi che non capisce?» disse Xanthi.

L'uomo si riscosse, sembrò comprendere ciò che gli chiedevano. Disse: «*Keden? Keden gotchetsyal... Pase! Pase!*».

«Pase...» ripeté Xeno. «Pase... È questo il nome. Pase... ma, sì, certo! Certo! È il Fasi! Questo fiume è il Fasi! So dove siamo! Da ora non ci perderemo più. Nessun ponte, dobbiamo solo seguirlo e ci guiderà al mare e a una bellissima città. Ce l'abbiamo fatta, ragazzi, ce l'abbiamo fatta!»

Tutti si misero a gridare di entusiasmo, a tirarsi manciate di neve come bambini.

Solo io non riuscivo a capire.

Non capivo perché l'acqua andava verso oriente, verso il cuore dell'Impero persiano, dalla parte opposta al mare.

# 23

Quella notte, nella tenda, abbracciati l'una all'altro sotto una pelle di ariete ascoltammo il rumore del fiume che correva veloce verso il suo destino. E tanti pensieri e interrogativi si affollarono nella mia mente.

«Come puoi essere così certo che quello che scorre laggiù sia il Fasi? E perché il Fasi dovrebbe condurci in salvo?»

Come altre volte, Xeno mi strinse a sé e mi raccontò una storia meravigliosa:

«Solo il Fasi può essere così grande e possente in questa regione. Ho guardato le stelle e non ho dubbi. Inoltre il nome con cui quell'uomo lo ha chiamato, *Pase*, è certamente quello vero da cui il nostro deriva. Oltre a ciò anche Cheirisophos è sicuro di questo e mi ha appoggiato nell'intenzione di seguire la corrente.»

Risposi: «Ma l'acqua va in direzione contraria a quella in cui dovrebbe muoversi la nostra marcia. Se la seguiremo finiremo in una terra ancora più lontana e sconosciuta di quella che stiamo attraversando».

«L'acqua scorre verso il basso e verso il mare e quindi, anche se per ora il fiume si muove verso oriente anziché verso occidente, è solo per la pendenza del terreno. Ma poi cambierà e scenderà verso il mare e la foce presso cui sorge una città in un luogo visitato da uno dei nostri eroi tanti secoli fa.»

«E chi era questo eroe? E perché si spinse fino a questa terra remota?»

«Si chiamava Iason ed era un principe. Era stato condotto via dalla reggia molto piccolo la notte in cui suo padre Eson era stato ucciso dal fratellastro Pelias che aveva preso il potere al suo posto. Fu allevato di nascosto da un essere meraviglioso, di saggezza infinita, e quando fu adulto lasciò le grotte sui monti dove era cresciuto e tornò alla reggia. Attraversando un fiume perdette un sandalo e così si presentò al palazzo reale spaventando a morte lo zio a cui un oracolo aveva predetto che sarebbe stato spodestato da un uomo con un sandalo solo.

Pelias allora lo mandò a compiere un'impresa ritenuta impossibile e in cui avrebbe perso sicuramente la vita: portare a casa il vello, tutto d'oro, di un ariete magico e gigantesco, che era considerato il più potente talismano sulla terra. Questo prezioso oggetto si trovava nella Colchide, l'estrema regione orientale del mondo, ed era vigilato da un enorme drago che spirava fiamme dalle narici.

Iason accettò la sfida, radunò i più forti eroi di Grecia, costruì la prima nave della storia dell'uomo scavandola in un solo pino gigantesco del monte Pelio e partì. Giunto nella Colchide si presentò al re chiedendo aiuto, ma fu la principessa, la bellissima Medea, a innamorarsi di lui e a confidargli i segreti che gli avrebbero consentito di vincere il drago e di tornare a casa.

Iason riportò in patria il vello d'oro, divenne re della sua città e sposò Medea.»

«E come andò a finire? Furono felici?»

«No. La loro unione divenne un incubo e si concluse nel sangue.»

«Chissà perché le vostre storie finiscono sempre male.»

«Perché sono simili alla realtà. Nella realtà ben poche vicende finiscono bene.»

Mi sentii gelare dalle sue parole: la nostra storia sarebbe terminata come quella di Iason e di Medea? Xeno riprese a raccontare:

«Secoli dopo però altri gruppi greci raggiunsero la terra di Medea e alla foce di questo fiume fondarono una città dallo stesso nome: Fasi. So esattamente dove si trova, lungo la costa del mare chiamato Eusino in una terra ricca e fertile. Se seguiremo il fiume ci porterà fin là e le nostre sofferenze saranno terminate.»

«E quando saremo arrivati nella città di Fasi che cosa faremo?»

Xeno sospirò: «Non sappiamo nemmeno se saremo vivi domani e tu mi chiedi che cosa faremo allora? Cerchiamo di sopravvivere, Abira, al resto penseremo quando sarà il momento».

Improvvisamente la visione prima serena del nostro immediato futuro si rabbuiò come il cielo che avevamo sulla testa. Il silenzio mi opprimeva e cercai di riprendere la conversazione:

«Che cosa pensa Sophos della tua idea?»

«È d'accordo con me. È disposto ad appoggiarmi in ogni modo.»

«E gli altri?»

«Vuoi sapere troppo.»

«E gli altri?» ripetei.

Xeno esitò, poi cedette: «Sono contrari. Non uno dei comandanti delle grandi unità è convinto di questa scelta. C'è stata una forte discussione, quasi una lite. È saltato fuori anche Glus che non vedevo da tanto tempo e anche lui era contrario. Ma ho tenuto duro e ho avuto l'appoggio di Cheirisophos. Si va dove diciamo noi. Non esiste fiume che non vada al mare. E questo va nel nostro mare».

«Che gli dèi ti ascoltino» risposi e non dissi altro. In cuor mio non ero convinta.

Il mattino dopo ci mettemmo in cammino ma non c'era entusiasmo, né determinazione. Xanthi, Timàs, Agasìas, Kleanor dovevano aver parlato con i loro ufficiali subalterni e questi dovevano aver informato i soldati. Si andava a oriente e da quella parte c'era l'Impero persiano, nessuno lo ignorava. Ma forse non ne eravamo mai usciti, eravamo ancora all'interno del territorio del Gran Re. Forse tutta la terra, a eccezione di quella dei Greci, apparteneva al Gran Re.

Una sera giungemmo ai piedi di un valico gremito di guerrieri che sbarravano il passaggio. Si stava verificando quello che avevamo affrontato tante, tante volte. In quella terra montuosa ogni valle era un territorio chiuso, una piccola patria da difendere con le unghie e con i denti e per noi da espugnare a ogni costo. Quante valli c'erano ancora fra noi e il mare? Quanti valichi da prendere d'assalto? Quanti villaggi da saccheggiare? Spingevo lo sguardo attraverso la distesa infinita di monti, di picchi nevosi, di cime scintillanti, di cascate e di torrenti vorticosi e non riuscivo a immaginarne la fine. Nemmeno Xeno, nemmeno lui che sapeva tutto, poteva dire quante montagne impervie, quanti dirupi scoscesi avremmo dovuto scalare prima di veder brillare le acque del mare. Quel mare che io non avevo mai visto e, ne ero ormai quasi certa, non avrei visto mai.

Il fiume... a volte lo avevamo vicino, a volte ce ne allontanavamo, ma non lo perdevamo di vista. Era la nostra guida, il nostro sentiero liquido e ondoso che un giorno ci avrebbe condotto attraverso prati fioriti, paesaggi incantati, accarezzati dal vento di primavera. E Lystra vi avrebbe condotto il suo bambino a muovere i primi passi.

Sentii un grido, un ordine secco e poi l'urlo di migliaia di uomini e il fragore assordante delle armi dei guerrieri che si lanciavano all'attacco. I comandanti sembravano dirigere un gioco, spostavano reparti da una zona all'altra, lanciavano finti attacchi e si ritiravano per poi ammassare il grosso delle forze altrove e vibrare il colpo di maglio irresistibile. Era una battuta di caccia dal risultato scontato. Vedevo Xanthi colpire con potenza devastante, Timàs avanzare correndo in salita, incitando i suoi uomini, Kleanor caricare a testa bassa dietro lo scudo e travolgere ogni ostacolo, Xeno passare al galoppo con la lancia nel pugno e gli altri, gli eroi di quell'armata perduta: Aristonimo di Metidrio, Agasìas, Licio di Siracusa, Euriloco, Callimaco... Li riconoscevo dal timbro della voce, dal modo di gesticolare, di correre all'assalto, di chiamare a gran voce i compagni. Erano leoni in libertà in mezzo a una mandria: nessuno poteva resister loro.

Prima che scendesse la notte i difensori del valico montano giacevano sparsi per il pendio, ognuno dove era stato raggiunto dal colpo fatale. I nostri si accamparono a guardia del passo.

Le donne e gli animali da soma arrivarono dopo, quando solo il riflesso della luna sulla neve permetteva di non perdere il sentiero. Dall'altra parte del valico macchie scure risaltavano nel candore diffuso: villaggi fortificati arroccati ognuno su uno spuntone roccioso. Le provviste prese nei villaggi armeni erano quasi finite: l'esercito aveva fame.

L'indomani all'alba Sophos ordinò di distribuire quello che era rimasto da mangiare, quindi fece squillare le trombe per l'assalto.

L'esercito circondava i villaggi uno per uno, gli incursori mettevano alla prova le resistenze con attacchi e ritirate costringendo i difensori a lanciare frecce, dardi e pietre, armi primitive e poco efficaci, poi veniva avanti la fanteria pesante. Vidi Kleonimos, Agasìas ed Euriloco di Lusi coperti dalle loro armature correre su per la rampa che conduceva all'ingresso come in una folle gara di atleti, superandosi l'un l'altro, spintonandosi con grida e risate, sfondare le porte di graticci con il semplice urto degli scudi e trascinarsi dietro i compagni scatenati.

Allora conobbi a che punto potevano arrivare l'amore per la libertà, l'attaccamento alla propria terra, il terrore di un nemico sconosciuto.

Vidi le donne del villaggio gettare i loro piccoli dal muro di cinta sulle rocce sottostanti, gettarsi dietro di loro e sfracellarsi sulle pietre aguzze. E vidi anche gli uomini, dopo essersi battuti fino allo stremo, esaurita ogni forza, spuntate e spezzate le armi, seguire la stessa sorte dei figli e delle spose.

Carico di bottino e di provviste l'esercito andò oltre, sempre seguendo il fiume, sempre di più verso oriente.

Avanzammo per giorni senza mai fermarci, passando vicini all'altra montagna che avevo visto tanto tempo prima, all'alba, risplendere all'orizzonte come una pietra preziosa. Era immensa, perforava le nubi con la cima e i fianchi, percorsi da neri corrugamenti, si elevavano maestosi sul vasto altopiano attraversato dal fiume.

Poi cominciò a nevicare, a larghe falde, sui campi sterminati e silenziosi per un giorno e una notte senza interruzione. O forse per due, o per tre: quei giorni terribili si confondono e si sovrappongono nella mia memoria. Ricordo solo che perdemmo uno dei nostri servitori, disperso nella tormenta.

Il mattino dopo Lystra ebbe le doglie. Sperai che tutto si concludesse mentre i soldati si sfamavano, smontavano il campo e si apprestavano a mettersi in marcia. Avevo fatto preparare dal nostro servitore superstite un graticcio con due stanghe da attaccare a uno dei muli: una specie di traino su cui adagiare la ragazza e il bambino quando fosse nato, ma le cose non andarono come mi ero augurata. Le doglie si prolungavano con forti contrazioni e grida di spasimo ma il bambino non veniva alla luce. Xeno arrivò già armato e tenendo per le briglie il suo cavallo: «Che cosa vuoi fare? Dobbiamo muoverci, l'esercito non può aspettare».

«Non l'abbandono in queste condizioni, verrebbe sbranata dai lupi. Sta partorendo, non vedi?»

«La faccio caricare sul graticcio e andiamo.»

«No, il bambino sta per nascere, deve restare ferma e sdraiata. È questione di poco. Tu vai, lasciami il servo e il mulo con il traino, vi raggiungeremo. Non sarà certo difficile seguire le impronte del vostro passaggio.»

Xeno, pur a malincuore, acconsentì, sapendo quanto ero forte e quanta esperienza avevo ormai acquisito nell'agire in condizioni di estremo disagio: «Non commettere imprudenze, stai attenta!» disse mentre mi salutava con un gesto della mano. Spinse il cavallo lungo la colonna in marcia per mettersi alla testa dei suoi esploratori.

Continuava a nevicare, e i rumori dell'esercito in marcia si attenuavano sempre più. Il servitore era turbato e inquieto. «Andiamo» diceva a ogni momento. «Non possiamo aspettare oltre. Se perdiamo il contatto siamo perduti.»

«Ancora un poco, ancora un poco e nascerà» rispondevo con sempre meno convinzione. Stanca e stremata Lystra non riusciva a spingere. Cercavo io di aiutarla, facevo pressione sul suo ventre, gridavo: «Spingi! Fai nascere questo figlio, piccola sgualdrina, fai nascere questo figlio di mille padri!», e a ogni istante che passava mi sentivo impotente e in preda all'angoscia. Il pensiero di non vincere la lotta contro il tempo mi dava un senso di soffocamento.

Gridavo, imploravo piangendo e singhiozzando: «Spingi, caccialo fuori il bastardo, dai, accidenti a te, spingi!». E ancora mi mettevo a gridare: «Xeno, Xenoooo!» come se riuscisse a sentirmi o potesse aiutarmi.

Lystra era pallida, gelata e coperta di sudore, le occhiaie scure e profonde. Il suo respiro era un sibilo doloroso.

Mi fissò con un'espressione piena di malinconia e di sgomento: «Non riesco» disse con un filo di voce, «perdonami, non ce la faccio».

«Sì che ce la fai, spingi, maledizione, guarda, vedo i capelli, fallo nascere, manca poco, fallo uscire, fallo uscire!»

Lystra mi guardò ancora per un istante con le lacrime che le rigavano le guance smunte, poi rovesciò il capo all'indietro e restò immobile con gli occhi aperti a fissare la neve che scendeva dal cielo bianco e impassibile.

L'afferrai per le spalle e presi a scuoterla: «Non morire, non morire, svegliati, fatti forza, ora andiamo, ti porto via, ti porto via!». Non sapevo che cosa stessi dicendo, proferivo parole senza senso scuotendo quel corpo inerte che lasciava penzolare le braccia come una bambola disarticolata. Mi accasciai su di lei come per infonderle un poco del mio calore e rimasi immobile a piangere, non so per quanto tempo.

Quando mi riscossi, mi guardai intorno per chiedere aiuto e mi accorsi con terrore di essere sola. Quanto tempo era passato? Dov'era il servitore? Da che parte era andato l'esercito? La neve scendeva fitta e copiosa, il silenzio che mi circondava inghiottiva qualsiasi rumore, anche quello del mio respiro di cui vedevo solo le piccole nubi di vapore.

Cercai di alzarmi in piedi ma non ci riuscivo, la neve copriva tutto con uno sfarfallio confuso, con una foschia densa e quasi impenetrabile. Mi sembrò a un certo momento di scorgere delle ombre scure che venivano verso di me.

Mi misi a gridare con quanta voce avevo in corpo, finché le grida mi morirono in gola. Cercai di muovermi, di trovare le tracce del passaggio dell'esercito ma tutto era uguale in ogni direzione, ero sola accanto a un cadavere irrigidito e ormai ricoperto completamente dalla neve.

Sarei morta anch'io.

Fra poco.

Avrei seguito Lystra e il suo bambino.

Non avrei più visto Xeno.

Né il villaggio polveroso di Beth Qadà. Il pozzo... le amiche... mia madre. Nulla...

Sprofondai in un sonno greve, torpido... e dolce. E ricordo che feci un sogno. Mentre affondavo nell'oblio sognai di vedere una sagoma incerta che avanzava verso di me. La sagoma prese i contorni di una figura fantastica. Un cavaliere bianco su un cavallo bianco, il volto nascosto da un lembo del mantello che gli scendeva sulle spalle.

Lo vidi balzare a terra, leggero anche lui come un fiocco di neve e avanzare verso di me.

"Chi sei?" chiesi mentre lo vedevo chinarsi per sollevarmi da terra. Poi l'immagine si dissolse anch'essa nel turbinio della neve, svanì nel torpore da cui nemmeno i sogni e le visioni riescono a emergere.

Pensai... la morte.

Xeno.

Il volto che mi appariva nella luce debole della sera era il suo.

«Dove siamo?» riuscii a mormorare.

«Al campo. Sei al sicuro.»

Mi venne subito alla mente il pensiero di Lystra e mi sgorgarono le lacrime dagli occhi.

«Lystra è morta.»

«L'ho immaginato. Mi dispiace.»

«Come hai fatto a trovarmi?»

«Ti hanno trovata le sentinelle qui fuori sotto un abete, quasi assiderata.»

«Non è possibile.»

«Nemmeno io riesco a spiegarmelo.»

«Credo di aver visto...»

«Che cosa?»

«Un uomo coperto di neve, tutto bianco.»

«Forse era il mio servo. Non è rientrato ancora. Potrebbe averti trovata lui e riportata.»

«E dove sarebbe adesso?»

«Qui intorno, forse. Ma è inutile cercarlo ora. Fra poco sarà completamente buio. È troppo pericoloso.»

Dormii tutta la notte. Il mattino dopo un gruppo di esploratori trovò i resti del mulo e del nostro servo. I lupi avevano lasciato solo le ossa. Xeno comprò un altro servitore dai mercanti che ancora ci seguivano e proseguimmo.

Continuammo ad avanzare verso oriente per molti giorni, sempre seguendo il fiume, e ogni sera alle riunioni dello stato maggiore i comandanti delle grandi unità e dei battaglioni insistevano che proseguire in quella direzione era una follia, che avevamo già percorso una grande distanza e nulla faceva pensare che il fiume ci avrebbe portati al mare. Uno di loro dal nome interminabile, e che io chiamerò Neto, avanzò una ipotesi inquietante: «C'è la possibilità che questo fiume sbocchi nel fiume Oceano che circonda la terra e non nel mare Eusino come voi sperate».

«Ma che dici?» ribatté Xeno.

«Dimostrami che non può essere» ribadì Neto.

«Stiamo subendo le perdite più gravi da quando siamo partiti» disse Xanthi, «abbiamo perso più uomini per il freddo e la neve che in tutte le battaglie contro il Gran Re, i Kardacha e le altre tribù di questo selvaggio paese.»

«E la responsabilità è tua, Xenophon!» esclamò Neto.

«No» lo interruppe Sophos, «la responsabilità è mia. Ho io il comando supremo. E sono convinto che Xenophon abbia ragione. Dobbiamo seguire il fiume e presto ci condurrà al mare. Abbiamo fatto sforzi enormi per arrivare fin qui, non possiamo vanificarli tornando indietro.»

Xeno intervenne: «Nessuno che io conosca è mai arrivato fino al fiume Oceano se non uno degli ammiragli del Gran Re, un greco di Carianda, e a quanto ne so è lontanissimo, a migliaia di stadi di distanza. Ricordate quello che diceva Ciro? "L'impero di mio padre è tanto grande che si estende a settentrione fin dove gli uomini non possono vivere per il freddo e a meridione fin dove non possono vivere per il caldo"».

«Ma non ha parlato di oriente!» insistette Neto.

«Le cose non cambiano: l'estremo occidente e l'estremo oriente sono alla stessa distanza dal santuario di Delfi e non è possibile che questo fiume si getti nell'Oceano, sarebbe più lungo del Nilo.»

«Lo so io perché vuoi seguire questo fiume» disse Neto. «Tu pensi che sia il Fasi e vuoi fondare una colonia alle foci del fiume!»

Molti dei presenti si volsero verso Xeno gridando e imprecando. Xeno sguainò la spada e si gettò contro Neto. Lo avrebbe scannato se qualcuno non lo avesse fermato: «È un'infamia» gridò. «Una falsità che è stata messa in giro ad arte per screditarmi. È invidia per quello che ho fatto fino a ora per l'esercito.»

«È una voce che corre per il campo, lo ammetto» rispose Neto dopo che tornò la calma, «ma è verosimile. Sei un uomo senza terra e senza patria. Se tu tornassi ad Atene ti farebbero la pelle perché hai combattuto contro i democratici al tempo della battaglia del Pireo.»

Sapeva tutto, Neto, o almeno conosceva il passato di Xeno e la sua condizione di esule.

«Se tu riuscissi a fondare una colonia con questi uomini acquisteresti gloria eterna, ti verrebbe eretta una statua nella piazza della nuova città con un'iscrizione dedicatoria al fondatore. È questo che sogni, vero? Tanto questi uomini non sanno dove andare. Non sarebbe forse una buona soluzione?»

Si riaccese una furibonda discussione. Xeno riuscì a riprendere la parola: «Mettiamo pure che tu abbia ragione: e allora? Se anche avessi questa idea che male ci sarebbe? In ogni caso deciderebbe l'assemblea dell'esercito. Io non ho alcun potere di prendere una risoluzione così importante. Nemmeno il comandante Cheirisophos potrebbe imporre una cosa simile. Ma se tu pensi che io sia così accecato dall'ambizione da mettere a repentaglio la vita dei miei compagni che stimo e ai quali mi sono affezionato, da rischiare di mandarli tutti a morte perdendoli in una landa ghiacciata senza fine, allora sei un cane bastardo, un vigliacco che si nasconde dietro le calunnie. Io sto cercando di portarli in salvo per la via più sicura, non di farli morire di stenti uno dopo l'altro».

«Se la metti così...» gridò Neto mettendo mano alla spada.

«Adesso basta!» esclamò Sophos. «Si va avanti. Xeno ha ragione: il fiume non può essere che il Fasi e quindi sarà solo questione di giorni e poi comincerà a scendere verso il mare. Lo seguiremo e saremo salvi. Sostenete il morale dei vostri uomini, date loro l'esempio. Abbiamo superato mille ostacoli e supereremo anche questo.»

La riunione si sciolse fra mugugni e recriminazioni, ma la marcia riprese e andammo avanti ancora, per giorni e giorni. La resistenza dei nostri guerrieri era incredibile: oltre al freddo, alle bufere, più volte dovettero affrontare agguerrite tribù indigene che tendevano imboscate, attaccavano di notte, si nascondevano nella neve alta e sbucavano d'improvviso con grida agghiaccianti.

Sophos adottò una buona tattica per ottenere ciò che voleva: evitare di convocare lo stato maggiore. Mandare solo ordini. Funzionò per parecchio tempo, poi il malcontento cominciò di nuovo a montare.

Xeno non scriveva più, se non brevissime annotazioni. Più volte sotto la tenda di notte lo vidi aprire la cassetta con il rotolo bianco, intingere la penna nell'inchiostro, vergare qualche parola e poi interrompersi. Non osai chiedergli il perché: ne immaginavo la causa. Avrebbe dovuto giustificare a se stesso una scelta che stava causando perdite gravissime, ma ciò che più mi stupiva era l'appoggio incondizionato di Sophos. Non poteva trattarsi semplicemente di accordo sulle scelte da fare; in certi momenti la scelta era così palesemente sbagliata che avrebbe dovuto sollevare almeno un dubbio. Io dubbi ne avevo, sempre angosciosi.

Come avrei voluto saper leggere i segni che Xeno aveva tracciato sul rotolo le poche volte che lo faceva, capire che cosa affidava alla memoria e che cosa condannava all'oblio! Era preoccupato, scuro in volto, taciturno. Parlargli era ogni giorno più difficile.

Una sera affrontammo di nuovo una situazione durissima: davanti a noi il valico era chiuso da fitte linee di guerrieri, coperti di pelli e con grandi archi simili a quelli dei Kardacha, che ci bersagliavano con lanci continui che la fanteria pesante riusciva a bloccare disponendosi in ordine chiuso con gli scudi sovrapposti gli uni agli altri. Alle spalle venne scatenato un nuovo attacco e Xeno dovette volgere il fronte dei suoi uomini a rintuzzare gli assalti che venivano da quella parte. Ancora una volta eravamo circondati. Vidi i comandanti delle grandi unità riunirsi con i guerrieri più possenti dell'armata: Euriloco di Lusi, Aristonimo dalle lunghe gambe snelle, Aristea dai capelli rosso fiamma, e poco dopo convocare i trombettieri e i suonatori di flauto. Questo significava soltanto una cosa: attaccare a testa bassa e non fermarsi fino a che il fronte nemico non fosse stato scardinato e fatto a pezzi.

Il gruppo scelto si dispose al centro di un cuneo di fanteria pesante e quando i flauti cominciarono a suonare all'unisono il ritmo di marcia, quando i tamburi tuonarono facendo tremare il cuore di ognuno, il cuneo si mise in marcia, dagli scudi serrati a embrice sporgevano solo le massicce lance di frassino, i logori mantelli rossi spiccavano ancora drammaticamente sulla distesa nevosa. Le frecce si conficcavano nei grandi scudi appesantendoli, ma l'avanzata proseguiva inesorabile risalendo il pendio. Quando ormai mancava poco al contatto fra i due schieramenti esplose il clangore delle trombe, così forte come mai lo avevo udito prima, si sovrappose ai flauti e ai tamburi, incendiò l'intera vallata. A quel punto il cuneo si aprì, un altro battaglione fino a quel momento fermo di rincalzo si gettò nel varco, guidato dai cinque comandanti e dai dieci guerrieri più valorosi dell'esercito. La colonna così formata arrivò sul nemico con tale violenza da travolgere una dopo l'altra le linee dei combattenti spezzando lo schieramento, poi si divise in due ripiegando alle spalle dei tronconi rimasti separati, seguita a distanza ravvicinata dal resto dell'esercito. In meno di un'ora nessuno degli indigeni era rimasto vivo, ma ognuno di loro si batté con tale selvaggio accanimento che molti dei nostri rimasero feriti o mutilati e non pochi uccisi.

Terminata la carneficina tutto l'esercito si volse indietro e si riunì alla retroguardia di Xeno che stava ormai per ripiegare e rinfocolò l'ardore del combattimento. Il grido di guerra risuonava continuo, a ondate di centinaia, migliaia di voci e, quando finalmente le urla, gli squilli e il penetrante suono dei flauti si spensero, gli esploratori a cavallo si portarono sul crinale ora sgombro a stendere lo sguardo sul lembo di terra che si apriva inerme davanti a loro.

Non si udirono grida di esultanza come tutti si aspettavano. Doveva esserci qualcosa dall'altra parte di così terribile da spegnere l'entusiasmo. Xeno spinse Halys su per il pendio e quando fu arrivato in cima scese a terra e guardò sgomento davanti a sé: il fiume che ci aveva fatto da guida fino a quel punto era scomparso!

# 24

L'esercito intero fu preso dallo sgomento: aveva sopportato le prove più dure, le sofferenze più disumane. Aveva sofferto la perdita di tanti compagni, che si erano trascinati penosamente attraverso territori sempre più aspri e desolati nella speranza che ci fosse una strada sicura in fondo alla quale li aspettasse la fine di ogni dolore, la salvezza, l'abbraccio del mare. E ora tutto questo svaniva in un solo istante proprio quando avrebbero dovuto festeggiare un'altra vittoria.

Neto si avvicinò con un sorriso beffardo sul volto: «Il tuo fiume è sparito. E adesso che cosa facciamo?».

Xeno non rispose e restò in silenzio a guardare la bianca distesa intatta.

«Allora?» insistette Neto.

«Allora niente. Il fiume non è sparito. Questa valle è esposta al vento del settentrione ed è molto fredda. Il fiume è ghiacciato e la neve lo ha coperto. Con la luce del giorno riusciremo a localizzarlo.»

«Ah sì? E dopo? Aspettiamo che torni la primavera e il disgelo? È una possibilità, certo, ma quando il tuo fiume riprenderà a scorrere noi non ci saremo più perché non si vede un villaggio, né un riparo di alcun genere, né un posto dove rifornirci di cibo.»

Sophos mise fine alla disputa: «Ci accampiamo qui e domani con la luce si prenderà una decisione. Quelli che ci hanno attaccato non sono piovuti dal cielo: ci saranno i loro villaggi da qualche parte nelle vicinanze. Intanto cercate della legna nel bosco e accendete dei fuochi: il cielo è sereno e sarà molto freddo questa notte».

E così i guerrieri che avevano combattuto e vinto, stanchi e affamati deposero lancia e scudo, afferrarono le scuri e cominciarono a raccogliere legna.

Anche Xeno, che aveva combattuto per ore e perdeva sangue da un paio di ferite superficiali, dopo avermi chiesto di bendarlo si unì agli altri per tagliare le piante del bosco.

Il nostro servitore liberò uno spiazzo sufficientemente grande e piantò la tenda rincalzandola alla base con della neve. Io distesi le pelli, le coperte e i mantelli e accesi la lucerna. Xeno avrebbe trovato al suo ritorno l'illusione di una casa ad accoglierlo e un minimo di tepore. Nonostante la fatica e la stanchezza il campo sorgeva, tenda dopo tenda, a volte con semplici ripari di fortuna: pelli legate attorno a tre lance incrociate.

Cominciarono ad arrivare fasci di legna e si accesero i primi fuochi, segno di una vita che continuava ad ardere e non voleva arrendersi. Raccolsi in un vaso di coccio delle braci e le portai dentro la tenda per riscaldarla e, mentre cercavo un po' di orzo da tostare e pestare nel mortaio per la cena, l'occhio mi cadde sulla cassetta del rotolo. Avrei dato qualunque cosa per conoscere quello che Xeno vi aveva scritto in un mese e mezzo di marcia lungo il fiume... Melissa! Forse lei comprendeva i segni dei Greci e sapeva trasformarli in parole.

Uscii e la cercai per l'accampamento finché non la vidi nel campo degli Arcadi.

«Ho bisogno di te» dissi.

«Che cosa vuoi?»

«Vieni con me, te lo dirò mentre andiamo.»

Quando fummo all'ingresso della nostra tenda mi fermai: «Tu comprendi i segni scritti?».

«Vuoi sapere se so leggere? Sì, certo: una donna del mio livello deve saper leggere, scrivere, cantare e danzare.»

«Vieni, entra. Leggi quello che c'è scritto qui.» E aprii il rotolo della cassetta.
«Sei pazza? Se arriva Xeno spacca la testa a tutte e due.»
«No, sta ancora tagliando legna e dopo andrà da Sophos a discutere il da farsi per domani. Lo fa quasi ogni sera. Ma non preoccuparti: io starò all'ingresso e ti ascolterò mentre dici quello che vedi nel rotolo. Se dovesse arrivare ti avvertirò e farai in tempo a riporlo. Se chiederà perché sei qui dirò che ti ho invitata io a scaldarti al braciere.»
Di malavoglia Melissa aprì il rotolo e lesse quello che era stato scritto da quando eravamo arrivati sulle sponde del fiume maledetto.
Quasi niente!
Poche frasi, le distanze, le tappe e nemmeno tutte. Non c'erano le marce estenuanti, i caduti, i feriti, i tanti compagni perduti: una lunga scia di morti lungo un sentiero che non portava da nessuna parte! Non c'era una parola sulla grande montagna in forma di piramide e nemmeno sulla decisione di seguire il fiume. Non un cenno, non una frase.
«Sei certa che non ci sia altro?» chiesi incredula.
«Non c'è altro, te lo posso assicurare.»
«Non mi ingannare, ti prego.»
«Perché dovrei? Ti giuro che quello che hai udito è ciò che sta scritto qui.»
Riposi il rotolo e chiusi la cassetta.
«Vieni» dissi, «ti riaccompagno al tuo alloggio.»
La presi sotto braccio e tornai con lei al campo degli Arcadi.
«Perché sei così sconvolta?» mi domandò.
«Ma come? Non c'è una sola parola sulla decisione di seguire il fiume e sulle terribili conseguenze di quella risoluzione.»
«Ha solo voluto annotare l'essenziale: in queste condizioni non può certo trovare il tempo di scrivere. Lo farà più avanti quando saremo tornati e avrà il tempo di ricordare e di riflettere su quello che è accaduto.»

«Vuoi dire che per te tutto questo è normale?»
«Non ci vedo nulla di strano.»
«Io sì, invece. E posso dirti che in condizioni non meno difficili l'ho visto scrivere per ore fino a notte inoltrata. Lui non scrive perché non vuole.»
«Non capisco che cosa intendi dire.»
«Ascolta, ti devo chiedere ancora di aiutarmi.»
«Ma come, non ti basta quello che abbiamo fatto questa sera?»
«No. Ho un sospetto terribile e non riesco a liberarmene. Devo assolutamente capire che cosa sta succedendo e c'è un modo soltanto.»
«E quale?»
«Entrare nella tenda di Sophos quando lui non c'è.»
«Scordatelo. Ti voglio bene, ma mi preoccupo anche di me e non ho la minima intenzione di essere sbattuta assieme alle puttane a disposizione di quel vecchio ruffiano bavoso che le affitta.»
«Il rischio qui è ben più grande, non solo per me e per te, ma per tutti. Un rischio... mortale.»
«Bella novità. Che cos'altro possiamo aspettarci in questa situazione?»
«Ora non ho tempo di spiegarti, ma capirai e saprai quando sarà il momento. Non corri alcun rischio. Devi convincere Kleanor a invitare nella sua tenda Sophos e Xeno e magari un altro ufficiale di cui si fida. Digli che solo lui gode della massima considerazione del comandante supremo e che deve riuscire a capire quali sono le sue vere intenzioni e convincerlo a stabilire un termine dopo il quale si dovrà tornare indietro.

Prima ti dirà di non immischiarti, che non sono affari tuoi, che non sono faccende di donne, ma poi ci penserà e alla fine dirà che l'idea era sua e farà come gli hai chiesto.»
«E se anche lo facessi?»
«Quando avverrà la riunione tu dovrai uscire per forza e dirai che starai con me finché non sarà terminata.»
«E poi?»

«Entreremo nella tenda di Sophos e cercheremo qualcosa che possa spiegare questo enigma.»
«Mi dispiace, Abira, non me la sento. Ho troppa paura.»
«Ma io non so leggere.»
«Mi dispiace» ripeté. «Non posso aiutarti.»
«Allora fai quello che ti ho detto. Al resto penserò io. Me la caverò da sola.»
Melissa sospirò: «Ma non capisci che è una pazzia?».
«Tu non capisci, credimi. Dobbiamo assolutamente scoprire che cosa sta succedendo o moriremo tutti. Ti prego...»
Melissa esitò ancora, poi: «Non ti prometto niente. Vedrò che cosa posso fare».
«Grazie» risposi, «so che sei una ragazza coraggiosa.»
La lasciai davanti alla tenda di Kleanor e rientrai che era notte.
Xeno arrivò tardi e sfinito dalla fatica. Nell'accampamento i fuochi spandevano luce e calore e molti dei nostri soldati si erano disposti attorno ai bivacchi per scaldarsi o per prendere braci da portare nelle tende.
Sapevo che non era il momento migliore per rivolgergli delle domande, ma mi feci coraggio e gli parlai mentre gli cambiavo le fasciature:
«Che cosa accadrà domani?»
«Non lo so.»
«Daranno la colpa a te di averli portati in un territorio completamente sconosciuto e di essersi trovati senza una meta.»
«Ho già abbastanza preoccupazioni senza che ti ci metta anche tu.»
«Lo faccio perché ti voglio bene.»
«Allora, se mi vuoi bene, taci.»
«No. Devi prepararti a quello che può succedere domani.»
«Non succederà nulla. Il letto del fiume si potrà distinguere con la luce del giorno e quasi certamente riusciremo a seguirlo.»
«Sai che di me puoi fidarti: sei veramente sicuro in cuor

tuo che la decisione di seguire il fiume sia quella giusta? Non hai dei dubbi? Non ti senti male per tutti i morti che abbiamo seminato lungo questo cammino, per i compagni perduti nell'inseguire un sentiero che finisce nel nulla?»

Xeno si volse di scatto verso di me e il riflesso del braciere illuminò due occhi velati di lacrime: «Una parte di me è morta con loro» rispose, «ma se sono vivo è soltanto perché la sorte mi ha risparmiato. Non mi sono mai nascosto, ho sempre affrontato gli stessi rischi, ho sofferto le stesse ferite, gli strapazzi, le veglie, il gelo e la fame. Ho condiviso con loro il mio cibo quando ne avevo. Avrei potuto morire cento volte nei combattimenti che ho affrontato. Se gli dèi mi hanno risparmiato la vita significa che ho un compito da assolvere: riportare a casa questo esercito. O se questo non è possibile, trovar loro una nuova casa».

«Cioè fondare una nuova città. Ma allora è vero quello che dice Neto.»

«È qualcosa a cui ho pensato più volte, sì, ma questo non significa che io sia disposto a sacrificare i compagni a una mia ambizione.»

«Ma credi veramente che gli dèi si curino della nostra sorte? Così ti ha insegnato il tuo maestro ad Atene? Non ti è mai venuto il dubbio che il destino di questo esercito fosse di vincere o di morire? Perché Sophos ha sempre appoggiato la tua proposta con tanta convinzione? Lui solo fra tutti gli ufficiali? E perché non scrivi più?»

«Sono stanco.»

«No. In cuor tuo sai che questo sentiero non porta da nessuna parte e non vuoi lasciare memoria del tuo errore. Ti sei sbagliato, Xeno, anche se in buona fede, e l'appoggio incondizionato di Sophos ti ha confermato nell'errore.»

Xeno questa volta tacque e immaginavo che gli venissero alla mente i molti strani eventi che avevano punteggiato la nostra marcia: l'apparizione improvvisa e misteriosa di Sophos, le troppe, inspiegabili coincidenze, l'imboscata ai comandanti e la sua ascesa, subito dopo, al comando supremo con al fianco l'inquietante, enigmatico Neon, e infine la decisione di continuare a seguire una direzione che ci avrebbe dispersi nel nulla.

Fui io ancora una volta a interrompere i suoi pensieri: «Lo sai che i soldati e anche gli ufficiali e i comandanti delle grandi unità parlano con le loro donne dopo che hanno fatto l'amore? E che le donne poi si confidano fra di loro? Tu mi hai raccontato come fosti arruolato e come furono arruolati i tuoi compagni da Proxenos di Beozia».

«In segreto.»

«E lo stesso è avvenuto per tutti gli altri. Dimmi, Xeno, perché qui sta la chiave dell'enigma, perché siete stati arruolati di nascosto e in segreto?»

«Per cogliere di sorpresa il nemico.»

«E come? C'erano centomila asiatici con Ciro a Sardi che ci hanno seguiti fino al campo di battaglia: come si fa a tenere nascosta una simile armata? Credi che il Gran Re non avesse spie nel suo stesso territorio? E credi che Ciro non lo sapesse? Il motivo doveva essere un altro e tu certamente lo sai. Devi saperlo! Ed è quel motivo che può risolvere il mistero e farci capire a quale sorte siamo destinati.»

Ci fu un altro silenzio e stranamente, nella lunga pausa in cui ogni suono veniva inghiottito dalla neve che aveva ripreso a cadere, mi tornò in mente il sogno che avevo fatto, il cavaliere nebbioso che mi era apparso quando avevo sentito la carezza suadente della morte. Forse anche a me gli dèi volevano affidare una missione? Per questo uno di loro mi era apparso dal nulla e mi aveva trasportato in volo fino alle soglie del campo dove qualcuno potesse trovarmi. A volte, sì, ripensandoci, mi sembrava quasi che il misterioso cavaliere montasse un cavallo alato.

Xeno non mi rispose quella notte. Forse la stanchezza pesava a tal punto sulle sue palpebre da impedirgli di pronunciare una sola parola in più, o forse non poteva accettare che da tanto tempo una ragazza semplice, una piccola barbara dell'Oriente avesse capito ciò che a lui era sfuggito o che, più probabilmente, lui non aveva voluto capire.

Lo lasciai dormire, nel lieve tepore del braciere, sopra il vello di ariete che gli ricordava antiche leggende, ma io volevo aggiungere l'ultimo tassello al quadro che stavo ricomponendo e avevo bisogno di qualcuno che potesse ricostruirlo per me. Non Melissa, non credevo che lei avesse le informazioni che cercavo. Mi serviva uno degli ufficiali o dei soldati, uno che sapesse e che non potesse dirmi di no.

Nicarco di Arcadia! L'uomo che aveva avuto il ventre squarciato dai Persiani la sera in cui i nostri comandanti erano stati catturati a tradimento e che io avevo assistito e contribuito a strappare alla morte.

Il giorno successivo quando il cielo si aprì in larghi sprazzi di sereno le sponde del fiume divennero visibili e alcuni degli esploratori scoprirono la crosta di ghiaccio che lo copriva sotto la neve. Ma il momento di panico era stato grande.

Ancora una volta prevalse l'intransigenza di Sophos, per me tanto più sospetta proprio perché Xeno sembrava aver perso, almeno in parte, la sua sicurezza. Non seppi che cosa si fossero detti gli alti ufficiali alla riunione con il comandante, ma corsero voci di un incontro turbolento e tempestoso che si sarebbe alla fine concluso quando Sophos aveva minacciato di andare avanti da solo con chi voleva seguirlo.

Era evidente che una simile soluzione sarebbe stata un disastro e che il troncone dell'esercito lasciato alla deriva sarebbe stato annientato prima e l'altro non molto dopo. Sophos disse che si andava avanti fino al punto in cui il ghiaccio del fiume si sarebbe sciolto e dopo non ci sarebbe stato alcun problema. Con una delle sue proverbiali battute aggiunse che gli dèi aiutano sempre chi va verso il basso. Il peggio sarebbe presto passato. Questo mi preoccupava ancora di più.

Cercare un uomo in mezzo a migliaia che camminano

in colonna su una distanza di mezza parasanga è un'impresa quasi disperata, ma sapevo dove e come si accampavano gli Arcadi a ogni sosta e dopo un paio di tappe e qualche tentativo andato a vuoto riuscii a trovarlo.

«Come va la pancia?» gli chiesi prima ancora che si rendesse conto di chi ero.

«Sei tu, ragazza? La pancia va bene: qualche dolore ogni tanto, e qualche fastidio soprattutto quando è vuota per giorni interi e devo mangiare solo neve ma, come si dice, poteva andare peggio.»

«Ho bisogno di parlarti.»

«Speravo di più.»

«Se Xeno ti sente ti riapre da cima a fondo, ma prima ti taglia le palle.»

«Sono tutt'orecchi» rispose pronto con il suo largo sorriso di ragazzo troppo cresciuto.

«Raccontami della grande guerra.»

«Perché?»

«Perché niente. Rispondi e basta.»

Nicarco mi guardò di sottecchi come per carpire dal mio sguardo il motivo di una domanda così strana, poi disse: «Non vi ho preso parte, ero troppo piccolo».

Già. Come non ci avevo pensato?

«... Ma il nostro comandante sì e ci riempie la testa in continuazione con il racconto delle sue imprese. Però, ragazza, la grande guerra è durata trent'anni e nessuno al mondo sarebbe in grado di narrarti tutto quello che è successo, a parte, forse... ehi, già, ma perché non ti rivolgi al tuo Xeno, allo scrittore? Lui è molto più istruito di me.»

«Perché ha cose più importanti di cui occuparsi e, se gli rimane un po' di tempo, scrive.»

«Più che giusto.»

«A me basta solo l'ultimo periodo. Che cosa è successo prima che avesse inizio questa avventura?»

«Be' gli Ateniesi hanno perso, gli Spartani hanno vinto.»

«Ma non avevano combattuto dalla stessa parte tanti anni fa, al tempo delle Porte Ardenti?»

«Acqua passata. Ora si contendevano l'amicizia dei Persiani. Strano, no?»

«E con chi stavano i Persiani?»

«Con Sparta.»

«Non ci posso credere.»

«E invece è così. Non avrebbero vinto sul mare contro Atene se non avessero avuto i soldi dei Persiani. E i Persiani glieli davano perché volevano distruggere la flotta ateniese che era il loro incubo.»

«E chi glieli dava i soldi?»

«Il principe Ciro. È cosa risaputa.»

«Il nostro principe Ciro?»

«Proprio lui.»

«Ho capito.»

«Hai capito? Che cosa hai capito?»

«Quello che volevo sapere. Non dire a nessuno che ti ho fatto queste domande. Per favore.»

«Stai tranquilla. Anche perché non ci sono segreti: ti ho detto cose che sanno tutti.»

«Tutti tranne me. Ti ringrazio ragazzo. Addio. E cerca di portare a casa la pelle.»

«Ci proverò» sorrise Nicarco.

Da come mi guardò scuotendo il capo si vedeva che non riusciva a comprendere la ragione della mia visita, ma da come sorrideva si capiva che gli aveva fatto piacere rivedermi.

Avevo il cuore in gola per l'emozione. Mai avrei potuto immaginare a quali eventi avrei assistito quando lasciavo il mio villaggio, mai avrei creduto di risolvere enigmi tanto più grandi di me, di comprendere eventi che avevano cambiato il destino di intere nazioni. Ora ogni cosa mi sembrava chiara: Ciro voleva il trono e per riuscirvi doveva procurarsi i migliori soldati del mondo, i mantelli rossi, quanti se ne potevano avere, e tutti quelli che da loro erano stati istruiti nella tecnica del combattimento. Ma gli Spartani erano alleati di suo fratello, il Gran Re Artaserse, e quindi erano di fronte a un dilemma: se Ciro riusciva nella sua impresa sarebbe stato loro debitore del trono e i vantaggi che ne avrebbero ricavato sarebbero stati enormi. Se non fosse riuscito dovevano comunque dimostrare al Gran Re di essere estranei a questa spedizione, che Ciro aveva reclutato i guerrieri per conto suo e senza consultarli. Ecco la vera ragione della segretezza del piano! Volevano giocare su due tavoli e assicurarsi di mantenere i loro vantaggi, chiunque avesse vinto.

Ma poi, una volta avviata l'operazione, dovevano avere avuto dei dubbi: e se la situazione fosse sfuggita di mano? Se si fossero verificati imprevisti? Doveva esserci comunque il modo di rimediare, ma per farlo doveva esserci qualcuno che sapeva come agire, uno che obbediva direttamente ai loro ordini. Ecco perché a un certo punto del viaggio, poco prima che io incontrassi Xeno, era arrivato Sophos. Ecco perché nessuno sapeva nulla di lui, e anche Neon era sospetto.

Per i Diecimila non c'erano alternative: dovevano vincere o morire, o meglio ancora sparire. Nessuno doveva essere in grado di rivelare cosa c'era dietro quella straordinaria, temeraria spedizione.

Le cose però non erano andate secondo le previsioni. L'esercito aveva perso ma i Diecimila avevano vinto. Erano sopravvissuti ed erano un pericolo perché costituivano la prova che Sparta aveva tradito l'alleanza con il più potente Impero della terra: aveva tradito il Gran Re e aveva aiutato suo fratello a ucciderlo.

Trassi la mia estrema conclusione, quella a cui nemmeno io volevo credere. Mi sedetti su un sasso a prendere un poco i raggi del sole a occhi chiusi e a elaborare l'ultimo pensiero: Sophos serviva a questo, a portare i sopravvissuti là da dove non avrebbero più potuto tornare e l'idea di Xeno era giunta a proposito. Non aveva dovuto fare altro che assecondarla. Questo significava, ovviamente, anche un'altra cosa: che Xeno si stava sbagliando, che stavamo andando verso la fine, verso una meta da cui non avremmo mai più fatto ritorno.

Restava da dimostrarlo: ogni volta che avevo cercato di insinuargli un sospetto, Xeno si era rifiutato di accettare anche solo l'ipotesi e davanti a una simile enormità avrebbe potuto reagire in modo imprevedibile. In cuor suo continuava a credere che il pericolo maggiore venisse dal Gran Re. Avevo bisogno di una prova per dimostrargli che c'era un pericolo ancora più grande perché nascosto e l'unico luogo in cui avrei potuto trovarla era la tenda di Sophos.

Per tutta la sera rimuginai i miei pensieri aspettando che Xeno e altri suoi compagni tornassero da una battuta di caccia, attività in cui come sempre eccelleva. E in effetti il bottino fu ricchissimo: otto cervi, quattro istrici, due cinghiali, una mezza dozzina di lepri prese al laccio e alcuni uccelli dai colori meravigliosi. Il maschio aveva una coda lunga e appuntita fatta di penne color bronzo e un piumaggio d'incredibile splendore sul collo e sulle ali. Più modesto il mantello delle femmine, ma non meno squisita la carne. In onore al fiume che stavamo seguendo e che credevamo essere il Fasi, Xeno e i suoi chiamarono quegli uccelli "fasiani" e mi regalò anche le loro penne perché ne facessi degli ornamenti.

Il pasto abbondante mise molti di buon umore e dissipò la greve atmosfera di scoramento e di sospetto che serpeggiava per il campo. Che il comandante in capo fosse così certo del fatto suo veniva preso di buon auspicio.

Mi ponevo anche un interrogativo: che cosa sarebbe successo se non avessi trovato nulla e, ancor peggio, se fossi stata sorpresa a frugare nel bagaglio del comandante supremo? Xeno mi avrebbe difesa o mi avrebbe abbandonata al mio destino? E Melissa mi avrebbe aiutata?

Mi rivolsi con il pensiero a Lystra e al suo piccolo mai nato sperando che mi udissero e mi prestassero aiuto. Immaginavo il bambino con la sua pelle raggrinzita da vecchio precoce seduto nel prato infinito dell'aldilà mentre giocava con i fiori sterili dell'asfodelo. Mi ero abituata all'aldilà dei Greci, ancora più malinconico del nostro.

Volevo scacciare l'immagine angosciosa che mi assillava la mente perché non mi tormentasse nel sonno e presi a camminare ai bordi dell'accampamento stringendomi addosso il mantello contro l'aria tagliente della notte, quando una visione inquietante mi fermò.

Al riverbero dei fuochi, alla fine di un percorso di impronte nere e profonde, un uomo coperto da un mantello grigio mi volgeva il dorso tenendo la testa infossata tra le spalle sicché quasi non si vedeva.

Mi avvicinai finché fui a pochi passi da lui e chiesi con un coraggio che mi stupì: «Chi sei?».

L'uomo si volse e quasi il cuore mi mancò in petto: con una mano teneva un animale squartato, una lepre forse o un coniglio, con l'altra ne divorava il fegato crudo lordandosi la faccia di sangue.

A stento riconobbi in lui uno degli àuguri che avevo visto altre volte celebrare riti propiziatori nei momenti più duri.

«Che cosa stai facendo?» balbettai.

L'uomo rispose con un cupo gorgoglio della voce: «Ho sacrificato questo animale alle divinità della notte... E ho osservato il suo fegato per conoscere il vaticinio...».

«Ebbene?»

«Devo divorarlo per conoscere fino in fondo la verità.»

«Quale verità?»

Il volto del veggente si contrasse in un ghigno:

«La morte... quale morte ci è stata destinata.»

## 25

Se la mia indagine appariva vicina all'obiettivo, il passo successivo, quello che mi avrebbe dato l'ultima prova, sembrava allontanarsi ogni giorno di più.

Il giorno seguente al nostro arrivo nella grande valle, il sole che sorgeva in un cielo limpido aveva subito rivelato, pur sotto la coltre nevosa, la traccia dell'alveo del fiume che si snodava tortuoso da un capo all'altro della vasta piana. Sophos aveva avuto ragione ancora una volta e Xeno aveva ripreso fiducia nella sua ipotesi. Il resto dell'esercito seguiva paziente, fermo nella convinzione che il passo pesante dei guerrieri fosse inarrestabile e che avrebbe condotto l'armata alla meta. Servivano ancora perseveranza, coraggio, energia, disciplina. L'inverno avrebbe avuto fine, questo era certo, e presto la terra sarebbe apparsa libera dalla morsa del ghiaccio.

Ma lo sterminato altopiano non sembrava avere mai fine, altri compagni erano caduti lungo il sentiero assottigliando ancora di più le nostre fila, altre ragazze come Lystra, che sempre ricordavo, avevano perso la vita per la fatica, il gelo e gli stenti, e infine un'altra massiccia catena montuosa cominciava a profilarsi all'orizzonte. La vista di quei monti gettò Xeno nella costernazione e impose a me di porre fine a qualunque incertezza. Se avessi trovato qualcosa nella tenda di Sophos avrei convinto Xeno, che godeva ormai di alta considerazione fra i soldati, a convocare un'assemblea e decidere di tornare indietro. Nemmeno Sophos avrebbe potuto opporsi a una decisione dell'esercito in armi.

Una sera trovai Melissa seduta in disparte sulle stanghe di un carretto con la testa fra le mani. Piangeva.

«Che cosa è successo?» le domandai.

Alzò il volto e vidi anche nei suoi lineamenti perfetti i segni della fatica e dell'insonnia.

«Non ce la faccio più: non riesco a tenere legato a me Kleanor perché non c'è mai un momento in cui possiamo essere sereni assieme. Le continue tensioni lo rendono insofferente anche verso di me. Vuole che io tenga in ordine la sua tenda, che cucini, che lo accudisca. La fatica cancella tutto il resto. Forse fra un poco non mi vorrà più o mi cederà in cambio di un mulo o di un sacco di orzo. E allora che gli dèi mi aiutino.»

Era il momento giusto. Gli dèi aiutavano me, ne ero certa, e aiutando me avrebbero salvato anche lei.

«Melissa, sei convinta ora che moriremo tutti e che non ci sarà scampo per nessuno se proseguiremo verso oriente? Le vedi quelle montagne all'orizzonte? Da qui non sembrano troppo alte a causa della distanza. Quando saremo più vicini appariranno in tutta la loro spaventosa imponenza. Come affronteremo prove sempre più dure, come troveranno i guerrieri la forza di battersi ancora all'infinito? Hanno già fatto l'impossibile, affrontato e superato ciò che un essere umano può sopportare. Sophos ci sta portando all'annientamento. Non ho più dubbi. Anche Xeno ne è convinto ormai, ma non lo dà a vedere.

Aiutami. Io cercherò di convincere Xeno a trovarsi con Kleanor e Sophos in una riunione ristretta per discutere sull'itinerario da seguire e sulla possibilità che la catena montuosa che si profila all'orizzonte sia tale da impedire completamente l'avanzata in quella direzione. Tu invece dirai a Kleanor che Xeno vuole vederlo assieme al comandante supremo per una riunione molto importante. Non sarà difficile. Noi intanto agiremo. Ho scoperto che Neon, l'aiutante di campo del comandante, è molto sensibile alle belle donne e sarà distratto da una delle nostre ragazze.»

Melissa si alzò e mi abbracciò: «Io non sono come te, Abira, ho paura, temo di tradirmi».

«No, invece, sono sicura che te la caverai benissimo, che le cose andranno come previsto. Sei stata magnifica: hai superato prove cui non avresti nemmeno immaginato di poter sopravvivere. Facciamolo, subito!»

«E se non troveremo niente?»

«Allora convincerò Xeno a convocare l'assemblea, ma ho bisogno di te. Tu sai leggere, Melissa, e io non ho tempo di imparare.»

«Va bene» rispose rassegnata. «Quando?»

«Prima è meglio è. Non c'è più tempo.»

«Va bene. Ti farò sapere.»

In capo a due giorni Melissa aveva predisposto ogni cosa per l'incontro e io le feci avere della cacciagione perché la cena potesse prolungarsi anche in nostra assenza.

Alla prima occasione informai Xeno che Kleanor accettava di tenere la riunione nella sua tenda con la presenza del comandante Sophos.

Ormai il mio folle progetto era in atto e la consapevolezza di essere tanto fragile, debole e di fatto esposta a qualunque conseguenza mi faceva tremare. L'ansia mi prendeva alla gola e al petto, il cuore mi batteva e la notte non riuscivo a dormire. Con il trascorrere delle ore e l'approssimarsi del momento in cui avremmo dovuto agire la paura cresceva fino a diventare panico, un tremito interiore che non riuscivo più a dominare, e spesso mi sentivo sul punto di rinunciare, di lasciare che gli eventi seguissero il loro corso.

Passò così la prima giornata e anche la seconda.

La sera si avvicinava e aspettavo il momento in cui Melissa sarebbe venuta da me per andare assieme a perquisire la tenda di Sophos. L'appuntamento era al calare della notte.

Xeno indossò il mantello e senza altro che quello uscì

dicendo che l'appuntamento si era fissato da Kleanor e che l'idea di una riunione ristretta era buona. Solo in un secondo tempo, se ci fossero state decisioni importanti, sarebbe stato convocato l'intero consiglio.

Le cose cominciavano bene. Quando se ne fu andato lasciai passare un po' di tempo e a mia volta uscii. Nevicava ma il cielo non era del tutto coperto e di tanto in tanto si vedeva la luna fra i larghi squarci che si aprivano tra le nubi. Mi diressi verso la tenda di Sophos tenendomi a una certa distanza, nascosta dai muli che stavano legati ad alcuni pali conficcati nel terreno.

Il comandante uscì di lì a poco, senza armatura ma con la spada al fianco, e si diresse a sua volta verso l'alloggio di Kleanor. Incontrò Xeno prima di giungere a destinazione, si salutarono e si abbracciarono. Bastava il fioco pallore della luna per rendere distinte le figure.

Restai ancora a tenere compagnia ai muli finché vidi spuntare da sinistra la ragazza che doveva distrarre Neon. Era una delle giovani prostitute che accompagnavano l'esercito e Melissa doveva averla istruita bene perché indossava un abito elegante, leggero ma attillato che ne metteva in risalto le forme. Probabilmente stava morendo di freddo ma assolveva al suo compito con grande abilità.

Rallentò quando fu a poca distanza da lui ma senza fermarsi. Neon le disse qualcosa che non riuscii a capire e lei rispose continuando, sia pure lentamente, a camminare. Neon le andò dietro e cercò di prenderla per una mano. La ragazza si lasciò abbracciare, ma si sciolse subito dopo e riprese a camminare.

Lui si fermò.

Ecco, il mio piano si era già inceppato! Neon era troppo freddo, troppo controllato. Mi sentii male. Ora che cosa sarebbe successo?

Neon sembrò tornare indietro. La ragazza continuò a camminare voltandosi finché lui si guardò intorno come per accertarsi che nessuno lo vedesse e poi la seguì. Udii subito dopo le loro risatine provenire da una tenda.

Ora toccava a me, ma dovevo aspettare Melissa. Da sola cosa potevo fare? E la mia giovane amica per quanto sarebbe riuscita a distrarre l'ufficiale? Certo non per molto: il tempo di soddisfare la sua voglia e poi sarebbe tornato.

Melissa non arrivava. Guardavo in direzione della tenda di Kleanor sperando di vederla uscire da un momento all'altro, ma non accadeva nulla. Forse era stata trattenuta, forse Kleanor le aveva chiesto di rimanere a servire i suoi ospiti nonostante la riservatezza della riunione. Decisi di muovermi comunque.

Mi avvicinai al mio obiettivo, all'ingresso dell'alloggio di comando da cui emanava il sommesso chiarore di una lucerna. Guardai ancora se mai apparisse Melissa e non vedendo nessuno entrai. Stranamente l'agitazione che mi soffocava si quietò: nel pieno dell'azione mi sentii per la prima volta tranquilla.

Non c'era molto da controllare. Il terreno era coperto da una stuoia di vimini, da un lato una gruccia sorreggeva l'armatura del comandante Sophos, al centro una piccola mensa e un paio di sgabelli, dall'altro lato una cassa chiusa con un chiavistello, ma senza lucchetto. Lo feci scorrere indietro.

La cassa conteneva una coperta, un mantello di riserva, ancora nuovo, due tuniche di lana grigia. In fondo gli oggetti di maggior valore: una coppa d'argento e...

«Che fai qui? Ma che stai facendo?» risuonò una voce alle mie spalle. E subito dopo altre voci. Mi sentii percorsa da un sussulto doloroso, come trafitta da un sentimento che non avevo mai provato in vita mia: la sensazione di aver commesso un'azione illecita e doverne pagare le conseguenze. Mi volsi pensando a cosa avrei potuto rispondere, ma nel tumulto della mia mente sconvolta non trovai nulla. Non c'era scampo: avrei soltanto dovuto affrontare la mia punizione.

Avevo davanti a me Neon, l'aiutante di campo del comandante, ma potevo vedere anche Sophos che stava sopraggiungendo, e dopo di lui Kleanor e poi Xeno per ultimo, e dietro ancora una figura indistinta che avrebbe potuto essere Melissa: colei che certamente mi aveva tradita.

Ben presto arrivarono due soldati tenendo per le braccia la giovane che aveva tentato di adescare Neon. Era stata picchiata a sangue: era seminuda e livida per il freddo. Per alcuni attimi potei vedere solo la neve, infiniti fiocchi candidi che dondolavano tranquilli nell'aria immota; dal resto cercavo di fuggire, di estraniarmi.

Altri due guerrieri arrivarono tenendo le torce accese, la figura incerta che si muoveva sul fondo prese l'aspetto di Melissa e il cuore mi morì in petto.

Ma il cuore di una donna ha tante risorse, e in un lampo, prima di abbandonarmi inerte alla mia sorte, vidi un'immagine e una parola che avevano colpito i miei occhi nell'istante in cui la voce rude dell'aiutante era risuonata alle mie spalle: un foglio in fondo alla cassa con un disegno e una parola.

Il disegno rappresentava nella parte superiore una sequenza di triangoli di diversa altezza che forse significavano montagne, in mezzo una linea tortuosa che forse indicava un fiume con quattro segni così nitidi che si erano fissati nella mia mente come intagli in una tavola di legno.

ΑΡΑΞ

Lungo la linea tortuosa ve n'era un'altra interrotta da piccoli tratti verticali ognuno contraddistinto da uno o due segni.

«Che cosa cercavi nella mia cassa, ragazza?» domandò il comandante Sophos con voce gelida. Melissa in quello stesso momento passò correndo in mezzo agli uomini prima che qualcuno potesse trattenerla gridando: «Non volevo, non volevo, mi hanno costretta!».

Anche lei aveva segni di percosse sul volto bellissimo. Cadde in ginocchio piangendo a dirotto e uno dei soldati la trascinò indietro senza che Kleanor facesse un solo gesto.

«Che cosa cercavi?» ripeté duro il comandante Sophos.
Non sapevo che cosa rispondere e non risposi.

«Tu dovresti saperne qualcosa» disse volgendosi verso Xeno che mi guardava impietrito. Xeno non rispose, ma si rivolse a me: «Perché lo hai fatto? Che cosa volevi prendere? Perché non mi hai detto nulla?».

Neon mi colpì con uno schiaffo che mi fece sanguinare il labbro: «Ti hanno rivolto una domanda!» latrò.

Xeno gli afferrò il polso prima che mi colpisse ancora e lo strinse con forza, poi cominciò a torcerlo. Un'occhiata di Sophos ordinò al suo aiutante di campo di farsi da parte.

Mi coprii il capo con lo scialle perché non volevo più vedere né udire nulla e scoppiai in pianto. Ma Xeno mi fece alzare, mi scoprì il volto e ripeté con voce ferma: «Dimmi che cosa stavi cercando. Non hai scelta».

Lo fissai con gli occhi pieni di lacrime e poi mi guardai intorno: Sophos, Neon con la sua maschera di pietra, la piccola prostituta livida e sul punto di svenire, Melissa più indietro che singhiozzava, i due guerrieri armati e con le torce in mano, l'armatura di Sophos, rossa per le fiamme delle torce, come insanguinata. E la neve... La neve che tutto amalgamava.

Mi venne un'illuminazione:

«Vuoi sapere che cosa cercavo? Ecco, che cosa!»

E prima che i presenti potessero reagire mi inginocchiai, presi uno stelo dalla stuoia di vimini e con quello tracciai sul terreno la sequenza di forme triangolari, la linea tortuosa, il secondo segno interrotto da piccoli tratti verticali, poi, sulla linea tortuosa i quattro segni dell'alfabeto dei Greci ΑΡΑΞ, in modo così nitido da riconoscere lo stupore sul volto di quelli che li sapevano non solo leggere ma anche capire: Neon, che perse la sua impassibilità, Xeno e Sophos. Soltanto Melissa appariva incerta e frastornata.

Kleanor, più arretrato, non sembrava aver avuto reazioni eccetto la curiosità con cui seguiva ciò che stava accadendo. Forse non sapeva leggere o non aveva ben capito, come del resto io stessa, ma riprodurre l'immagine che avevo visto era l'unica mossa che potessi fare. Sophos gli rivolse la parola: «Porta via queste donne e anche voi due» disse ai guerrieri «potete andare. Non ho più bisogno».

Kleanor portò via Melissa. Erano rimasti soli, Xeno e il comandante supremo. Io mi sciolsi dalla mano di uno dei guerrieri e mi lasciai accompagnare alla tenda. Ma appena vidi che nessuno badava più a me tornai indietro per un'altra via e andai a nascondermi sotto il ventre del cavallo di Sophos, proprio dietro al suo alloggio.

Stavano discutendo della mia iniziativa: Sophos voleva che Xeno ammettesse che io avevo agito sotto sue istruzioni.

«Come hai potuto? Come hai potuto violare la mia tenda? E non hai nemmeno avuto il coraggio di agire in prima persona. Hai mandato quella ragazza, e lei si è fatta aiutare dalle altre...» Aggiunse sarcastico: «Quando mai un segreto fra tre donne è rimasto tale per più di un'ora?».

«Io non c'entro, e se ti dico che non c'entro significa che è vero. Sai benissimo che non mento mai e che sono un uomo d'onore. Mi chiedo però se tu lo sia.»

«Chiunque altro mi avesse detto una simile infamia non avrebbe avuto il tempo di pentirsene, ma tu sei un amico, hai rischiato la vita molte volte per l'esercito pur non facendone parte e devo tenerne conto, ma non provocarmi ancora o...»

«O che cosa? Vuoi forse dirmi che non hai qualcosa da nascondere? Ascoltami bene: Abira, la ragazza che hai sorpreso qui, ha fatto tutto di sua iniziativa. E anche se a te può sembrare impossibile, non mi sorprende. Da molto tempo mi fa strani discorsi a cui non ho mai voluto dar credito. Discorsi a cui evidentemente cercava una conferma, proprio qui. E se è vero ciò che ha tracciato sul terreno devo ammettere che aveva ragione.»

«Ma che stai dicendo? Di quali discorsi vai cianciando?»

La voce di Sophos suonava incrinata, qualcosa faceva breccia nel suo animo. Xeno ripeté quanto io gli avevo fatto notare: le stranezze, le troppe coincidenze e questo, pur nella estrema sventura in cui mi trovavo, mi riempiva di orgoglio.

E aggiunse: «Ma ciò che più mi sconvolge è quel segno in terra che chiaramente rappresenta un fiume di cui Abira è riuscita a tracciare il nome. È la prova che cercava: tu sapevi benissimo che quello che stiamo seguendo non è il Fasi come io pensavo ma un altro fiume, direi l'Araxes, dalle lettere che lei ha tracciato, che non si getta nel mare Eusino ma altrove. Dove esattamente nessuno lo sa, ma certo non nel mare Eusino».

«Sei pazzo» lo interruppe Sophos. «Stai farneticando.»

«Davvero? Allora perché non mi fai vedere la mappa da cui Abira ha tratto quel disegno, così esatto perché aveva appena visto il modello? Quel disegno prova che tu, ben sapendo che il fiume che stiamo seguendo non è il Fasi, hai appoggiato la mia convinzione con tutta la tua autorità. Lo sai perché, comandante? Perché questo esercito deve scomparire, dissolversi nel nulla senza lasciare traccia, ecco perché! Non dovevi nemmeno esporti personalmente, bastava addossare a me la responsabilità: "Ha ragione Xenophon, lui ha capito, basterà seguire questo fiume e arriveremo al mare!". Non dicevi così, forse?

Quella povera ragazza che hai sorpreso a frugare tra le tue cose ha capito benissimo proprio perché non è uno di noi, non è un soldato abituato a obbedire prima di tutto, a non chiedersi il motivo di un ordine.

Questo esercito doveva vincere o essere annientato perché la sua sola sopravvivenza era la prova di un tradimento, la prova che Sparta è stata complice del tentativo di assassinare il suo più grande alleato, quello che le ha fatto vincere la guerra contro Atene: il Gran Re!»

Avrei dato qualunque cosa per poter vedere l'espressione di Sophos e avrei abbracciato Xeno con entusiasmo per ciò che stava facendo. Tremavo dal freddo benché avvolta nel mio mantello, ma per nulla al mondo me ne sarei andata.

La sua voce si fece di nuovo udire: «Ecco perché l'arruolamento è avvenuto in segreto in luoghi fuori mano e per piccoli gruppi: non per mantenere segreta la spedizione al Gran Re, cosa che sarebbe stata impossibile per un esercito di centodiecimila uomini, ma per tenere segreto il coinvolgimento del governo spartano in un'impresa che mirava a sconfiggerlo e ad assassinarlo. Che cosa vi aveva promesso Ciro? E che cosa vi aveva promesso la Regina Madre?».

Ancora silenzio. Un silenzio più eloquente di mille parole. Poi la voce di Sophos, più fredda del vento che ora mi tagliava la faccia e mi penetrava fino al cuore: «Mi metti in una situazione molto difficile, Xenophon, e immagino che tu te ne renda conto. Ammettiamo per un momento che tu abbia ragione: che cosa ti aspetti che io faccia a questo punto?».

Xeno parlò con voce tranquilla, come se ciò che stava dicendo non lo riguardasse: «Immagino che tu debba uccidermi e che debba uccidere anche la ragazza... Delitto inutile il secondo: chi mai le presterebbe ascolto e perché mai dovrebbe esporsi a terribili castighi e alla morte? È già abbastanza atterrita: non è un pericolo per te».

«Ti sbagli. Lo è, e lo è anche Melissa con cui si è confidata, e non posso escludere che lo diventi anche Kleanor che dipende da Melissa per una parte importante del suo equilibrio fisico e della sua sanità di mente...»

Potevo immaginare la sua espressione beffarda. Sophos non rinunciava mai a una battuta di spirito anche nelle situazioni più drammatiche.

Seguì un altro lungo silenzio. Da quello che traspariva dalla tenda intuivo che Sophos si era seduto e aveva fatto sedere anche Xeno. Forse aveva bisogno di una posizione più comoda per ciò che stava per dire, ma parlò per primo Xeno: «Sono disarmato, puoi farlo anche ora: non opporrò resistenza...». Mi sentii trafiggere da spade di ghiaccio. «... ma risparmia la ragazza. Lasciala nel primo villaggio che incontrerai. Non troverà mai la strada del ritorno e quand'anche la trovasse finirebbe nel suo villaggio polveroso dove verrebbe sepolta dall'oblio. Ti prego, comandante, in nome della nostra amicizia, di tutto quello che abbiamo sofferto e passato assieme. Glielo chiederò io e lei obbedirà. Le ordinerò di non parlare mai più con nessuno.»

Xeno mi amava. E questo mi bastava per affrontare qualunque destino senza rimpianti.

Vidi l'ombra di Sophos chinare il capo e mi parve di udire un sospiro, prima delle sue parole: «Ti sei chiesto quale destino io abbia riservato per me, nel caso che dovessi portare a termine il compito che mi attribuisci?».

«Morire con loro» rispose Xeno, «su questo non ho dubbi. Non ho mai creduto che tu potessi sopravvivere ai tuoi soldati.»

«Questo mi conforta, in un certo senso.»

Ora la voce di Xeno tremò di sdegno, di emozione, si fece accorata: «Ma questo non ti salva dal disonore: come puoi condurli alla morte? Come puoi sopportarlo?».

«Un soldato sa che la morte fa parte del tipo di vita che ha scelto.»

«Ma non questa, comandante, non questa morte, non essere condotti come pecore in un baratro. Un soldato ha diritto a una morte sul campo di battaglia e tu che sei spartano lo sai più di chiunque altro.»

«E io che sono spartano so che bisogna obbedire agli ordini della città, a qualunque costo. So che le nostre vite possono essere spese perché la nazione sopravviva e prosperi. Che cosa credi che abbia fatto Leonida alle Porte Ardenti? Ha obbedito!»

«Ma la maggior parte di questi soldati non sono spartani, non puoi decidere per tutti. Spetta a loro decidere del proprio destino.»

«Ah... la democrazia...»

«Ma non li vedi? Vieni, esci da questa tana, comandante, guardali!»

Xeno era uscito, udivo la sua voce perfettamente distinta. E anche Sophos uscì. Davanti a lui i bivacchi costellavano il manto bianchissimo di chiazze rosse.

«Guardali, ti hanno sempre obbedito, si sono battuti come leoni in cento battaglie, hanno perso tanti dei loro compagni, li hanno visti sprofondare nella neve, cadere nei burroni sfracellandosi sulle rocce, addormentarsi nella morte fredda durante i turni di guardia, vegliando sul sonno degli altri. Sono stati feriti, mutilati, ma non si sono mai fermati, non si sono mai persi d'animo. Come muli, hanno scalato le montagne portando il peso delle armi, dello scudo, dei loro bagagli, dei compagni feriti o ammalati, senza mai protestare, senza mai lamentarsi. Quando è stato possibile e necessario li hanno seppelliti a ciglio asciutto, gridando il loro nome, issandolo sulla punta delle loro lance. E sai perché? Perché avevano fiducia in te, perché erano certi che li avresti portati in salvo. Sapevano, e credono ancora, che in fondo a questa marcia interminabile troveranno la salvezza!

Fai di me quello che vuoi, dai a me la colpa di tutto – in fondo è vero –, lascia che io affronti il destino o la punizione che ciò comporterà ma riportali indietro, comandante, riportali a casa.»

Seguì un lungo, interminabile silenzio. E in quella quiete sospesa, abissale, udii distante, chissà quanto, il brontolio del tuono, vidi il baluginare improvviso dei lampi all'orizzonte. Dèi del cielo, da qualche parte, chissà dove, pioveva, e la potenza dei lampi giungeva al mio sguardo penetrando la muta danza dei fiocchi di neve. Chissà dove, la primavera stava arrivando!

Piansi, rannicchiata su me stessa, sotto il ventre del cavallo, piansi di una commozione così intensa che scioglieva il ghiaccio fin dentro il mio cuore. Poi, a un tratto, la voce di Sophos ruppe il silenzio:

«Hai ragione, scrittore, non possiamo far loro questo. Torniamo indietro. Li riportiamo a casa. Poi facciano gli dèi ciò che credono giusto.»

# 26

Nevicò tutta la notte e tutto il giorno successivo e ancora tutta la notte.

Come se gli dèi volessero comunicarci che la nostra decisione di tornare indietro era giunta troppo tardi. Che il nostro destino era segnato e non si poteva invertire il corso degli eventi.

Xeno riuscì a catturare parecchi animali selvatici usando trappole ed esche di vario genere e così fecero, gli altri per cui il cibo non venne del tutto a mancare, ma alla fine della nevicata, quando un debole sole cominciò a filtrare attraverso la nebbia, non si poteva riconoscere alcun sentiero, né traccia, e nemmeno il fiume era più visibile. Scorreva sotto una lastra di ghiaccio coperta da un manto di neve che arrivava alla cintura, e ogni passo costava un enorme sacrificio.

Avevamo deciso di partire comunque, tanto grande era il desiderio di invertire la marcia in direzione dell'occidente, ma i nostri ufficiali incaricati di studiare il nuovo itinerario orientandosi con le stelle e il sole ritennero che tornare indietro per la stessa strada percorsa all'andata sarebbe stato un viaggio troppo lungo né era opportuno riattraversare le terre delle agguerrite tribù che già avevamo affrontato.

Pensarono di andare a settentrione per almeno una decina di tappe e poi di nuovo a occidente. In quel modo, secondo loro, saremmo arrivati non troppo lontano dal mare. Speravano anche di utilizzare delle guide che ci aiutassero a trovare la strada, contando sul fatto che avremmo incontrato popolazioni che non ci conoscevano e che forse ci avrebbero accolto in modo meno ostile.

Riprendemmo così la marcia. Gli incursori leggeri in testa, poi i fanti di pesante armatura, quindi le bestie da soma con il carico e le donne, e da ultimo la retroguardia a cavallo guidata come sempre da Xeno.

Melissa mi evitò per diversi giorni per paura che le serbassi rancore, ma le feci sapere tramite una delle ragazze che l'avrei aspettata alla sosta serale al centro dell'accampamento.

La vidi arrivare a testa bassa con il capo coperto da un velo, i piedi infagottati in calzari di pelle di pecora tenuti da corregge di cuoio. Che fine avevano fatto i suoi preziosi ed elegantissimi sandaletti? Dove aveva lasciato le sue creme di bellezza, l'ombretto per gli occhi, l'unguento per le ciglia e il balsamo per i capelli? Quando alzò gli occhi vidi la punta del naso e le guance arrossate dal freddo, i capelli arruffati, le labbra screpolate, le mani gonfie per il gelo. Eppure la sua bellezza riusciva ugualmente a manifestarsi, nella luminosità dello sguardo, nella piega sensuale delle labbra, e perfino nel timbro e nell'inflessione della voce.

«Non mi perdonerai mai...» cominciò.

«Non dire sciocchezze. Non mi aspettavo nessun eroismo da te. Hai fatto quello che hai potuto. Alla fine ciò che volevamo si è realizzato: torniamo indietro, Melissa, e prima o poi arriveremo al mare, rivedremo la primavera, sentiremo sul viso e sulle braccia il vento tiepido, il profumo dei fiori. Dobbiamo soltanto avere ancora forza e coraggio. Abbiamo fatto tanto fino a ora, il più è dietro le spalle... almeno spero.»

Melissa mi gettò le braccia al collo e mi tenne stretta a lungo, piangendo. Poi si asciugò gli occhi e se ne andò.

Non saprei dire se quelle mie parole avessero colto nel segno, se veramente il peggio fosse alle spalle, perché le marce che dovemmo affrontare in seguito furono prove di estrema durezza, fatiche sovrumane. Si procedeva nella neve alta fino alla cintura e in breve le nostre calzature di fortuna si inzuppavano e i piedi si bagnavano trasmettendo il freddo a tutto il corpo. Ogni tanto era necessario fermarsi, asciugarli e, quando era possibile, cambiare i calzari con altri più asciutti.

Gli animali da soma spesso affondavano con le zampe al punto che non riuscivano più a fare un passo, si appoggiavano sul ventre e non si muovevano più. Bisognava liberarli dalla soma, toglier loro la neve di torno, aprire un passaggio e spingerli a riprendere il cammino dopo averli di nuovo caricati del loro fardello.

Talora il sole si faceva vedere tra la nuvolaglia, altre volte splendeva accecante in mezzo al cielo colore dei lapislazuli e allora il bagliore della bianca, sterminata distesa era tale che dovevamo coprirci gli occhi con bende di garza scura per non perdere la vista. Poi, verso sera, riprendeva a cadere il nevischio, aghi sottili di ghiaccio che foravano il viso spinti da un vento inclemente che non dava tregua per ore. Molte delle ragazze si ammalarono con febbri altissime e tosse continua fino a morirne e non pochi degli uomini subirono la stessa sorte.

Nessun corpo fu abbandonato agli animali selvaggi. Xeno non lo permise per il suo profondo sentimento religioso e per il rispetto dei suoi compagni. Ognuno ebbe sepoltura ed esequie: un rito semplice ed essenziale. Le donne ebbero le lacrime, il pianto e l'ultimo bacio dalle loro compagne, i guerrieri l'urlo dei guerrieri, le lance alzate contro la nera nuvolaglia, il loro nome gridato dieci volte, scagliato contro le cime impassibili e immacolate, rifranto dall'eco e disperso nell'immensa solitudine di quella terra ostile e desolata.

Quando incontravamo dei villaggi prendevamo cibo, foraggio per gli animali, riparandoci dalle intemperie.

Una volta ricordo che portavamo con noi, disteso su un graticcio, uno dei nostri giovani ferito gravemente da un orso durante una caccia. Aveva la spalla destra lacerata dagli unghioni della belva, la ferita suppurava e la febbre lo faceva delirare. Sarebbe morto di certo se non avessimo trovato un giaciglio dove adagiarlo.

Si chiamava Demetrio, era un bel ragazzo, biondo, con occhi di un azzurro intenso, con ciglia e sopracciglia scure, e la figlia del capo del villaggio prese ad assisterlo personalmente, a cambiargli le bende, ad applicargli sulla ferita rimedi della loro arte medica. Credo che se ne fosse innamorata e quando venne per noi il tempo di partire domandò che lo lasciassimo a loro. Sophos riunì gli altri comandanti delle grandi unità per prendere la decisione perché a molti sembrava un tradimento abbandonare un greco in mezzo ai barbari. Alla fine conclusero che l'unica possibilità di salvargli la vita fosse di affidarlo agli indigeni del villaggio e ripartimmo senza di lui.

Mi sono spesso chiesta che ne sia stato di quel ragazzo, se sia sopravvissuto e se abbia corrisposto l'amore della figlia del capo. Era graziosa, aveva un bel corpo, un seno pieno e fermo, profondi occhi neri e lo sguardo delle donne cui piace fare l'amore. Sperai che la storia potesse avere un lieto fine, che il giovane guerriero si sarebbe salvato, avrebbe preso in sposa la ragazza che lo curava e che i suoi figli sarebbero cresciuti forti e coraggiosi in quella terra di ghiaccio e di luce accecante, ma sapevo bene, per averlo sperimentato, che la sorte degli uomini è appesa a un filo e che in qualunque momento il capriccio del fato può innalzarci alle vette della buona fortuna o precipitarci nella più nera miseria o addirittura nella morte.

Man mano che si procedeva verso settentrione la catena montuosa, che ci si era parata davanti mentre seguivamo un fiume che non era quello che speravamo, si abbassava sempre più sull'orizzonte fin quasi a sparire, mentre davanti a noi ne appariva un'altra, vasta e corrugata, fatta di massicci imponenti di valli profonde e scavate, coperta di nere selve d'alberi anch'essi puntuti come le cime dei monti.

Xeno disse che era un buon segno e che presto avremmo ritrovato luoghi abitati e guide in grado di condurci verso la nostra meta.

Non sapeva che avevo ascoltato e in gran parte capito quello che lui e Sophos si erano detti la notte che ero stata sorpresa nella tenda del comandante e avevo evitato la morte per miracolo. Mi aveva detto che era semplicemente riuscito a far cambiare idea al comandante dicendogli che il fiume che stavamo seguendo sarebbe presto sparito nel ghiaccio, come di fatto era avvenuto, e che era più saggio riprendere la via verso occidente.

Gli chiesi che cosa significassero i quattro segni che avevo visto sulla carta in fondo alla cassa di Sophos.

«Solo la trascrizione di un nome indigeno di cui ignoriamo il significato» disse, ben sapendo che la risposta non mi avrebbe soddisfatta, ma certamente tacitata. Almeno per il momento. Mi rendevo conto che se le cose stavano come stavano avremmo dovuto aspettarci altri guai, altre traversie e forse anche una fine amara.

La verità era quella che già da tempo avevo intuito anche senza comprenderne le cause. Ora sapevo che ciò che era rimasto dell'esercito avrebbe dovuto battersi ancora contro l'Impero del Gran Re e la potenza di Sparta, che li voleva morti o dispersi ai quattro angoli del mondo, così lontani che non avrebbero mai potuto fare ritorno.

L'aspettativa era che vincessero o sparissero, e invece si stava verificando una terza eventualità: avevano vinto e perso nello stesso tempo e, contro ogni immaginazione, stavano tornando.

Xeno diceva che avremmo presto incontrato luoghi abitati e che secondo i suoi calcoli la primavera non doveva essere lontana. Non si sbagliava infatti e il primo segno lo ebbi io stessa una mattina gelida e serena quando mi alzai per raccogliere la neve e farla liquefare al fuoco per avere acqua da bere e per lavarci. Mi trovai di fronte un bosco di piante dai tronchi enormi e dai grandi rami nudi e appena si alzò il sole udii l'aria risuonare di richiami strazianti. Corsi indietro verso il campo più veloce che potevo, ma presto capii che non c'era da temere. Nessuno m'inseguiva, nessuno mi minacciava. Non si trattava di voci umane.

Erano uccelli.

Non li avevo mai visti ma li avevo sentiti descrivere da viaggiatori che erano passati ai nostri villaggi. Tornai indietro passo passo e li guardai attonita: a decine, sui rami dei grandi alberi e alcuni anche a terra improvvisamente immobili al mio giungere, come immagini dipinte. I maschi avevano il collo rivestito da piume di un azzurro impossibile: come oro blu, e quello stesso colore ornava le loro code, simili a manti reali, punteggiate di grandi occhi sfumati in bronzo e oro. Erano mirabili creature la cui eleganza e incredibile bellezza contrastavano con la voce, capace solo dello stesso verso sgraziato e monotono.

Pensai dapprima che fossero i nostri compagni caduti in battaglia e rapiti dalla tormenta che gridavano la loro disperazione per la vita stroncata troppo presto, che volevano farsi sentire, lacerando l'aria con i loro lamenti. Ma poi vidi uno di loro sollevare la coda e aprirla in un arco sfolgorante di bronzo, d'azzurro, d'oro e d'argento e quasi piansi per la commozione. No, non era quello un pianto di morte, ma un richiamo e una danza d'amore. Erano certamente uccelli sacri a qualche divinità di quella terra e annunciavano con il loro grazioso corteggiamento l'approssimarsi della primavera!

Mi confermai nella convinzione che sempre avevo avuto: la natura non dà tutti i suoi doni a una sola creatura. Ad alcune dà una cosa, ad altre un'altra. L'usignolo è piccolo e insignificante, ma il suo canto è una melodia struggente, il più armonioso che la natura abbia creato. Pensai anche che nel paradiso terrestre ogni cosa doveva essere perfetta e che gli dèi all'inizio dovevano aver dato agli uccelli che spiegavano davanti a me la loro abbagliante bellezza una voce simile a quella degli usignoli perché fosse manifesta la loro infinita potenza.

Arrivammo, dopo diversi giorni di marcia, a un altro fiume che correva impetuoso nella direzione opposta a quello che avevamo prima disceso e prendemmo a seguirlo. Si chiamava nella lingua locale *Harpas* e scendeva vorticoso verso valle, dove anche noi volevamo dirigerci. Anche il tempo stava cambiando: fiumi e torrenti correvano pieni di acque cristalline e, dove si aprivano in anse e insenature profonde, si vedevano guizzare pesci bellissimi che parevano d'argento. E in basso, là dove si apriva una vasta terra fertile, i campi erano fioriti e i prati erano lucenti distese di smeraldo. Man mano che procedevamo apparivano villaggi e sul far della sera si poteva vedere il fumo uscire dai tetti in lente volute e salire verso il cielo rosa del tramonto.

Laggiù era primavera.

Ora la voce dell'esercito era tornata a essere quella di una volta, sonora e possente. L'avevo dimenticata: era tanto che non la sentivo. L'armata si era mossa per mesi quasi in silenzio, oppressa da una fatica immane che pesava sul cuore ancora più che sulle spalle e sulle gambe, fatica di trascinare un'esistenza senza speranze, di vedere cadere i compagni uno dopo l'altro per mano di un nemico possente, invisibile e implacabile: lo spettro dell'Inverno avvolto nella tormenta e nella foschia, opaco e trasparente assieme, gelido e abbacinante. Nessuna voce, perché la sua le sovrastava tutte o le inghiottiva nel silenzio attonito delle altezze, nelle tenebre di notti senza fine.

Era uno spettacolo entusiasmante, man mano che si scendeva verso la valle e si lasciavano i pendii innevati per entrare nei pascoli verdi e nei campi costellati di fiori, vedere gli uomini sbarazzarsi delle pelli che li rendevano simili a bestie e riacquistare giorno per giorno l'aspetto di un tempo. Rivedere le braccia e le gambe nude e muscolose, mentre i volti perdevano l'ispido sembiante delle lunghe barbe incolte e riprendevano la dignità che la forbice e il rasoio conferivano, strumenti di una civiltà dimenticata.

E le armi, soprattutto le armi, brunite e offuscate dall'umidità e dalla lunga incuria, riacquistavano lo splendore corrusco del bronzo, lo scintillio siderale del ferro e dell'argento; i cimieri degli elmi, lavati nell'acqua pura dei ruscelli, ondeggiavano al vento, rossi, azzurri, bianchi e ocra. Le trombe, quando annunciavano il pericolo o chiamavano gli uomini nei ranghi, squillavano con nitore argentino, con voce tagliente come una spada.

Raggiungemmo il fondo della vallata una sera dopo il tramonto e mi volsi a guardare un'ultima volta il mondo gelato che mi lasciavo alle spalle. Per un attimo mi parve di vedere un cavaliere, una sagoma incerta che si confondeva con il riflesso della neve nell'ultimo bagliore del tramonto: uno dei miei tanti ricordi che si rifiutava di abbandonarmi...

Le comunità che costellavano la valle erano tranquille, dedite più al commercio che alla guerra, allo scambio più che allo scontro. Alcuni dei villaggi cominciavano ad assumere le dimensioni di una città.

Il passaggio dell'esercito suscitava più interesse che paura, più curiosità che ostilità. Uno di questi centri, in fondo alla vallata, era una vera e propria città con case in muratura o in legno e una piazza del mercato dove si poteva comprare di tutto: bestiame, grano, orzo, pollame e uova, legumi e verdure. In quel luogo mi resi conto che la cassa di Sophos doveva avere un doppio fondo perché lo vidi spendere una certa quantità di darici d'oro, le monete dell'Impero su cui era rappresentato Dario il Grande in atto di scoccare una freccia. E anche i comandanti delle grandi unità avevano denaro persiano da spendere. L'esercito poté finalmente rifornirsi di quello di cui aveva bisogno e il cibo fresco migliorò le condizioni di ognuno.

Xeno passò molto tempo al mercato a cercare informazioni accompagnato da un interprete che parlava il persiano e dopo alcune ore fu invitato nella casa dell'uomo che aveva il governo della città. Evidentemente le voci correvano e i forestieri erano tenuti d'occhio. L'uomo che aveva invitato Xeno parlava perfettamente il persiano e l'interprete non ebbe difficoltà a farsi capire.

Li ricevette nella sua dimora: una casa spaziosa con un giardino interno con molti servitori e ancelle nei loro costumi locali.

«Non capita spesso di vedere un esercito come il vostro in questa città. Dal tipo di armamento e dal suono della vostra lingua siete Greci. Come siete giunti qui?» chiese.

«Il nostro è un reparto al servizio del Gran Re. Ci siamo persi in una bufera di neve in montagna e siamo stati sul punto di soccombere. Ora dobbiamo trovare il modo di raggiungere le nostre basi sul mare e spero tu ci possa aiutare.»

Il nobile signore fece venire della carne arrostita e delle uova di piccione lessate in acqua salata per onorare il suo ospite e finse di credere alla bugia che gli aveva raccontato sulla natura della sua missione militare. Disse: «Sarò felice di aiutarvi. Prima di sera manderò al vostro accampamento una guida che vi indicherà la strada da percorrere. In cambio vi chiederà un piccolo favore».

«Consideralo fatto» rispose Xeno. «Di che si tratta?»

«Ve lo dirà la guida. Preferisco che i miei ospiti godano della mia accoglienza senza chiedere personalmente una contropartita.»

Xeno prese atto delle usanze locali e dopo il pranzo tornò all'accampamento a riferire. La guida arrivò nel tardo pomeriggio. Era un uomo robusto, non privo di una certa dignità nel portamento, vestito e attrezzato per una marcia in montagna. Evidentemente dava per scontato l'esito della sua richiesta. Fu ricevuto nella tenda che fungeva da quartier generale alla presenza dei comandanti delle grandi unità e dei comandanti di battaglione.

«Ti siamo grati di fornirci un aiuto tanto prezioso» cominciò Sophos. «Per prima cosa vorremmo sapere quanto ci separa dal mare.»

«In cinque giorni di marcia sono in grado di condurvi in un luogo da cui si può vedere il mare. Non è questo che volete?»

Né Sophos né gli altri comandanti e neppure Xeno riuscirono a celare l'enorme emozione che quelle parole provocavano in loro. Sophos rispose: «Certamente. E noi come possiamo ricompensarti?».

«Dopo il secondo giorno di marcia entreremo nel territorio di una tribù nostra nemica. Fanno continue incursioni nel nostro territorio saccheggiando e distruggendo. Sono montanari selvaggi e feroci. Dovete devastare il loro territorio, bruciare i loro villaggi, prendere tutto quello che volete, anche le donne.»

Sophos scorse con lo sguardo i volti dei suoi comandanti trovandovi la stessa determinazione e rispose semplicemente: «Si può fare».

«Allora partiamo» disse la guida, «il tempo risparmiato è tempo guadagnato.»

Partimmo, benché fosse già passato il mezzogiorno, e ci portammo sul fianco settentrionale della valle dove la pista che avevamo percorso per avvicinarci alla città deviava verso le montagne, e imboccammo una gola stretta e lunga, percorsa da un torrente, risalendola in colonna. Come sempre, gli incursori davanti assieme alla guida, dietro la retroguardia di Xeno a cavallo.

Le giornate si erano allungate e ce ne accorgemmo risalendo il pendio della montagna perché il sole continuò ad accompagnarci sul fianco destro della valle finché tramontò. Ci fermammo in una radura, una sorta di terrazza erbosa abbastanza vasta per contenere il campo.

Xeno e gli altri si portarono fino al crinale che ci sovrastava e apparvero i villaggi su un'altra terrazza. All'imbrunire si vedeva qualche luce di fuochi che cuocevano il cibo e di lampade notturne.

«Perché non attacchiamo ora?» domandò Agasìas. «Così ci togliamo il pensiero e dopo ceniamo in pace.»

«No» rispose Sophos. «Non mi va di attaccare al buio e in montagna. Domattina si fa colazione prima che sorga il sole e poi si attacca.»

La guida si fece avanti: «Anche i bambini e le donne» disse, «meno quelle che volete tenere per voi».

«No» replicò Sophos, «questo non era nei patti. Toglieremo di mezzo tutti quelli che oppongono resistenza armata e incendieremo i villaggi. Non chiedere di più.»

Le stelle quella notte riempirono il cielo a milioni, il bianco velo che attraversava il firmamento da un punto all'altro sembrò ondeggiare come se un vento misterioso lo facesse fluttuare e l'aria era piena del profumo di fiori sconosciuti.

Dopo cena Sophos si avvicinò al crinale vestito solo del mantello e con la lancia stretta nel pugno. Xeno gli si accostò.

«Non posso crederci: ancora quattro giorni e giungeremo in vista del mare» disse.

«Non devi crederci infatti. Finché non lo avremo visto.»

«Già. Di intoppi ne abbiamo avuti tanti.»

Restarono in silenzio, l'uno vicino all'altro, poi Xeno parlò di nuovo: «Che cosa farai quando saremo tornati?».

«Nulla... io non arriverò mai a Sparta.»

Xeno non aggiunse altro perché non c'erano commenti per la sentenza che il comandante Sophos aveva pronunciato su se stesso. Restarono ancora là seduti sul crinale a guardare i villaggi che il giorno dopo avrebbero messo a ferro e fuoco.

Mentre gli uomini mettevano il campo io avevo scoperto una polla d'acqua limpida sotto una grande roccia verde di muschio e quando il buio fu completo la raggiunsi, mi spogliai e lentamente mi immersi nell'acqua gelida. Quasi non riuscivo a recuperare il respiro per il morso del freddo ma potei finalmente lavarmi, purificare il mio corpo e i miei capelli nell'acqua incontaminata. Fu come rinascere a nuova vita e quando mi coricai sprofondai in un sonno di pietra.

Fui svegliata da un coro di urla, di grida di terrore, dal crepitare sinistro del fuoco. Corsi fuori e vidi che il campo era vuoto, presidiato soltanto da un piccolo reparto. Raggiunsi il crinale e osservai i nostri soldati pagare il prezzo richiesto per poter vedere il mare: il massacro.

Gli uomini del villaggio si battevano con tutte le forze ma erano rimasti in pochi perché l'assalto era avvenuto di sorpresa, prima che il sole sorgesse. Molti giacevano trafitti al suolo, le donne correvano con i bambini in braccio cercando scampo nei boschi, altre singhiozzavano sui corpi dei mariti uccisi. I ragazzi cercavano di raccogliere le armi dei padri caduti per battersi contro i nemici implacabili che erano piombati dal nulla sul loro villaggio addormentato. Le capanne con tetti di legno e di paglia ardevano come torce levando al cielo turbini di fumo denso e di faville. In poco tempo il crepitare dei roghi fu l'unico rumore che si potesse udire. L'esercito si rimise in marcia, condotto dalla guida, e distrusse uno per uno tutti i villaggi della montagna, lasciando dietro una scia di rovine annerite dal fumo. La devastazione durò tre giorni consecutivi e solo quando la nostra guida si dichiarò soddisfatta riprendemmo il cammino verso il crinale della catena montuosa che stavamo attraversando.

Man mano che si saliva ricompariva la neve, ma soltanto a chiazze, qua e là, e nei pascoli si aprivano fiori bianchi e carnosi, bellissimi, poi, più in alto, distese di fiori purpurei a petali sottili e allungati, disposti a forma di stella, così fitti e rigogliosi che formavano un tappeto di smagliante splendore. Vidi che le ragazze ne raccoglievano per metterseli nei capelli e anch'io ne presi uno. Mi dispiaceva vederli calpestati dal passo pesante dei guerrieri.

La testa della colonna era ormai sul crinale mentre noi, con gli animali da soma, eravamo ancora indietro e Xeno saliva a piedi con i suoi tenendo i cavalli per le briglie. Finalmente anche noi arrivammo a una specie di altopiano, abbastanza largo da consentire il passaggio di due battaglioni affiancati, che saliva verso occidente con una pendenza non molto accentuata.

A un tratto, dalla testa della colonna si udirono delle grida confuse, e sempre più forti. Xeno che stava poco dietro di me con Licio di Siracusa e gli altri del suo squadrone gridò: «A cavallo, a cavallo! Stanno attaccando l'avanguardia, via! via!».

Fu un attimo: balzarono in sella e spronarono a tutta velocità passando a fianco della colonna che intanto si era fermata. Gli ufficiali allargavano i reparti per condurli avanti in linea di combattimento a portare aiuto, tanto più che le grida si facevano sempre più forti.

Ma in quelle grida c'era qualcosa di strano che credetti di capire e mi misi a correre come una pazza verso la testa della colonna.

Era un urlo prolungato e possente come un fragore di tuono e più mi avvicinavo più il grido cresceva al punto da far tremare il cuore.

Era una parola, una sola, quella che avevo udito tante volte pronunciare come speranza e invocazione nelle notti di gelo e di disperazione, nelle interminabili marce. E l'avevo udita nei canti malinconici che salivano dall'accampamento quando il sole moriva nella grigia nuvolaglia invernale.

Il mare.

Sì, gridavano: «Il mare! Il mare! Il mare! Il mareeeee!».

Mi scoppiava il cuore quando arrivai in cima ansante e grondante di sudore. Xeno mi vide e gridò: «Guarda, è il mare!».

Attorno a me era il delirio, i guerrieri sembravano impazziti, non cessavano mai di ripetere quel grido, si abbracciavano l'un l'altro, abbracciavano i loro ufficiali quasi a ringraziarli di non aver mai perduto la speranza, poi, brandite le spade, cominciarono a batterle contro gli scudi senza interrompere il grido facendo tremare l'aria del fragore assordante del bronzo.

Rimanevo immobile e attonita a guardarlo. La spessa coltre di nubi che copriva i piedi della grandiosa catena montuosa si stava aprendo e a ogni attimo, quasi a ogni grido dei guerrieri, lo squarcio si spalancava sempre di più rivelando una distesa di un azzurro intenso e splendente, un blu scintillante e traslucido, scaglioso di mille onde luccicanti, orlate di candida schiuma. Non l'avevo mai visto.

Il mare.

# 27

L'entusiasmo e la gioia sembravano non doversi spegnere mai. La vista del mare non era solo la fine di un incubo, era la vista di casa. Significava potersi muovere in luoghi conosciuti, costellati di loro insediamenti, città e villaggi che erano stati fondati dalla madrepatria sul continente.

A un tratto qualcuno gridò qualcosa che non compresi e subito alcuni si diedero ad ammassare pietre. A questi se ne aggiunsero altri finché l'esercito intero e anche non poche delle ragazze si unirono ai primi portando pietre e ciottoli, ognuno secondo la sua forza e possibilità. Andavano a raccoglierle in un avvallamento del terreno a due o trecento passi di distanza e costruirono dei grandi tumuli proprio nel punto da cui i primi avevano visto il mare. Dovevano essere il ricordo della loro impresa. Dovevano essere i trofei che avrebbero tramandato per secoli e forse per millenni la memoria della loro vittoria sui nemici, sulla fame, sulla sete, sul freddo, le ferite, le malattie e i tradimenti. Dovevano celebrare per sempre un'impresa impossibile.

Tale era l'eccitazione che i mucchi di pietre crescevano quasi a vista d'occhio raggiungendo in poco tempo dimensioni impressionanti. La guida, in disparte, non disse nulla. Restava a osservarli perplesso, quasi non si rendesse conto di ciò che stavano facendo, senza capire, io credo, il significato di quel comportamento. Non si mosse, osservò senza batter ciglio l'impresa tanto spontanea quanto imponente prender forma e crescere di ora in ora sotto i suoi occhi.

All'imbrunire la fatica era compiuta e i tumuli, larghi ognuno più di venti passi e alti una decina di cubiti, sorgevano proprio sull'orlo della spianata che si affacciava sul ripido pendio che scendeva verso il mare. Le nubi intanto si erano ricompattate e la vista della sterminata distesa azzurra si era oscurata. Terminata la costruzione i nostri vi gettarono sopra le armi tolte ai nemici e solo allora la guida ebbe una reazione, ne fece alcune a pezzi e chiese ai nostri di fare altrettanto, tale doveva essere il suo odio per coloro che le avevano portate.

Era ora di ricompensarlo per averci guidati fino a quel punto. Furono presi un cavallo dal patrimonio comune, una bellissima veste persiana e dieci darici d'oro, una somma ragguardevole, segno di una sconfinata gratitudine. Ma alla guida piacevano gli anelli e indicandoli al dito dei soldati li chiedeva. Molti se li tolsero e glieli regalarono volentieri. Anche Melissa: la vidi che si toglieva uno dei suoi dal dito mignolo e lo deponeva nella mano della guida che lo mise con gli altri nella bisaccia. Poi, senza dire una parola, prese il cavallo per la briglia e sparì fra le ombre della sera.

Scesero allora sull'esercito la calma e il silenzio e anche un'infinita malinconia. All'euforia, all'entusiasmo incontenibile e quasi folle, alle grida, al furore della salvezza finalmente conseguita, l'epilogo di un'impresa che era costata sacrifici e fatiche disumane, una battaglia fatta di mille battaglie, una guerra contro tutto e contro tutti, subentrava il tempo della riflessione e della memoria. Davanti ai loro occhi passavano scene che li avevano segnati per la vita e immagini che tornavano prepotentemente: compagni caduti in battaglia, morti lentamente fra atroci sofferenze, mutilati, feriti, giovani le cui anime avrebbero vagato per sempre in un mondo cieco e buio.

A loro erano dedicati quei tumuli, al loro eroismo, al loro valore, al loro coraggio. Ed erano un monumento unico al mondo, non un'opera commissionata con ricchi compensi a un grande artista fornito di oro, di bronzo e di marmi preziosi. Ognuno di loro lo aveva costruito, ognuno aveva portato una pietra o due o cento, senza il disegno di alcun architetto, senza altra ispirazione se non i sentimenti del cuore.

Al tramonto vidi più di uno di quei giovani piangere in disparte mentre un altro gruppo, a lato del tumulo più grande, levava un canto che saliva, triste e maestoso, verso il cielo in cui già splendeva la prima stella.

Il mattino successivo si riprese la marcia, questa volta in discesa. I Diecimila lasciavano il mondo di altezze che avevano percorso da una estremità all'altra, marcato da cime solitarie, delimitato da immani catene montuose, solcato da fiumi vorticosi, rombanti fra rapide e cascate spumeggianti, per scendere al mare da cui erano partiti.

Attraversammo un bosco di arbusti alti poco più di un uomo, carichi di fiori purpurei, a vista d'occhio, su prati verdissimi pieni di altri fiori meravigliosi che non avevo mai visto.

Qua e là correvano decine di piccoli torrenti che portavano a valle le acque dei ghiacciai e delle nevi che si scioglievano più in alto al calore della primavera inoltrata. Saltavano da una roccia all'altra spandendo una nebbia che s'illuminava dei colori dell'iride attraversata dai raggi del sole. E il suono di ogni salto, di ogni cascatella, il gorgoglio dell'acqua che cambiava di tono e di intensità a ogni sasso su cui scorreva diventava una voce unica, indefinibile e magica, cui si mescolavano il canto degli uccelli e il fruscio delle foglie nel vento.

Così avevo pensato che fosse il paradiso terrestre dell'età dell'oro: riflessi dorati del sole che penetrava fra i rami, lo scintillare delle gocce di rugiada, i profumi portati dal vento tiepido che saliva dal mare impregnato di altri sentori...

Le sofferenze sembravano davvero alle spalle, gli stenti

e la fame soltanto un ricordo, ma ben presto ci dovemmo accorgere che non tutto sarebbe stato facile. Una tribù del luogo ci sbarrò il passo su un fiume e solo dopo che uno dei nostri ebbe parlamentato con loro ci lasciarono passare senza danni. Quando Xeno volle sapere come mai parlava la lingua di un popolo così lontano e sconosciuto, il giovane assaltatore rispose: «Non lo so... Mi sono accorto improvvisamente che li capivo quando parlavano».

Fu una specie di prodigio difficile da spiegare. Il giovane raccontò che da piccolo era stato venduto schiavo ad Atene ed era quindi possibile che fosse figlio di quella gente. La sua lingua madre era rimasta coperta dall'oblio in fondo alla sua mente per anni e anni finché la memoria era stata risvegliata dal contatto di nuovo stabilito con le origini dimenticate.

Più avanti ancora fu necessario conquistare una cresta montuosa su cui erano schierati dei soldati: i Colchi, il popolo del vello d'oro!

Stavo esplorando un universo meraviglioso in cui la verità e il mito si fondevano e si mescolavano in continuazione, in cui visioni reali si trasfiguravano in paesaggi fantastici.

Fu Xeno a guidare l'attacco e a spronare i guerrieri a conquistare l'ultimo valico: passò avanti e indietro a cavallo da colonna a colonna incitando, scherzando, urlando imprecazioni del suo gergo militare finché lo udii gridare: «Avanti adesso, ce li dobbiamo mangiare vivi!».

Gli uomini risposero con un boato lanciandosi all'attacco in salita con una foga e una potenza travolgenti. I Colchi furono spazzati via al primo assalto e l'esercito si accampò in alcuni villaggi che apparvero alla vista prima di sera. Qui accadde un fatto molto strano. Centinaia di uomini mostrarono segni di avvelenamento: vomito, febbre, nausea, spossatezza mortale. Si disse che avevano mangiato del miele che li avrebbe intossicati ma io non ho mai sentito dire che le api possano produrre del miele velenoso. Come potrebbero esse stesse sopravvivere al veleno? Mi vennero in mente altri pensieri, e anche a Xeno io credo, perché l'esercito aveva sempre i suoi nemici e non erano venute meno le ragioni per cui doveva essere annientato.

Per fortuna chi era caduto malato riuscì a riprendersi in poco tempo e questo attenuò in parte anche i miei sospetti.

Riprendemmo la marcia e finalmente si aprì davanti ai nostri occhi la vista della costa per vasto tratto e poi, il secondo giorno, apparve la città di Trapezus. Una città greca.

Era passato più di un anno da quando i nostri avevano parlato per l'ultima volta la loro lingua con una comunità in grado di comprenderli, e la gioia fu immensa. Ci accampammo fuori città e mentre i comandanti prendevano contatto con le autorità e cercavano di ottenere gli aiuti necessari per continuare il viaggio, altri organizzarono dei giochi e delle gare per ringraziare gli dèi.

Alla fine dei festeggiamenti venne il momento delle decisioni. L'assemblea dell'esercito, convocata a ranghi completi, non lasciò molta scelta agli ufficiali: nessuno voleva più marciare, affrontare altri combattimenti, subire nuove perdite. Consideravano conclusa la loro impresa e volevano imbarcarsi per tornare a casa. Uno dei soldati fece addirittura un discorso che sembrava ispirato ai monologhi degli attori comici dei teatri: la parodia del soldato-eroe. Come per dire: ne abbiamo abbastanza!

Sophos cercò di ottenere delle navi da guerra e da trasporto dalle autorità cittadine, ma il risultato deluse le aspettative. Solo un paio di navi e qualche decina di imbarcazioni minori. Per giunta uno dei nostri, cui erano state affidate le due navi perché aveva una certa esperienza di navigazione, durante la notte salpò l'ancora e se ne andò con uno dei due vascelli. Si chiamava Deuxippo e da quel giorno sarebbe stato ricordato come un traditore.

Le imbarcazioni rimaste non sarebbero certamente bastate a trasportare l'esercito che fu quindi costretto a riprendere le incursioni nell'interno per fare razzie, per saccheggiare i villaggi delle popolazioni indigene che si difendevano con le unghie e con i denti. Io non assistetti a questi assalti, perché restavo al campo sulla costa con le altre donne, con i feriti e i convalescenti, ma ne seppi abbastanza da ciò che si sentiva raccontare: immagini crudeli di stragi e incendi, donne e bambini che si gettavano dalle loro case in fiamme sfracellandosi al suolo, combattenti di ambo le parti trasformati in torce umane, feroci corpo a corpo, massacri.

Ma avevano forse altra scelta? Se avessero potuto avrebbero preferito comprare nei mercati ciò di cui avevano bisogno, ma non avevano abbastanza denaro, né avevano cose preziose da offrire in cambio. Anch'io, da tempo, mi ero abituata a pensare come loro, a considerare che quella della sopravvivenza è una legge alla quale non ci si può sottrarre. Gli orrori della guerra erano una triste conseguenza di quella legge. Una volta in battaglia il dolore, il sangue, lo strazio dei corpi e delle menti facevano il resto abbattendo ogni limite fissato dalla civiltà, travolgendo ogni ritegno. Fui fortunata a non vedere.

Dopo più di un mese che eravamo fermi nello stesso luogo l'esercito aveva fatto il vuoto: non c'erano più possibilità di saccheggio nel raggio di una o due giornate di cammino. Bisognava muoversi anche perché gli abitanti di Trapezus non ne potevano più e avrebbero fatto qualunque cosa per vederci partire. A quel punto si decise che i non combattenti salissero sulle navi e le imbarcazioni disponibili: in questo modo anche le necessità di cibo sarebbero diminuite notevolmente. Il comando della flottiglia fu affidato a Neto, l'ufficiale che più volte aveva avuto contrasti con Xeno. Pare che anche lui stesse scrivendo una storia della spedizione e mi sarebbe piaciuto sapere cosa narrava.

I feriti e gli ammalati, i meno giovani e tutte le donne partirono per mare. Sì, le ragazze se ne andavano, le ragazze che avevano incitato i guerrieri al guado del fiume vorticoso, come campioni allo stadio, perché arrivassero prima degli Armeni, le ragazze che li avevano tenuti fra le braccia al ritorno dalle battaglie, che avevano curato e medicato le loro ferite, che li avevano consolati della fatica di vivere, di combattere, di affrontare la morte ogni giorno e ogni notte, le ragazze che li avevano baciati e amati perché il giorno dopo avrebbe potuto essere l'ultimo, le ragazze che li avevano accompagnati alle soglie del nulla, che li avevano pianti sulla pira funebre, quasi fossero spose, sorelle, madri.

Partivano.

Restai con Xeno. E Melissa restò con Kleanor e così pure altre venti o trenta che erano ormai le compagne fisse di alcuni degli ufficiali. E la marcia riprese lungo la costa senza mai perdere di vista il mare. Per un poco vedemmo le navi e le barche che navigavano di conserva e qualche volta mi parve di scorgere le nostre compagne che ci salutavano agitando dei drappi colorati e dei fazzoletti. Mi veniva il groppo alla gola e non riuscivo a trattenere le lacrime. Pensavo a Lystra, al gelo in cui aveva cercato di partorire un figlio, alla disperazione e alla solitudine in cui mi ero trovata con lei. Alla morte che aveva voluto il suo tributo, una povera schiava e un bambino che non sarebbe mai nato. E nel sole che mi accecava dal mare con mille barbagli ripensai alla misteriosa divinità della bufera che mi aveva sollevato e portato in volo alle soglie del campo perché mi trovassero. Forse le sue sembianze erano di neve e si erano dissolte con il ritorno della primavera, forse la sua anima brillava ora negli infiniti riflessi dei torrenti che scendevano cantando a valle e si tuffavano in mare.

Raggiungemmo la prima città importante dopo alcuni giorni di marcia e qui, non so per quale motivo, venne il momento amaro e a lungo rimandato di contare i sopravvissuti. Ufficialmente per sapere quante bocche c'erano da sfamare. L'esercito venne schierato in pieno assetto e gli ufficiali comandanti di ogni reparto fecero l'appello ad alta voce. A ogni nome che veniva chiamato chi era sopravvissuto gridava: «Presente!», ma la risposta era spesso un prolungato silenzio. L'ufficiale pur sapendo di chiamare un morto ripeteva il nome perché così voleva la tradizione militare e solo dopo un altro prolungato silenzio si passava a un nuovo nome. Man mano che l'appello procedeva l'espressione dei presenti s'incupiva sempre più perché a ogni silenzio corrispondeva un compagno, un amico, un fratello che aveva perso la vita, corrispondevano immagini di sangue e di strazio.

Qui ricordai che quelli che avevo sempre chiamato i Diecimila in realtà erano all'inizio di più, circa tredicimila. Di questi solo ottomilaseicento risposero alla chiamata. Più di quattromila erano morti per il freddo, la fame, le ferite.

Si fece anche la spartizione del bottino che era stato razziato in tutti gli assalti condotti durante la spedizione. A parte la decima da offrire agli dèi, il resto fu diviso, secondo il rango, fra i comandanti delle grandi unità, i comandanti di battaglione e i soldati.

Una cosa mi colpì: Sophos rifiutò quello che gli spettava e lo lasciò al suo aiutante di campo, Neon della città di Asine. Osservai l'espressione di Xeno quando il comandante supremo rinunciava alla sua parte: un'espressione prima di meraviglia, poi di consapevole tristezza. Gli aveva detto che non avrebbe mai fatto ritorno a Sparta e si comportava di conseguenza.

Lasciata la città arrivammo ai confini del territorio di un paese selvaggio diviso in due fazioni. Ci alleammo con quella che era d'accordo di lasciarci passare e attaccammo quella che era contraria. Si definivano nella loro lingua "abitanti delle torri" perché i loro capi abitavano in torri di legno che sovrastavano i centri abitati.

Fu un'altra battaglia sanguinosa che costò non poche perdite, ma i nostri vinsero anche questa volta. Quando si schieravano ubbidienti ai loro comandanti, quando facevano muro con gli scudi e urlavano tutti assieme il loro temibile grido di guerra, nessuno poteva resistere loro, nessuno poteva sostenere la vista delle loro schiere che avanzavano compatte al suono dei flauti e dei tamburi. Dopo la vittoria i nostri alleati ci mostrarono i villaggi e le case e i capi i loro figli, creature impressionanti, devo dire. Li ingrassavano con certe noci che crescevano nel loro territorio, immangiabili crude, ma squisite se arrostite o lessate, rivestite di una buccia color cuoio.

Questi ragazzi erano per questo più larghi che alti; rivestiti di uno spesso strato di grasso, erano di pelle bianchissima, completamente coperta di tatuaggi di vivaci colori. Pensai che fossero qualcosa di simile a offerte per gli dèi, talismani per propiziare le forze della natura. Non sarebbero stati buoni per null'altro data la loro condizione. Gli uomini invece erano molto attivi e in un certo senso invadenti. Cercarono più volte, come animali, di montare davanti a tutti le ragazze rimaste con noi. Melissa era una delle più ambite e sarebbe scoppiata una rissa sanguinosa se gli interpreti e le guide locali non avessero interposto i loro buoni uffici e dato agli uni e agli altri le opportune spiegazioni.

Xeno osservò che quelli erano i barbari più barbari che avesse mai incontrato: facevano infatti in pubblico ciò che i Greci fanno in privato, come congiungersi con una donna o espletare i bisogni corporali, e in privato ciò che i Greci fanno in pubblico, come parlare e danzare.

Io stessa ne vidi più di uno danzare o discorrere da solo, ma ne rimasi affascinata. Era un popolo in qualche modo allo stato naturale, senza malizie né ipocrisie, ma non perciò meno feroce. Pensai quindi che la ferocia fosse connaturata all'essere umano, in particolare ai maschi, anche se le femmine non ne erano certo immuni. Ciò che mi aveva raccontato Menon di Tessaglia delle torture inflitte dalla Regina Madre a quelli che si erano vantati di avere ucciso suo figlio mi aveva riempita di orrore.

Avevamo viveri ora e altro bottino e animali da soma. La situazione dell'esercito era molto cambiata. Notai solo che Sophos, il comandante Cheirisophos, così lo chiamava Xeno, si era come dissolto. Aveva scelto incarichi marginali, come cercare imbarcazioni. Non appariva più in pubbliche riunioni, non si faceva vedere alla testa delle truppe. Sembrava volesse nascondersi, quasi non avesse più un ruolo da assolvere. Chissà, forse voleva andarsene improvvisamente come era apparso, e forse una mattina non l'avremmo più visto.

Avrei voluto chiedere a Xeno che cosa ne pensasse o che cosa ne sapesse ma da quando ero stata sorpresa a frugare fra le sue cose quello era diventato un argomento vietato. Strano, da un certo punto di vista, se si considera che il mio gesto aveva fatto precipitare la situazione e indotto Sophos a risoluzioni di cui in cuor suo già era convinto. Potevo capire. Avevo interferito in una situazione talmente delicata, segreta e pericolosa – di questo ero ben consapevole – che la mia azione doveva restare ignota a tutti Qualunque parola avessi ancora proferito sull'argomento avrebbe costituito un grave rischio da scongiurare.

Arrivammo così in un'altra città sul mare abitata da Greci. Si chiamava Kotiora, se ricordo bene, e come le altre visitate fino a quel momento era sottoposta a un'altra città che si trovava più a occidente, chiamata Sinope, che a sua volta doveva essere stata fondata da un'altra ancora, forse una di quelle che sorgevano in Grecia.

Qui Xeno non riuscì più a tenere segreta l'intenzione che covava ormai da tempo di diventare il fondatore di una colonia. Da quello che sapevo non avrebbe fatto ritorno nella sua città perché aveva combattuto dalla parte della fazione perdente e anche se fosse stato riammesso e gli fosse stata garantita l'incolumità non avrebbe mai ricoperto alcun ruolo di governo né di comando nell'esercito, né sarebbe stato tenuto in alcuna considerazione e rispetto. Conoscendolo bene avrebbe preferito la morte a una simile eventualità. Fondare una colonia significava diventare il padre di una nuova patria, entrare nella leggenda per i discendenti, essere ricordato con statue e iscrizioni nelle piazze, non solo nella nuova città ma forse anche nella terra di origine. Sarebbe stato un riscatto totale. Per quello che capivo la patria era disposta a dimenticare gli aspetti sgradevoli di un proprio figlio se questi, stabilendosi lontano, oltremare, non rappresentava più alcun problema e anzi creava una nuova comunità che con la città madre avrebbe mantenuto relazioni particolari e ne avrebbe tenuto vivo e onorato il ricordo.

Anche per i soldati un simile piano sarebbe stato vantaggioso. Molti di loro erano uomini senza radici che andavano alla ventura vendendo la spada al migliore offerente. Chi aveva famiglia avrebbe potuto farla venire, chi non l'aveva formarsene una sposando una ragazza indigena. Avrebbero goduto di privilegi, sarebbero stati capostipiti delle famiglie più in vista, di una nuova aristocrazia, e sarebbero stati ricordati nelle canzoni popolari e nella storia della nuova città.

Quel progetto, lo ammetto, affascinava anche me, benché non osassi confessarlo nemmeno a me stessa.

Se Xeno fosse diventato l'eroe di una nuova patria io sarei potuta divenire la sua sposa. Io, la piccola barbara di un villaggio dimenticato e senza storia, sarei diventata la madre dei suoi discendenti, e anche il mio nome sarebbe stato ricordato accanto al suo. La mia lunga e avventurosa vicenda avrebbe avuto un epilogo meraviglioso, come nelle storie che raccontavano i vecchi di Beth Qadà, come nel sogno che avevo accarezzato la prima volta che lo avevo incontrato al pozzo.

Non era per quello che il comandante Sophos si era fatto da parte? Non era un uomo come gli altri. Forse voleva che il suo amico lo ricordasse per sempre come colui che gli aveva aperto la strada per un destino di gloria e poi era rientrato nell'ombra per lasciarlo unico protagonista. Sì, non trovavo altre spiegazioni, o non volevo.

Nella nostra tenda si moltiplicarono le riunioni di ufficiali per valutare diverse possibilità. Si contavano gli uomini che avrebbero potuto seguirli e quindi l'eventuale consistenza della nuova fondazione. Si tornava a parlare ancora del Fasi e della Colchide dove regnava un discendente del re che aveva avuto in suo potere il vello d'oro, una terra magica e ricchissima dove la città sarebbe subito diventata fiorente per i traffici e i commerci e da dove si sarebbero potute tessere relazioni, alleanze e trattati con altre città e stati.

Sognavano.

Ma forse questa volta i sogni sarebbero potuti diventare realtà. E Xeno continuava a offrire sacrifici agli dèi aiutato da un indovino che ci aveva seguito assieme ad altri per tutta la spedizione. Voleva sapere se mettere a conoscenza l'esercito o tenere per il momento la cosa per sé. Correva voce che molti altri erano favorevoli alla fondazione di una colonia, ma c'era chi voleva restare dove eravamo; altri ancora seguivano le proposte di Timàs di Dardania che voleva condurli a insediarsi nella sua terra o in quelle vicine.

Quando Xeno finalmente si mosse era troppo tardi e il progetto del tutto compromesso. Nessuno voleva tornare nella Colchide e comunque i pareri a quel punto erano talmente discordi che nessuno dei vari progetti avrebbe raccolto sufficienti consensi. L'unica cosa su cui c'era accordo era accettare la proposta del governo di Sinope di trasportarci via mare fino al limite della loro zona di influenza. Questo ci avrebbe evitato una lunghissima marcia attraverso il territorio di un'altra popolazione agguerrita e pericolosa. Xeno rispose che andava bene ma che avrebbe accettato soltanto se l'intero esercito fosse stato trasportato assieme in una volta sola. Di dividerci non se ne parlava.

Ormai Xeno si era guadagnato prestigio e una grande stima fra i soldati i quali, a un certo momento, riuniti in assemblea, decisero di offrirgli il comando supremo.

Xeno rifiutò: si rendeva conto che la scelta dell'esercito era dovuta a un umore passeggero. Che prima o poi sarebbero emersi i vecchi rancori, strascichi della grande guerra e lui, ateniese, non avrebbe retto a lungo il comando di un'armata quasi interamente proveniente dai territori e dalle città della coalizione nemica e vincitrice. Disse che l'unico degno di reggere la carica era Sophos.

Sophos si era gradualmente eclissato, forse per lasciare emergere Xeno, ma poi, in seguito al rifiuto di quest'ultimo, aveva dovuto accettare una investitura ufficiale che lo ricollocava, con un atto formale dell'assemblea, al posto che aveva in precedenza occupato.

Mi chiedevo se si fossero parlati, se ci fossero stati accordi fra di loro, ma Xeno non mi disse mai nulla. Fu Sophos a manovrare le cose secondo un piano preciso che però non andò a compimento. Alla luce di ciò che accadde dopo potrei dire che il suo piano era garantire la sopravvivenza dell'esercito lasciandone il comando a Xeno. Non perché non vi fossero ufficiali coraggiosi e di forte personalità capaci di tenere assieme l'esercito, ma perché Xeno era l'unico a conoscere la gravità del pericolo che minacciava l'armata e l'unico in grado di predisporre misure adeguate per rintuzzarlo.

Il viaggio quindi proseguì per mare verso occidente, fino a un'altra città di Greci dedicata al loro più grande eroe, Eracle. La città si chiamava infatti Eraclea e le autorità ci accolsero con amicizia. Fornirono farina, vino e bestiame, che però non sarebbero bastati a lungo: ci voleva ben altro. Qualcuno propose di chiedere un'ingente quantità di denaro, certi che le autorità non avrebbero osato rifiutare vedendo la potenza dell'armata, ma Sophos negò recisamente: «Non possiamo taglieggiare una città di Greci che già hanno offerto spontaneamente quello che potevano. Dobbiamo trovare un'altra soluzione». Ma non fu ascoltato. Un gruppo di ufficiali fra cui Agasìas, uno degli eroi dell'armata che si era distinto in tante azioni temerarie, andò ugualmente in città a presentare la richiesta ingiusta ed esosa di una somma enorme in oro. Per tutta risposta gli abitanti ammassarono tutti i raccolti, sbarrarono le porte e misero sentinelle armate sull'intero circuito delle mura.

Tra i nostri scoppiò allora il malcontento. Ora che i pericoli affrontati erano alle spalle crescevano le rivalità, le gelosie, le forze negative e disgregatrici. Nessuno si rendeva conto che la minaccia più terribile era ancora in atto. Addossata la colpa delle difficoltà all'incapacità dei comandanti, i gruppi etnici più numerosi, quelli degli Arcadi e degli Achei che contavano più di quattromila uomini, decisero di andarsene per conto proprio. Anche Kleanor era un arcade e se ne andò portando con sé Melissa. Ci abbracciammo piangendo perché pensavamo che non ci saremmo riviste più.

L'esercito era spaccato in due.

Sia Xeno che Sophos rimasero costernati. L'unità dell'armata era stata fino a quel momento il valore supremo che doveva essere conservato a ogni costo.

Xeno pensò di accodarsi, con gli uomini che gli erano rimasti fedeli, al contingente più numeroso per impedire la dispersione dell'esercito, e si aspettava che Sophos facesse la stessa cosa ma non fu così.

Venne a sapere, non so come, che il suo aiutante di campo, quel Neon a cui aveva lasciato la sua parte di bottino, gli aveva fatto una proposta. Si sapeva che il comandante spartano della più importante città greca d'Oriente, Bisanzio, responsabile per le relazioni con l'Impero del Gran Re era già al corrente della nostra presenza e aveva aperto loro una prospettiva: se Sophos con i suoi uomini si fossero presentati al porto successivo avrebbe mandato delle navi a prelevarli.

Sophos cadde nel più profondo abbattimento, non tanto per la certezza di non avere più scampo ma perché proprio l'uomo che gli avanzava quella proposta, il suo aiutante di campo a cui aveva sempre dato piena fiducia, l'uomo a cui aveva lasciato in eredità tutti i suoi averi, era quello che lo spingeva nelle mani di coloro che lo aspettavano per eliminarlo.

Sì, volevano togliere di mezzo lui, il comandante Sophos, l'unico ufficiale regolare spartano, l'eroe che aveva guidato l'armata attraverso mille pericoli, l'unico che conoscesse ogni segreto del coinvolgimento della sua Patria nel tentativo di detronizzare e assassinare il Gran Re, suo più potente alleato, l'uomo che avrebbe dovuto morire o sparire con l'esercito e che invece aveva deciso di disobbedire alla vista del disperato coraggio dei suoi uomini e li aveva riportati indietro ben sapendo che così facendo firmava la propria condanna a morte.

Forse pensò che ormai tutto era inutile, che quel Deuxippo fuggito da Trapezus con una delle navi non l'avesse fatto per caso ma per andare a riferire agli Spartani che l'esercito condannato a sparire stava invece tornando, che ormai non c'era per lui altra scelta che andare incontro al destino, e acconsentì.

Nessuno assistette al colloquio di Neon con Sophos. Lo immaginai soltanto, immaginai l'espressione del suo sguardo quando Neon gli chiedeva di partire, immaginai che nemmeno allora avesse rinunciato a una sua battuta amara e beffarda, e piansi. Non avevo mai dimenticato che lui mi aveva salvato la vita il giorno in cui Ciro aveva affrontato l'armata del Gran Re alle porte di Babilonia, sulle rive dell'Eufrate.

Xeno lo incontrò la sera prima che partisse, in una locanda del porto.

«Allora te ne vai.»

«Così pare.»

«Perché? Uniti io e te potremmo fare ancora grandi cose.»

Sophos sogghignò: «Chi te l'ha detto? Uno dei tuoi indovini? È il responso delle interiora di qualche pecora?».

«No, comandante, io sono convinto che se lo vogliamo potremmo...»

«... fondare una colonia? Il tuo sogno è duro a morire, vero, scrittore? Ma sul serio pensi che il sogno diventi realtà? Davvero sei convinto che in un mondo diviso soltanto fra due potenze dominanti sia possibile fondare una città indipendente, magari in un luogo importante, strategico, dove potrebbe diventare grande e fiorente? Temo che tu ti illuda. Il tempo in cui un pugno di uomini guidati dal vaticinio di un dio salpava le ancore alla ricerca di una nuova patria in luoghi selvaggi e remoti dove crescere liberi e prosperi non è che un ricordo. Il tempo degli eroi è finito per sempre.»

Xeno restò in silenzio con il cuore pesante. Sophos si cinse la spada che aveva appoggiato sul tavolo e si gettò il mantello su una spalla:

«Addio, scrittore.»

«Addio, comandante» rispose Xeno e restò ad ascoltare il rumore dei suoi calzari chiodati che si perdeva nella notte.

# 28

Gli Arcadi e gli Achei, dopo avere trattato con le autorità della città, si erano fatti trasportare fino a un villaggio sul mare che si chiamava Kalpe, a qualche giornata di navigazione verso occidente.

Il comandante Sophos partì via terra seguito da un paio di migliaia di uomini che si erano rifiutati di lasciarlo.

Xeno rimase a lungo in dubbio sul da farsi. La sua delusione era tale che a un certo momento pensava che ci saremmo imbarcati da soli per tornare in Grecia. Ma altri duemila uomini si radunarono attorno alla nostra tenda dicendo che si consideravano ai suoi ordini. Ne restò profondamente commosso, tanto più che con loro c'era Timàs di Dardania, uno dei cinque comandanti delle grandi unità, che si offrì subito come suo aiutante di campo. Questo significava molto per lui: era il riconoscimento del suo ruolo di capo e ne assunse subito tutte le responsabilità. Quello stesso giorno convinse gli abitanti di Eraclea a trasportare anche loro verso occidente fino al confine del loro territorio. L'esercito che fino a poco tempo prima era stato un blocco impenetrabile era adesso diviso in tre tronconi, ognuno dei quali andava alla deriva. Se non altro la sua decisione di partire subito aveva lo scopo di ricongiungersi almeno con il contingente più importante.

Gli Arcadi e gli Achei, arrivati a destinazione sul far della sera, si misero immediatamente in marcia verso l'interno per non essere visti e piombarono prima dell'alba su un certo numero di villaggi dell'entroterra razziando il bestiame, saccheggiando le case e facendo un gran numero di prigionieri da vendere come schiavi.

Erano partiti con la speranza di tornare con immense ricchezze e non volevano presentarsi a casa a mani vuote. Quella era la loro ultima occasione.

Si erano divisi in reparti e si erano dati appuntamento su una collina che dominava il territorio per concentrare lì il bottino e poi fare ritorno assieme. Ma la reazione degli indigeni fu durissima. Il fumo degli incendi e l'allarme corso da villaggio a villaggio per l'intera regione aveva radunato un grande numero di guerrieri a cavallo che attaccarono a una a una le colonne in marcia, cariche di preda, ingombrate dal bestiame e dai prigionieri, e le sommersero di dardi scagliati da lontano incessantemente, seminando lo scompiglio e la morte. Uno dei reparti, schiacciato contro un burrone, fu annientato; un altro, accerchiato in pianura da forze soverchianti, fu quasi completamente distrutto; gli altri, dopo aver subito gravi perdite, riuscirono finalmente a radunarsi sulla collina e lì passarono la notte senza chiudere occhio.

Il comandante Sophos, ignaro di tutto, procedeva lungo la costa in direzione di Kalpe, pronto comunque, se fosse stato necessario, a vendere cara la pelle.

Xeno decise di prendere la via dell'interno e ogni tanto, quando incontrava qualche pastore o contadino, con l'uso di interpreti, chiedeva se avesse notizia del passaggio di un esercito. Alla sera del secondo giorno di marcia due vecchi gli riferirono che un esercito straniero era asserragliato sulla collina che si vedeva a una distanza di una ventina di stadi, cinta d'assedio da ogni parte.

«Tu li hai visti?» domandò Xeno al meno vecchio dei due.

«Certo. Sono passati ieri lungo quel sentiero laggiù» disse indicando una linea chiara che intersecava il verde della pianura «e non credo che vedranno il tramonto di domani.»

Xeno non ebbe più dubbi quando vide, all'imbrunire, accendersi una quantità di fuochi alla base della collina e radunò tutti gli ufficiali presenti.

«Siamo appena duemila» esordì Xeno, «i nostri laggiù erano quattromila e vedete come sono ridotti. Se attacchiamo domani, anche se disponiamo di una piccola unità di cavalleria non credo che avremo alcuna possibilità di rompere l'accerchiamento.»

«Temo di no» confermò Timàs. «Che cosa proponi?»

Xeno meditò in silenzio per qualche tempo poi disse: «Ascoltate, dobbiamo dare l'impressione di essere dieci, venti volte di più. Quei barbari devono pensare che gli Arcadi e gli Achei che hanno circondato siano soltanto un'avanguardia, che noi siamo il grosso dell'esercito. Ah, se soltanto fosse con noi il comandante Cheirisophos!».

«Purtroppo non c'è» rispose Timàs «e quindi dobbiamo cavarcela da soli. Come conti di fare?»

«So che è pericoloso ma dobbiamo dividerci in gruppi, sì. E ogni gruppo dovrà incendiare tutto quello che incontra e che può bruciare: capanne, rifugi dei pastori, fieno, balle di paglia, casolari isolati, recinti, granai, stalle, tutto. Lasciate stare i boschi, i cespugli, le stoppie, non voglio che pensino a un incendio casuale ma a una spietata rappresaglia militare.»

«Hai ragione» approvò Timàs. «Devono farsela sotto dalla paura. Deve sembrare che stiamo mettendo a ferro e fuoco l'intero paese.»

«Esattamente. Il fuoco ci permetterà di capire dove sta ogni nostro gruppo, l'incendio dobbiamo lasciarcelo subito dietro; attenti a non farvi intrappolare dal fuoco perché il vento può cambiare direzione in qualunque istante. E adesso via, diamoci da fare.»

Subito gli uomini si divisero in squadre di cinquanta, attinsero il fuoco dai bracieri che ci portavamo dietro e, sparpagliandosi per la campagna, cominciarono ad appiccare il fuoco a tutto ciò che poteva bruciare. Le fiamme in breve tempo divamparono dovunque e su territori sempre più vasti finché l'intera campagna, fin dove poteva giungere lo sguardo, fu costellata di incendi. E i fuochi, secondo le istruzioni di Xeno, convergevano sempre di più attorno alla collina in modo da dare l'impressione che una grande armata giungesse a spezzare l'assedio.

Quando sorse l'alba e la collina apparve ben visibile non c'era più nessuno: né assediati né assedianti. Solo la cenere e i tizzoni dei bivacchi e una quantità di caduti, da ambo le parti, sparsi lungo il pendio.

«Che accidenti è successo qua?» gridava Timàs andando avanti e indietro a cavallo. «Dove sono finiti tutti?»

Anche Xeno si guardava intorno cercando di capire che cosa significasse quel luogo completamente deserto, finché arrivò uno degli interpreti dicendo che aveva parlato con un pastore: «Ha visto soldati scendere dalla collina e allontanarsi verso la costa, poco prima dell'alba, appena i fuochi si sono spenti».

«Sono loro» disse Xeno e, chiamato a sé Timàs, gli ordinò di guidare i reparti di fanteria mentre lui sarebbe andato avanti con la cavalleria per stabilire un contatto.

Non passò molto che raggiunse gli Arcadi e gli Achei e tutti si abbracciarono gridando di gioia, come se uscissero da un incubo.

«Credo vi siate resi conto che dividerci è stata una leggerezza pagata con la vita di tanti vostri compagni» disse Xeno. «Spero che almeno ci abbiano lasciato la pelle proprio quelli che hanno avuto questa idea.»

Xanthi di Achaia si fece avanti per primo, sporco, stravolto per la fatica e la tensione: «Hai ragione, siamo stati dei pazzi, non capisco cosa ci è preso...».

Agasìas di Stinfalo gli corse incontro e lo abbracciò: «Ci avete salvati dall'annientamento: non avremmo potuto resistere a lungo su quella collina».

«Ma che cos'è successo questa notte?»

«Quando abbiamo visto i fuochi abbiamo capito che eravate voi e lo hanno capito anche i nemici che hanno tagliato la corda, ma poi non vedendovi e temendo che i nemici sarebbero tornati indietro ci siamo messi in marcia cercando di allontanarci il più in fretta possibile da quel luogo. Ed eccoci qua.»

«Va bene, ma adesso basta. Non dividiamoci più. Aspettiamo Timàs di Dardania con la fanteria pesante e poi marciamo fino alla costa. Non ci daranno più fastidio.»

Ci accampammo sulla spiaggia di Kalpe, un posto bellissimo, una penisola che si protendeva verso il mare con un magnifico porto naturale e riabbracciai Melissa con immensa gioia. Stava ancora con Kleanor e ne fui felice. Rividi anche Aristonimo di Metidrio, uno dei guerrieri più possenti dell'intera armata, che mi apostrofò appena mi scorse. «Lo sai ragazza? Lo scrittore questa volta ci ha veramente salvato il culo. Senza di lui saremmo finiti tutti impalati.» A Xeno avrebbe fatto piacere sentirlo, ma in quel momento era impegnato a esplorare l'ambiente: osservava la terra attorno, grassa e fertile, la sorgente ricca di acqua purissima, l'istmo che collegava alla terraferma una vasta penisola quasi circolare.

Sapevo che cosa pensava: era il luogo ideale per fondare una colonia. A metà strada fra Eraclea e Bisanzio, avrebbe avuto un futuro di prosperità. Quando il sole cominciò a declinare organizzò un gruppo con scorta di cavalleria e incursori perché l'indomani voleva tornare a seppellire i nostri morti.

Sentii Timàs di Dardania che gli chiedeva: «Dov'è il comandante Cheirisophos?».

«A quest'ora sarà già a Crisopoli» rispose Xeno. Crisopoli, come avrei visto in seguito, era di fronte a Bisanzio sulla sponda asiatica dello stretto.

«A Crisopoli? Io non credo» ribatté Timàs. «È troppo lontano.»

Si avvicinò Kleanor: «Ho sentito dire da uno dei nostri esploratori che è da queste parti».

«Qui? E dove?» chiese Xeno.

«Laggiù» rispose Kleanor indicando l'occidente. «A una trentina di stadi di distanza.»

«E perché non viene a ricongiungersi con noi?» domandò ancora Xeno.

«Non lo so» concluse Kleanor e se ne andò. L'argomento non lo interessava o forse non voleva occuparsene.

Xeno si fece preparare il cavallo e partì nella direzione che aveva indicato Kleanor.

Rimasi sola in mezzo all'accampamento per qualche istante poi, d'un tratto, fui presa da un pensiero così forte che non potei sottrarmi alla necessità di agire. Volevo sapere che cosa stesse succedendo al comandante Sophos, dove fosse, perché non ci avesse atteso sulla spiaggia di Kalpe. Mi sentivo in un certo senso troppo legata al suo destino, a lui che mi aveva salvato la vita, a lui che aveva cercato di perderci tutti nel nulla e poi ci aveva condotti a ritrovare il mare.

Entrata nella tenda, indossai una delle tuniche di Xeno, mi avvolsi in un mantello fino ai piedi e mi coprii il volto con un elmo; poi montai alla meglio su uno dei cavalli legati alla staccionata e lo spinsi al passo sulla strada che portava a occidente. Non sapevo cavalcare ma avevo osservato Xeno tante volte, l'animale era docile, e raggiunsi il campo del comandante Sophos abbastanza rapidamente. Fermai il primo ufficiale che incontrai e gli dissi: «Sono l'attendente del comandante Xenophon. Devo parlargli subito».

«È nella tenda del comandante Cheirisophos» rispose. «Quella scura, laggiù in fondo al campo.» Lo disse con una strana espressione nello sguardo come se il suo animo fosse oppresso da cupi pensieri. Poi aggiunse: «Il comandante sta molto male». Accennai con il capo che avevo capito, legai il cavallo e mi diressi verso la tenda. Mentre camminavo vidi una piccola nave da guerra da venti rematori all'ancora, la prua verso la spiaggia e uno stendardo rosso a poppa con un segno strano: due linee congiunte in alto e divaricate in basso. Sembrava uno dei segni dell'alfabeto dei Greci.

C'era una sentinella davanti alla tenda e io mi avvicinai

dicendo a bassa voce: «Sono l'attendente del comandante Xenophon. So che è dentro. Lo aspetto qui perché ho un messaggio da riferirgli».

La sentinella accennò di sì con il capo.

Potei riconoscere due voci che mi erano familiari e udirle distintamente perché eravamo lontani dal resto dell'accampamento.

Quella di Xeno: «Ma come è possibile?».

Molto più affaticata quella di Sophos: «Non lo so. Non stavo bene da qualche giorno e prendevo una medicina. Non era la prima volta. Mi aveva sempre aiutato. Poi questa mattina mi sono sentito male... Molto male».

Potevo immaginare il suo volto madido di sudore, i capelli incollati sulla fronte, il petto che si sollevava in un respiro faticoso.

«Di chi è la nave all'ancora?»

«Di Kleandros. È lui che l'ha mandata: è l'ufficiale spartano comandante della piazza di Bisanzio.»

«Li hai incontrati? Che cosa vogliono?»

«Sì, li ho incontrati ieri... Mi stavano aspettando... Mi hanno domandato molte cose... sulla battaglia, sulla nostra lunga marcia.»

«Che cosa ti hanno chiesto?» insistette Xeno come se quella risposta non gli bastasse.

«Lo sai bene» rispose la voce ancora più stanca di Sophos. «Mi hanno chiesto perché... perché siamo qui.»

Seguì un lungo silenzio. Ma potevo udire il sibilo sommesso del respiro di Sophos.

Di nuovo la sua voce: «Te lo avevo detto. Non rivedrò Sparta. Mai più...».

«Hai vinto tante battaglie... vincerai anche questa. L'esercito ha bisogno di te.»

«Sarai tu a comandarlo... Li vogliono annientare... ma tu, tu riportali a casa, Xenophon... riportali a casa.»

Poi, il silenzio della morte.

Mi allontanai mentre la sentinella diceva: «Ehi, ma non avevi bisogno di...».

«Torno subito» risposi e raggiunsi il cavallo. Montai e lo spinsi fuori dal sentiero verso la vegetazione che copriva il bordo della spiaggia.

Rividi Xeno soltanto un'ora dopo, quando il sole era ormai tramontato.

Stavo preparando la cena davanti alla tenda su braci di legno di pino che avevo raccolto nel bosco. Si avvicinò e si sedette vicino al fuoco come se avesse freddo.

«Il comandante Cheirisophos è morto» disse con voce incolore.

«Sophos... è morto? C'è stata una battaglia?»

«No. È stato avvelenato.»

Non domandai altro. Sapevamo fin troppo bene che non c'era bisogno di spiegazioni fra di noi.

Xeno cominciò a mangiare in silenzio, ma dopo due o tre bocconi allontanò il piatto. D'un tratto, da occidente, il vento della sera ci portò il suono dei flauti, gli stessi che avevano scandito la lunga marcia, attraverso deserti e montagne per mesi e mesi. Ma questa volta quel suono era lento, teso e disperato. Xeno porse l'orecchio e ascoltò assorto. Al suono dei flauti si unì un coro di voci.

Nel nostro campo il brusio della sera si attenuò fino a spegnersi. I soldati, uno dopo l'altro, girarono il capo in direzione del suono e uno dopo l'altro si alzarono in piedi. Xeno mi guardò, poi si rivolse verso i soldati e gridò forte: «Il comandante Cheirisophos è morto!».

Subito dopo afferrò la lancia e corse verso il suo cavallo.

«Aspetta!» gridai. «Voglio venire con te.»

Xeno era già in sella, mi diede la mano e mi issò in groppa al cavallo, dietro di lui, spronando verso occidente.

Man mano che ci avvicinavamo il suono dei flauti si udiva sempre più distinto e ben presto vedemmo un gruppo di guerrieri portare un feretro a spalla con il corpo del loro comandante, completamente rivestito dell'armatura con a fianco l'elmo sormontato dal grande cimiero a cresta simbolo del suo rango. Ai bordi del campo, verso oriente, sorgeva una pira di tronchi e ramaglia di pino; quattro guerrieri reggevano quattro torce. Ma proprio quando un ufficiale si avvicinò per ordinare loro di appiccare il fuoco si udì un altro suono di flauti e il rumore in lontananza di un tamburo che ritmava un possente passo di marcia.

Xeno si volse nella direzione da cui proveniva il suono e vide una lunga teoria di guerrieri che impugnavano torce accese e avanzavano seguendo la costa verso di noi. Le fiamme si riflettevano nell'acqua tranquilla del golfo spandendo un riflesso rossastro fino alla chiglia della nave da guerra spiaggiata. L'ultimo riflesso del tramonto si spense nel mare. Xeno si volse: «Sono i nostri» disse, e aveva gli occhi velati di lacrime.

I guerrieri continuavano ad arrivare: arcadi, achei, tessali, messeni, làconi rivestiti delle loro armature, con le lance strette nel pugno, si disponevano silenziosi nei ranghi, riempiendoli fila dopo fila dietro ai compagni già schierati attorno al feretro.

L'intero esercito era presente, tutti i superstiti della lunga marcia, e quando il corpo di Cheirisophos fu deposto sulla pira, quando i quattro guerrieri vi appiccarono il fuoco e le fiamme alimentate dal vento di mare divamparono illuminando la spianata, Agasìas di Stinfalo gridò: «Alalalài!».

Poi sguainò la spada e cominciò a batterla contro lo scudo. Lo stesso grido eruppe da migliaia di bocche, migliaia di spade sguainate brillarono della luce vermiglia del rogo poi si abbatterono con fragore sugli scudi di bronzo, con inesauribile energia, finché l'incendio cominciò a languire.

La spada del comandante, arroventata dal fuoco, fu piegata ritualmente, le ceneri e le ossa raccolte in un'urna, poi il suo nome fu gridato dieci volte perché ne restasse l'eco per sempre.

L'esercito cominciò a sfilare, uomo dopo uomo, ciascuno tornò alla propria tenda. Il buio scese sul campo e le fiamme del rogo si spensero lentamente. Anche noi tornammo, al passo sul cavallo lungo la spiaggia deserta.

«E ora che faremo?» chiesi per rompere un silenzio insopportabile.

«Non lo so» rispose Xeno. E non disse altro.

Xeno non dimenticò i compagni che giacevano insepolti nel territorio dove c'era stata la battaglia della collina e in cui gli Arcadi e gli Achei avevano rischiato di essere annientati. Non poteva sopportare di lasciarli alla mercé degli animali selvatici e alle intemperie. Partì la mattina dopo con un contingente numeroso per provvedere alle loro esequie.

L'impresa fu angosciante: i corpi erano abbandonati da più di cinque giorni ed erano già in decomposizione, i cani e gli animali selvaggi avevano fatto la loro opera su quei poveri resti. Molti non erano riconoscibili. Xeno aveva preso con sé i veterani, più adatti a sopportare la vista di un simile strazio. A ogni caduto venne data sepoltura con un breve e semplice rito, quello che consentiva la situazione, ma non senza lacrime. Vedere ridotti in quel modo compagni con cui si erano vissute avventure di ogni genere, si era condiviso ogni pericolo, proteggendo l'uno le spalle e la vita dell'altro, amici di cui si avevano ancora vivi nelle orecchie la voce, gli scherzi, i canti, era un tormento insopportabile.

Nei pressi della collina lo scempio era ancora più grande. Lì i guerrieri caduti erano ancora avvinghiati nello spasimo dell'ultimo corpo a corpo, l'uno sull'altro, le armi conficcate nel petto, nel collo, nel ventre. Stranamente nemmeno gli indigeni erano tornati a recuperare i loro morti, forse ancora temevano la presenza di un esercito molte volte più grande di quanto, ormai, ne rimaneva.

La sepoltura dei nostri richiese tutta la giornata, ma alla fine non pochi risultarono dispersi. A loro fu innalzato un tumulo di pietre ammucchiate come simbolo su cui vennero deposte delle corone intrecciate con rami di quercia e di pino. Poi ognuno dei compagni li salutò, come i sentimenti suggerivano: una frase, un augurio, un ricordo, nella speranza che giungesse loro nelle buie case dell'Ade. Poi tornarono al campo silenziosi, con il cuore pesante.

Nei giorni che seguirono la situazione dell'esercito divenne quasi insostenibile e per certi versi grottesca. Con il trascorrere del tempo i sentimenti religiosi di Xeno si erano fatti sempre più forti e dominanti nel suo animo. L'esercito chiedeva di muovere il campo e di andarsene ma Xeno ogni giorno offriva un sacrificio agli dèi tramite un sacerdote che poi esaminava le viscere per trarne un auspicio che era sempre negativo. E così i giorni passavano senza che si concludesse nulla. Qualcuno insinuò che l'indovino fosse troppo compiacente riguardo all'idea di fondare lì una colonia e cercasse di tenere fermo l'esercito perché il progetto potesse prendere piede. Xeno si indignò e chiese ai soldati di scegliere un augure di loro fiducia che assistesse all'esame delle viscere. E siccome l'esito continuava a essere negativo le provviste cominciarono a scarseggiare.

Alla fine il luogotenente di Sophos, Neon, forse per mostrare che non valeva meno del suo comandante scomparso, guidò il suo reparto in una razzia nell'interno senza consultarsi con gli altri.

Fu un disastro. Neon fu attaccato dalle truppe del governatore persiano della regione mentre i suoi erano intenti al saccheggio di alcuni villaggi e subì gravissime perdite. Alcuni sbandati tornarono indietro al campo principale a riferire la notizia della sconfitta e Xeno volò in soccorso dei superstiti della disgraziata spedizione. Tornarono tutti assieme che già faceva scuro, scoraggiati e abbattuti. Sembrava ormai che il loro destino fosse segnato: avrebbero continuato a perdere uomini fino all'annientamento.

La cena non era ancora stata preparata che le truppe nemiche ci attaccarono di nuovo costringendo i nostri a un contrattacco immediato ma anche a subire altre perdite. I comandanti delle grandi unità disposero una doppia fila di sentinelle che vigilassero per tutta la notte.

Xeno era affranto.

«È la fine, non è vero?» gli domandai.

Non rispose.

«Chi erano quelli che ci hanno attaccato?»

«Truppe del governatore persiano.»

«Quindi non abbiamo scampo. Non hai più bisogno di spiegarmi nulla: ho capito. Più ci avviciniamo alla tua terra più si stringe la tenaglia. Persiani e Spartani vogliono per motivi diversi la stessa cosa: annientarvi.»

Xeno non cercò nemmeno di negare: «Per questo volevo tenerli lontani. Fondando una colonia li avrei salvati. Ma gli uomini vogliono tornare a casa».

«E così facendo vanno a cacciarsi in trappola.»

«Non è ancora detta l'ultima parola.»

«C'è forse una via d'uscita?»

«Confido negli dèi e nelle lance dei miei uomini.»

«Gli dèi? Ti hanno tenuto inchiodato in questo luogo con i loro responsi finché non ci siamo ridotti alla fame e questo disastro è il risultato. Quanti uomini ha perso Neon?»

«Se ci fossimo mossi nonostante i responsi il guaio sarebbe stato peggiore. Finora gli dèi ci hanno sempre assistiti. Nessuno avrebbe scommesso un soldo che saremmo arrivati fin qua. A un passo da casa.»

«Ma tu non ci vuoi andare a casa. Tu vuoi restare qui a fondare la tua colonia.»

«Non è vero. E comunque non hai il diritto di immischiarti nei miei piani.»

«Bene allora. Spero che i tuoi dèi ti aiutino.»

Lo dissi con un tono di totale sfiducia e subito me ne pentii: non mi avevano forse salvato gli dèi quando mi ero trovata completamente sola e perduta nella tormenta di neve? Io per prima avrei dovuto crederci. Ma il continuo stillicidio di morti e feriti mi angosciava. Temevo che andassimo a cacciarci in un vicolo cieco. L'esercito era indebolito dalle perdite quasi ogni giorno e sarebbe arrivato demoralizzato ed esausto alla prova più difficile: quella del vincere o morire.

Eppure Xeno continuava a preoccuparsi dei suoi uomini: non solo di quelli vivi, ma anche di quelli morti. L'indomani preparò un'altra missione per seppellire i corpi dei caduti.

Questa volta portò con sé i giovani guerrieri perché in caso di attacco la risposta fosse la più decisa possibile, ma fu per loro un compito amaro. Il sentiero che percorrevano era disseminato di cadaveri, ma solo quando arrivarono in prossimità dei villaggi nell'interno si resero conto delle dimensioni del massacro: i caduti erano centinaia, al punto che si dovette scavare una fossa comune.

E non era ancora arrivato il peggio. Le truppe del governatore persiano, che li avevano tenuti sotto controllo in ogni momento, apparvero improvvisamente in assetto di guerra su un crinale dirupato a bloccare la via del ritorno. Fu necessario affrontarle, in posizione svantaggiosa e in inferiorità di numero. C'era Timàs di Dardania a capo dei cavalieri, mentre Xeno prese il comando dell'intera forza disponibile.

Non ero presente e quello che so mi viene dai racconti dei soldati e dello stesso Xeno e forse anche dalla mia immaginazione, ma quanto accadde ebbe del miracoloso. Forse fu la vista dei compagni fatti a pezzi e abbandonati ai cani e la consapevolezza di essere in una situazione disperata, di non avere niente da perdere. Forse il piano di battaglia di Xeno ebbe successo o gli dèi decisero di ricompensarlo per i tanti animali immolati in loro onore, ma l'esercito sembrò invaso da una forza sovrumana quando Xeno gridò: «Sono loro! Loro che hanno massacrato i vostri compagni e che ora vogliono fare a pezzi anche voi. Fategli vedere di che cosa siete capaci, sono tutti vostri, avanti, ragazzi!».

I giovani guerrieri salirono il pendio di corsa, protetti dagli scudi, lanciando il grido di guerra che aveva sbaragliato l'ala sinistra dell'armata imperiale alle porte di Babilonia, travolsero ogni ostacolo e ogni resistenza, penetrarono nello schieramento nemico come una spada nella carne viva, caricarono come tori infuriati massacrando coloro che opponevano resistenza, spalla contro spalla, scudo contro scudo.

Quando Timàs scatenò i suoi cavalieri non c'era più alcun ordine né schieramento fra i nemici: ognuno cercava scampo come meglio poteva e vennero falciati a centinaia.

Io li vidi solo rientrare, coperti di sudore, di polvere e di sangue, marciando a passo cadenzato, al suono dei flauti, gli occhi ancora fiammeggianti di strage dietro la celata dell'elmo.

Cantavano. E il loro canto vibrava e tuonava nel bronzo che li rivestiva.

Il pericolo che si verificassero altri attacchi all'accampamento aveva indotto i comandanti a trincerarsi nella penisola sbarrando l'istmo con una fossa e una palizzata. Si diceva che il governatore spartano di Bisanzio sarebbe presto arrivato di persona a levarli d'impaccio e si pensò quindi per il momento di restare a Kalpe e di aspettare.

Le cose però andarono per le lunghe e il vecchio sogno di Xeno riprese vigore. Lui era ormai l'uomo a cui gli altri comandanti facevano riferimento: quello che aveva sempre i consigli giusti, le soluzioni per i problemi, la prudenza e il coraggio al tempo stesso. Il luogo era perfetto: la penisola che si allargava in mare avrebbe potuto ospitare una città facilmente difendibile in caso di attacco, il porto era ben protetto e a ridosso dei venti più pericolosi, una fonte proprio alla base dell'istmo garantiva il rifornimento d'acqua e attorno c'era una regione vasta e fertile, di terra rossa e fine.

Si sparse la voce che in quel luogo si fondava una colonia e benché Xeno l'abbia sempre negato penso che lui in persona o qualcuno a lui vicino l'avesse diffusa. I capi indigeni cominciarono ad arrivare per sapere notizie, per stabilire contatti ed eventualmente trattative. Questo fatto irritò i soldati che ormai erano sospettosi e temevano di essere raggirati e costretti a stanziarsi contro la loro volontà.

L'arrivo di Kleandros con due sole navi da guerra fu una delusione. Non era certo quella la flotta che avrebbe potuto trasportarli a casa. E la situazione peggiorò quando scoppiò una lite fra uno degli uomini di Kleandros e uno dei nostri soldati, che venne arrestato e trascinato verso il campo navale del comandante spartano. Il soldato era uno degli uomini di Agasìas, che lo riconobbe e riconobbe colui che lo stava portando via. Si infuriò come un toro: «Tu, maledetto bastardo traditore! Da dove sbuchi figlio di un cane! Come osi farti vedere da queste parti! Togli le mani di dosso a quel ragazzo immediatamente!».

Agasìas aveva riconosciuto Deuxippo, l'uomo che era fuggito con una delle due navi che gli abitanti di Trapezus ci avevano prestato. In un baleno Agasìas gli fu addosso e mancò poco che lo passasse da parte a parte con la spada. Deuxippo si sottrasse allo scontro e cominciò a correre verso le navi, ma Agasìas riuscì a bloccarlo saltandogli addosso e schiacciandolo a terra, poi lo massacrò di pugni e calci. Lo avrebbe ridotto una poltiglia se dalle navi non fossero scesi gli Spartani con il loro comandante che lo fermò: «Basta!» gridò. «Lascia quell'uomo!»

Ma a quel punto gli uomini di Agasìas si erano fatti avanti a spade sguainate a dare man forte al loro comandante, gli Spartani avevano estratto le loro e per alcuni istanti la tensione divenne altissima: avrebbe potuto succedere qualunque cosa.

Xeno era vicino a me in quel momento e lo guardai negli occhi senza una parola, ma la sua espressione diceva che aveva capito benissimo; i conti tornavano: gli Spartani a Bisanzio erano stati avvertiti della nostra presenza da questo Deuxippo, ladro e traditore, da sempre forse, una spia, ed erano già sul posto quando il comandante Sophos era arrivato con i suoi uomini, e poco dopo lui, che aveva affrontato prove insopportabili per qualunque comune mortale, lui, unico in tutto l'esercito a conoscere i minimi particolari dell'enorme intrigo in cui un intero esercito doveva vincere o sparire dalla faccia della terra, era morto.

Altri ufficiali intervennero e lo stesso Xeno. La rissa fu ricomposta. Si cominciò a trattare con gli Spartani già a partire dal giorno dopo. Alla fine si decise che l'esercito avrebbe ripreso il suo cammino in direzione degli stretti.

Quella notte piansi. Il sogno di Xeno era finito per sempre e l'esercito partiva per l'ultima marcia.

Verso la fine.

## 29

Avevo pensato che l'avventura dei Diecimila, degli eroi che avevo visto combattere e vincere contro tutti, perfino contro le forze della natura, sarebbe terminata in uno scontro totale.

Eravamo di nuovo insieme sotto il comando di Xeno e nessuno aveva mai battuto l'esercito unito. Solo quando gruppi isolati si erano avventurati in iniziative sventate avevano subito perdite. E questo non si sarebbe più verificato. Lo stesso Agasìas di Stinfalo appoggiato da Xanthi di Achaia aveva fatto approvare la condanna a morte per chiunque avesse tentato di separare ancora l'esercito.

Forse ci avrebbero circondati in campo aperto con truppe soverchianti e seppelliti sotto migliaia di dardi, forse orde barbare sarebbero state assoldate per annientarci con un attacco notturno, forse ci avrebbero affondati in mare quando avessimo tentato di attraversarlo. Ma non accadde nulla di tutto questo. Una volta raggiunta Bisanzio l'esercito, o ciò che di esso era rimasto, aveva lasciato lo spazio eroico degli sterminati campi di battaglia, le montagne alte come il cielo, le correnti vorticose di fiumi sconosciuti, i territori di tribù selvagge, ferocemente gelose della loro libertà, per tornare nello spazio dei comuni mortali.

La grande guerra fra Spartani e Ateniesi aveva consumato le energie migliori e travolto gli uomini più intelligenti e valorosi lasciando il campo a figure mediocri, a piccoli intriganti rivestiti dei titoli altisonanti di ammiraglio e governatore. Dov'erano finiti i mantelli rossi che avevano combattuto alle Porte Ardenti contro le forze sterminate del Gran Re? Di loro non restava nemmeno il ricordo. I loro discendenti avevano intrecciato solo intrighi, trattavano di nascosto accordi inconfessabili con il nemico di un tempo. Interessava loro solo il potere, solo il controllo del loro piccolo mondo. L'ideale era perduto.

Quello che accadde dopo fu così confuso, così farraginoso, incerto e contraddittorio che mi riesce difficile perfino ricordarlo. Kleandros e il suo ammiraglio Anaxibios giocarono un gioco sporco e vile promettendo senza mantenere, confondendo e ingannando. Pensavano forse che sarebbe stato più facile far sì che l'esercito perdesse coesione e si disperdesse senza lasciare traccia di sé. Non ebbero nemmeno il coraggio di annientarlo affrontandolo sul campo di battaglia. Seimila guerrieri che avevano marciato per trentamila stadi travolgendo qualunque forza si fosse loro opposta incutevano ancora un rispetto reverenziale. Meglio non rischiare.

Furono lasciati fuori dalla città senza denaro, senza rifornimenti, ad aspettare.

Ma chi mi deluse fu Xeno e questo ancora mi addolora. Non lo riconoscevo più. Mi confessò che le cose erano cambiate e ora l'esercito non rappresentava ormai alcun pericolo e quindi non era più esposto a rischio mortale.

«La mia missione è esaurita» mi disse una sera che eravamo accampati fuori dalle mura. «Lascio l'esercito.»

«Lasci l'esercito? E perché?»

«Il governatore mi ha detto che se l'esercito non se ne va il governo di Sparta mi considererà responsabile.»

«E questo ti basta per abbandonare gli uomini con cui hai condiviso tutto, la vita e la morte, per tanto tempo?»

«Non ho scelta. Non posso da solo combattere contro la potenza che domina la Grecia intera.»

«Non sei solo. Hai un'armata.»

«Non sai quello che dici. Questa storia finisce qui. Almeno per me.»

Mi sentii morire. Era giunto il momento di pagare per la scelta che avevo fatto per amore, una notte al pozzo di Beth Qadà. Quanto tempo era passato? Un anno? Dieci anni? Mi sembrava in quel momento che fosse trascorsa una vita intera. Ma non mi pentivo. Avevo imparato dai Diecimila che ogni ostacolo può essere travolto, ogni battaglia vinta. Avevo imparato a non arrendermi mai.

«E dove andrai?» gli chiesi. «E io dove andrò?»

«Non lo so ancora. Da qualche parte dove si parli greco e tu verrai con me. Ho accumulato grande esperienza in questa spedizione, potrei diventare un buon consigliere politico o militare, magari in Italia o in Sicilia dove ci sono città ricchissime e dove un uomo che ha le mie conoscenze è bene accetto e ben pagato.»

Non seppi che cosa rispondere, ero troppo combattuta. Da un lato le sue parole mi consolavano: non mi avrebbe lasciata e avrei visto paesi nuovi, città lontane e splendide, forse avrei avuto case e servi. Dall'altro abbandonare a se stesso l'esercito mi sembrava un'azione vergognosa e ne soffrivo.

«Non sono soli» disse Xeno. «Hanno i loro comandanti: Timàs, Agasìas, Xanthi, Kleanor, Neon. Se la caveranno. Io ho fatto tutto quello che potevo, nessuno può biasimarmi. Quante volte ho rischiato la vita? A quanti di loro l'ho salvata?»

Aveva ragione, ma questo non cambiava nulla per me. Non mi rassegnavo.

Abitavamo in una casa della città abbastanza confortevole, con una cucina e una camera da letto, e avevamo sempre il nostro servo che si occupava di noi. Xeno incontrava spesso alti personaggi, ma non mi diceva più niente.

Un giorno arrivò un tale dal nome impronunciabile che era originario di Tebe e disse di voler prendere l'esercito alle sue dipendenze, che avrebbe pagato lo stipendio e fornito viveri. Voleva condurli ai suoi ordini a saccheggiare le zone abitate dalle tribù indigene, ma quando si presentò con qualche carro di farina, di aglio e di cipolle lo presero a calci nel sedere e gli tirarono addosso le cipolle finché non sparì. La misura era colma. Ne avevano abbastanza.

E s'infuriarono.

Questa volta la città avrebbe udito il ruggito dei Diecimila.

Sfondarono le porte, travolsero le difese e occuparono la cittadella. Il governatore e il suo ammiraglio fuggirono e presero il largo su una nave, ma prima fecero sapere a Xeno che doveva risolvere quel disastro se non voleva che ci fosse presto un bagno di sangue.

I soldati lo trovarono e lo portarono sulle spalle fino alla cittadella. I comandanti lo affiancarono coperti dalle loro più belle armature. La città era ai loro piedi!

«Bisanzio è nostra!» gridarono. «Teniamocela!»

«Sì, possiamo imporre dazi e pedaggi alle merci in transito per gli stretti e diventeremo ricchi. Con quei soldi arruoleremo altri guerrieri, sappiamo dove trovarli, e nessuno ci caccerà più via.»

«Possiamo allearci con le nazioni tribali dell'interno! Diventeremo una grande potenza, dovranno tutti fare i conti con noi!»

Avevano ragione. Questo si doveva fare. Ma per realizzare un simile progetto ci sarebbe voluto un condottiero, un uomo capace di sognare l'impossibile e di trasformarlo in realtà. Xeno non era quell'uomo. Aveva coraggio, e lo aveva dimostrato, sapeva attuare astuti stratagemmi, ma non sogni. Poteva concepire solo ciò che era realisticamente possibile e dopo aver interrogato gli dèi per sapere se erano d'accordo.

Finalmente lo lasciarono parlare e lui li convinse che era necessario lasciare la città. Dovevano avere fiducia in lui, avrebbe trattato condizioni accettabili con gli Spartani.

Condizioni accettabili.

I fuggiaschi tornarono, furenti per essersi dimostrati tanto vigliacchi, ma continuarono a tergiversare fornendo rifornimenti ai limiti della pura sussistenza.

I soldati si persero d'animo; non vedendo più un futuro molti vendettero l'armatura e si dispersero. Anche molti ufficiali. Alcuni fra i più valorosi come Aristonimo di Metidrio e Licio di Siracusa sparirono senza salutare nessuno. Anche Glus, che avevo visto qualche volta di sfuggita, scomparve.

Probabilmente non sopportavano l'amarezza di un simile congedo e la meschinità di una tale situazione. In città era arrivato un nuovo governatore che fece arrestare tutti i nostri soldati feriti e ammalati rimasti dentro le mura e li vendette come schiavi a basso prezzo. Xeno lo seppe ma non fece nulla: pensava sempre al male minore.

Alla fine, dopo altre estenuanti lungaggini e trattative, la conclusione fu che nessuno voleva tra i piedi una banda di mercenari incontrollabili e pericolosi. La soluzione arrivò forse per caso, forse preparata. E Xeno si prese comunque le sue responsabilità. Un principe barbaro della Tracia di nome Seute si offrì di assoldare tutto l'esercito, di pagare in moneta soldati, ufficiali e comandanti delle grandi unità ciascuno in proporzione al grado. Xeno mise ai voti la proposta e accettò.

Un segno dei tempi: poco più di un anno prima erano partiti agli ordini del principe Ciro, ora si mettevano agli ordini di un uomo vestito con pelli di volpe e con in testa un berretto di pelo al posto della tiara.

Per fortuna vennero con noi Timàs e Neon, Agasìas e Xanthi e anche Kleanor, così potei vedermi con Melissa.

Il piano di Seute era di riconquistare in Tracia il suo regno perduto combattendo d'inverno quando nessuno se lo sarebbe aspettato.

Un inverno rigido, durissimo, forse ancora più freddo di quello che avevamo sopportato sulle montagne dell'Asia. Molti dei nostri ebbero arti congelati, altri perdettero le orecchie e il naso, rimanendo sfigurati per sempre. Ragazzi bellissimi che non avrebbero più potuto guardare in faccia una donna senza vergogna.

Piangevo spesso, in disparte, per la tristezza infinita che mi gravava sul cuore, piangevo per non sapermi più adattare a una vita meschina, a un orizzonte angusto, a uomini che somigliavano a topi. Ma non c'era scelta.

E piansi quando Xeno accettò di sposare una delle figlie di Seute, per convenienza politica disse lui. Fortunatamente il matrimonio non avvenne: c'era altro da fare. C'era da sopravvivere.

Xeno aveva ripreso a scrivere. Scriveva più che mai. E anche questo mi irritava. Che cosa c'era di tanto interessante da fissare sul foglio bianco in quella terra barbara e gelida, fra quei popoli irsuti, in quella politica da villaggio?

Una sera che lui era a cena con tutti gli ufficiali superiori nella capanna di Seute invitai Melissa da me. Mi faceva bene all'animo parlare con lei.

«Non ti capisco» diceva, «Xeno ha fatto la cosa migliore. Che cosa ti aspettavi, che guidasse l'esercito contro Bisanzio e la radesse al suolo? Lo so, questa vita è dura ma almeno abbiamo cibo e rifugio. Una volta che avremo passato l'inverno si cercherà qualche soluzione. Non ti abbattere.»

Io non sapevo che cosa rispondere. Me ne stavo vicino al fuoco a preparare un po' di latte caldo con qualche goccia di miele, l'unica cosa che mi desse un poco di soddisfazione, un piccolo lusso che mi concedevo con la mia amica. E poi Melissa aveva storie bellissime da raccontarmi, storie che alla fine riuscivano a farmi sorridere. Di come aveva sedotto grandi personaggi: capi di eserciti, governatori, filosofi, artisti, tutti erano stati ai suoi piedi. Lei li aveva usati. Dando loro l'unica cosa che volevano ne aveva ottenute tante: case, gioielli, vesti, profumi, cibi raffinati, feste e ricevimenti.

«Lo sai» diceva, «a dirti la verità non mi è rimasto nulla di tutta quella roba, perché devi essere sempre elegante, ben pettinata, truccata, profumata, insomma roba che costa. Certo se Ciro avesse vinto... Ci pensi? Sarei stata la sua amante per un bel po' e mi avrebbe coperta d'oro... Mah, così è la vita. Pazienza. In fondo Kleanor è un vero uomo, anzi un toro. E mi tratta bene. Mi dà quello che può. Ma quando sarà finito questo schifo di guerra io me ne andrò in una bella città della costa dove girano tanti soldi, mi troverò un posticino carino dove ricevere ospiti di riguardo e in poco tempo mi rifarò di tutto. È facile sai? Ti vesti con qualche bella stoffa trasparente, metti un bel paio di sandali e ti fai ammirare quando ti rechi al tempio a offrire due colombe ad Afrodite. Poi lasci circolare la voce di quale bagno frequenti ed è fatta. Una volta che ti hanno vista nuda sono disposti a pagare qualunque cifra. Ovviamente se hai il fisico. Sai... anche tu non sei male per niente. Se Xeno dovesse lasciarti, con me avresti sempre un avvenire e staremmo bene assieme.»

«Oh sì» dicevo. «Ci verrei volentieri ma io non sono capace di sedurre gli uomini. Io ti aiuterei come cameriera. Chissà le risate alle spalle di quegli sciocchi, non credi?»

E ridevamo per combattere la malinconia delle lunghe notti.

Una volta cedetti alla tentazione e le chiesi una cosa che non avrei mai dovuto chiedere: leggermi le pagine di Xeno.

«Perché vuoi che faccia ancora una cosa simile? L'abbiamo già fatto una volta e ha portato male. Xeno ti vuole bene, ti ha sempre tenuta con sé. Queste sono cose sue che non ha mai mostrato a nessuno, non è così?»

«Sì, è così. Ma io devo sapere che cosa c'è scritto in quelle pagine.»

«Forse non c'è niente di ciò che ti aspetti. Forse sono solo pensieri sulla vita, sui principi, le virtù, i vizi. Sai, lui è stato allievo di Socrate.»

«... di Achaia? Non sapevo si conoscessero da prima.»

«No. Un altro Socrate, il suo maestro. Il più grande saggio del nostro tempo.»

«Io non credo. Xeno ha scritto la storia di questa impresa. Leggimi le ultime pagine.»

«Ma perché?»

«Perché cerco una risposta a una domanda che mi pongo da qualche tempo.»

«Non è una buona idea. Lo sai? Quello che uno pensa e scrive quando è solo non è detto che sia la verità. La verità è ciò che uno fa nella realtà, il modo con cui si comporta. I fatti, non le parole, contano.»

«Ti prego. Io ti ho sempre voluto bene, anche quando...»

«... ti ho tradita?»

Esitai un attimo a dire "no, non intendevo questo". Ma era troppo tardi e Melissa aveva capito.

«Sta bene» disse, «come vuoi. Ti sono debitrice e farò ciò che mi chiedi, ma è un errore che potrebbe rovinarti la vita.»

«Lo so» risposi. E aprii la cassetta.

«Da che punto?» domandò Melissa. «Qui ogni tappa che abbiamo percorso ha un numero.»

«Dal nostro arrivo alla città sul mare.»

«Trapezus.»

«Da quella.»

Melissa si mise a leggere e io ascoltavo dall'ingresso della capanna con la porta socchiusa per essere pronta ad avvertirla se avessi visto arrivare Xeno o qualcun altro. Le volgevo dunque le spalle e non poteva cogliere ciò che passava nei miei occhi e nell'espressione del mio volto man mano che procedeva.

Il racconto narrava ciò che era accaduto, dal punto di vista di Xeno, e gli avvenimenti scorrevano nella mia mente veloci, a volte come immagini vivide di fatti a cui avevo assistito di persona, di dialoghi che avevo udito o sentito raccontare. Parlava di sé come se parlasse di un'altra persona. Non diceva "io" ma "Xenophon". Forse voleva evitare l'imbarazzo di parlare bene di se stesso.

Il racconto terminava con quanto era accaduto cinque

giorni prima. Era stato molto occupato ultimamente e forse non aveva avuto occasione di aggiornare la sua cronaca.

Melissa richiuse il rotolo nella cassetta dicendo: «Finisce qui». E io, senza volere, mi volsi per ringraziarla e lei mi fissò.

«Hai le lacrime agli occhi. Te l'avevo detto.»

«Mi dispiace» risposi. «Non volevo...»

«Sapevo che sarebbe andata così. Ma non capisco... Non c'era niente di particolare. Ma forse io...»

«No, hai ragione. Non c'era niente di particolare. È che il ricordo di tanti altri che sono morti dopo il nostro arrivo sul mare mi ha profondamente rattristato. Perdonami. Non accadrà più. La prossima volta parleremo di altre cose. Te lo prometto.» Le diedi un bacio e lei uscì tornando al suo alloggio mentre cominciava a nevicare.

L'esercito combatté dalla metà dell'autunno fin quasi alla fine dell'inverno: assalti notturni, razzie, marce estenuanti, battaglie in campo aperto. Nulla fu loro risparmiato eppure continuarono a battersi, come avevano sempre fatto, a sopravvivere come aveva loro ordinato il comandante Klearchos quando li aveva arringati per la prima volta. Ma non c'era futuro, nessuno sapeva che cosa sarebbe accaduto alla fine di quella piccola guerra sanguinosa. Un destino di lento, graduale annientamento pareva avverarsi giorno dopo giorno.

A volte i pensieri che mi tormentavano mi sembravano frutto della mia immaginazione, ripercorrevo le tante coincidenze, i tanti eventi luttuosi, le imboscate, i tradimenti cercando di trovare una logica diversa. In fondo non c'era stato il massacro finale che mi aspettavo e che forse si aspettava anche Xeno, pur senza dirmelo. Quando già a Eraclea aveva pensato di andarsene e di lasciare tutto mi era venuto alla mente un pensiero terribile: che volesse abbandonare l'esercito al suo destino per paura, per non volerne seguire la sorte quando fosse giunto il momento del massacro.

E di nuovo a Bisanzio... Eppure aveva cambiato idea, si era assunto delle responsabilità con coraggio e saggezza. Ecco, saggezza era la parola giusta. Avevo sempre davanti agli occhi il giovane eroe che avevo incontrato una sera di primavera al pozzo di Beth Qadà e ora mi sembrava di non poter accettare l'uomo assennato, capace di calcoli realistici, che aveva fatto tesoro delle sue esperienze. L'uomo religioso che, salvato tante volte dal caso, voleva ora chiedere agli dèi di assicurargli la sopravvivenza. Ma soprattutto non potevo accettare ciò che avevo udito leggere da Melissa e mi era difficile separare l'uomo dal suo scritto. Continuavo a sperare che l'uomo che amavo mi avrebbe riconquistata e dissipato ogni mio dubbio con un gesto generoso.

Un giorno sul finire dell'inverno la situazione era ormai al punto di precipitare. L'esercito era senza paga da molto tempo e Seute, il principe trace che lo aveva ingaggiato, evitava perfino di incontrare Xeno ogniqualvolta cercava di farsi ricevere. In una tempestosa riunione Xeno venne accusato da alcuni dei suoi di avere lui intascato i compensi destinati all'esercito.

Non era mai accaduta una cosa simile, mai aveva ricevuto un insulto così sanguinoso. Mi aspettavo che sguainasse la spada per fare ingoiare l'offesa a chi l'aveva proferita, ma Xeno pronunciò un appassionato discorso ricordando quello che aveva fatto per loro, un'accorata difesa del suo operato e delle sue scelte.

Avevamo toccato il fondo. L'azione di chi voleva la fine di un esercito straordinario, di guerrieri invincibili, si rivelava ora nel migliore dei modi.

E tutto si spiegava, tutto aveva una sua logica evidente. Visto che l'esercito era alla fine tornato nel mondo da cui era partito, visto che la fama di ciò che aveva compiuto si stava diffondendo, una fine violenta ne avrebbe moltiplicato a dismisura la gloria e attirato pericolosamente l'attenzione del mondo intero. Meglio confinarli in una regione angusta, misera, senza vie di uscita e lasciare che l'esasperazione, la delusione, la frustrazione sbriciolassero quel monolite di bronzo che aveva messo in ginocchio i soldati del Gran Re e che alla fine il disgelo e il fango portassero via gli ultimi resti di un corpo decomposto.

Era ciò che stava accadendo.

Guardavo Agasìas, Timàs, Xanthi, Kleanor. Nessuno di loro prese la parola per difenderlo e guardai Xeno. Gli occhi gli brillavano di lacrime, di dolore più che di indignazione. In tanti mesi lui, uomo sbandato e alla deriva, senza più speranza di un'affermazione onorevole in patria, aveva fatto dell'esercito la sua terra e la sua città e, ogni volta che si era risolto ad abbandonarlo, non era poi riuscito e aveva dovuto seguire ciò che l'onore e gli affetti gli suggerivano.

Xeno sollecitò la testimonianza dei suoi ufficiali, altri si levarono a insultarlo, alcuni a difenderlo. Scoppiarono risse, qualcuno mise mano alle armi.

Ecco, era quella la fine miseranda, la fine indegna che avrebbe oscurato la gloria dei Diecimila. Ammazzarsi l'un l'altro in un'oscura località della Tracia, ingiuriarsi e massacrarsi per qualche pecora e qualche moneta.

Ma proprio quando tutto sembrava perduto...

Il rumore di un galoppo!

Un drappello di guerrieri a cavallo.

Mantelli rossi!

Improvvisamente la rissa si quietò, gli uomini si ricomposero, gli ufficiali, uno per uno, urlarono e imprecarono ordinando e schierando i soldati. Xeno andò a prendere il suo posto in sella a Halys.

Trepidavo. Che cosa stava succedendo?

I due ufficiali si fermarono di fronte a Xeno e resero il saluto militare. Era un gesto formale e fondamentale. Lo riconoscevano come capo dell'esercito.

«Siate i benvenuti» disse Xeno. «Chi siete e che cosa vi conduce qui?»

Erano ufficiali spartani: «Siamo inviati dalla città e dai re per una missione importante e chiediamo di poterci rivolgere all'esercito da parte di Sparta».

«Siete autorizzati a farlo» rispose Xeno e ordinò agli uomini di presentare le armi. Gli scudi salirono al petto, le lance si piegarono in avanti con secco rumore metallico.

Il primo dei due ufficiali parlò:

«Uomini! La notizia delle vostre gesta è corsa per tutta la Grecia e ha riempito di orgoglio tutti gli Elleni. Il valore che avete dimostrato è al di là di ogni immaginazione. Siete arrivati dove nessun esercito greco era mai arrivato, avete tenuto in scacco le armate del Gran Re, avete superato ostacoli invalicabili e a prezzo di enormi sacrifici siete qui. Vogliamo rendere onore al vostro comandante Xenophon che ha dimostrato una dedizione e un attaccamento al proprio dovere di cui è difficile trovare l'eguale.»

Molti degli ufficiali e dei soldati si guardarono l'un l'altro stupefatti: che cosa stava succedendo? Non erano forse gli Spartani che avevano venduto schiavi i loro compagni malati e feriti rimasti fra le mura di Bisanzio? Non era l'ammiraglio spartano che aveva minacciato di annientarli se non avessero abbandonato il loro territorio?

«Guerrieri» tuonò ancora la voce dell'ufficiale, «Sparta e tutta la Grecia hanno bisogno di voi! Il Gran Re vuole in suo potere le città greche dell'Asia come le volevano Dario e Serse ottant'anni fa. Allora dicemmo no e ci schierammo alle Porte Ardenti. Adesso diciamo no e siamo sbarcati in Asia. Abbiamo contro Tissaferne, l'uomo che vi ha combattuti e perseguitati in ogni modo, il vostro nemico giurato. A nome di Sparta io vi chiedo di unirvi a noi, di raggiungerci là dove cominciò la vostra avventura agli ordini del comandante Klearchos. Avrete cibo e paga a seconda del vostro grado e avrete modo di vendicarvi di chi vi ha inflitto tante sofferenze. Che cosa mi rispondete, uomini?»

I guerrieri esitarono qualche attimo, poi esplosero in un boato alzando le lance al cielo.

I mantelli rossi se ne tornarono da dove erano venuti.

Xeno riuscì a farsi pagare da Seute, in parte in denaro, in parte in bestiame, e ci rimettemmo in viaggio all'inizio della primavera. Arrivati in Asia Xeno fu in tali ristrettezze da dover vendere il suo cavallo. Non era uomo che si commuoveva facilmente, ma quella volta lo vidi angosciato. Lo accarezzava, appoggiava la guancia alla testa del magnifico animale, non riusciva a separarsene. Vendeva un amico fedele e generoso. Ne soffriva e ne provava vergogna.

Lui sembrava capisse che era un addio. Sbuffava e nitriva, raspava il terreno con la zampa e quando Xeno passò le redini nelle mani del mercante il cavallo s'impennò martellando l'aria con gli zoccoli anteriori.

Xeno si morse il labbro, e si volse dall'altra parte per nascondere le lacrime.

Avevo compassione di lui: com'era mai finita l'avventura ardente, i deliri di grandezza e di gloria, le notti torride d'amore. Tutto andava in frantumi, tutto si sgretolava un giorno dopo l'altro.

Xeno sembrava sempre più ossessionato dalla religione, la sua preoccupazione più grande era trovare animali da sacrificare per interpretare la volontà degli dèi che lui stesso cercava di capire frugando fra le interiora fumanti delle vittime, facendosi a volte assistere da indovini e veggenti.

Il sogno moriva lentamente in una realtà grigia e informe.

Ma l'esercito aveva fame.

Avrebbe avuto paga sicura solo quando fosse giunto al

punto di raccolta e così, per sopravvivere, riprese a fare ciò che aveva sempre fatto: razzie e saccheggi a danno delle proprietà dei signori persiani che vivevano in ville e castelli dell'entroterra.

Durante uno di questi attacchi Agasìas di Stinfalo, il guerriero temerario, l'eroe di mille battaglie, il compagno inseparabile, fu ferito a morte. Xeno non poté soccorrerlo, si trovava da un'altra parte e comunque non c'era più nulla da fare: una freccia gli aveva perforato il fegato. Kleanor gli corse vicino sotto una pioggia di dardi e lo coprì con lo scudo. Io li vidi e cercai di portare delle bende, ma dovetti acquattarmi dietro un masso a pochi passi da loro per non essere uccisa a mia volta. Sentivo i dardi crepitare come grandine sulla pietra che mi proteggeva e sul bronzo di Kleanor.

«Vattene» gli disse Agasìas. «Salvati. Tanto doveva succedere prima o poi.»

«Non così» rispose Kleanor singhiozzando. «Non così... non così...»

«Una freccia vale l'altra, amico. Che differenza fa. Le nostre sono vite vendute al migliore offerente, ma alla fine... alla fine chi vince l'ingaggio è sempre la morte.»

Kleanor gli chiuse gli occhi e corse via urlando a radunare gli uomini per il contrattacco.

Xeno cercava di mettere al sicuro il bottino. Lui sapeva che ogni volta che si levava il sole, come un padre, doveva sfamare i suoi ragazzi e anche gli dèi con la carne dei suoi sacrifici.

Qualche giorno dopo, due suoi conoscenti, saputo che aveva dovuto vendere il cavallo e consapevoli di quanto gli era caro, riuscirono a ricomprarlo e riportarglielo, e anche questa fu una scena che non scorderò. Lui lo riconobbe da lontano e si mise a chiamarlo: «Halys! Halys!». E il cavallo, strappate le briglie di mano allo staffiere, con uno strattone della testa fierissima, si lanciò al galoppo nitrendo e flagellando l'aria con la coda.

Credo che piangessero tutti e due quando furono vicini,

quando il padrone gli accarezzò con la mano il muso vellutato e le froge ardenti.

Alla fine, a primavera inoltrata, giungemmo a destinazione e Xeno consegnò i superstiti dei Diecimila al comandante spartano Tibron che conduceva la guerra. Dopo due anni di incredibili avventure erano di nuovo schierati contro l'antico nemico.

Io salutai Melissa e lei mi abbracciò piangendo a dirotto. Lui salutò uno per uno gli amici superstiti: Timàs dagli occhi neri come la notte, Kleanor il toro, Xanthi dalle chiome fluenti e Neon, enigmatico erede del comandante Sophos, e gli altri.

E restò solo.

Sì, solo. Perché io non ero più la stessa persona che ero stata per lui fino a quel momento; solo, perché aveva perduto l'esercito, unica sua patria, e io non potevo certo bastare a riempire il vuoto enorme, la voragine di desolazione che si era aperta nel suo cuore. Fra poco gli sarei venuta a noia.

La mia storia con Xeno finiva lì, lo sentivo, la storia del mio incontro con il guerriero al pozzo in una sera dorata di primavera tanto, tanto tempo prima.

Nonostante questo viaggiammo assieme, noi due e il servo, quasi senza parlare fino a una città della costa dove pensava di ricevere notizie da casa.

E le trovò.

In una lettera depositata presso il sacerdote del tempio di Artemide. Si sedette su una panchina di marmo sotto il colonnato e lesse assorto. Io aspettavo in piedi e in silenzio il mio verdetto.

Alla fine non riuscendo più a reggere la tensione che mi stringeva il cuore in una morsa parlai.

«Spero che non ci siano brutte notizie» dissi.

«No. La mia famiglia sta bene.»

«Ne sono felice.»

Sembrò esitare per qualche tempo.
«C'è dell'altro?»
«Sì» rispose abbassando lo sguardo «ho anche una moglie.»
Sentii il cuore morirmi in petto, ma mi feci forza: «Perdonami... che cosa significa "ho una moglie"?».
«Significa che i miei genitori hanno scelto una sposa per me e che dovrò prenderla in moglie.»
Le lacrime scendevano ora irrefrenabili sulle mie guance e inutilmente cercavo di asciugarle con la manica della tunica. Non ci sarebbero state l'Italia, la Sicilia e le loro bellissime città che avevo sognato di vedere assieme a lui; non ci sarebbe stato più niente per me, nessuna avventura, nessun viaggio, niente.
Lui mi guardò con occhi buoni: «Non piangere. Non ti manderò via. Potrò tenerti con me... tra le persone di servizio, e potremo anche incontrarci qualche volta».
«Non importa» risposi senza esitazione. «Non è una vita che potrei vivere. Ma non preoccuparti. Quando ti ho seguito sapevo che non sarebbe stato per sempre. Mi sono preparata ogni giorno a questo momento.»
«Non sai quello che dici» rispose, «dove potresti mai andare sola?»
«A casa. Non ho altro posto dove andare.»
«A casa? Ma non sai nemmeno come trovare la strada.»
«La troverò. Addio, Xeno.»
Mi guardò profondamente turbato e per un istante sperai con tutto il mio cuore che mi avrebbe trattenuta, anche quando già scendevo le gradinate del tempio sperai che mi avrebbe richiamata e che ci saremmo imbarcati su una nave in partenza per l'Italia... Finalmente udii la sua voce: «Aspetta!».
Mi correva dietro e mi volsi per abbracciarlo.
«Almeno prendi questi» mi disse, «potrai comprare del cibo, pagarti qualche passaggio... ti prego, prendili.» Mi diede una borsa di denaro.
«Grazie» dissi. E corsi via piangendo.

# EPILOGO

Abira terminò il suo racconto una sera d'inverno nella capanna lungo il fiume. Aveva lasciato la città sulla costa nella tarda primavera e aveva preso la strada dell'oriente pagando un passaggio a una carovana di arabi che andavano a Giaffa. C'erano voluti trentadue giorni per raggiungere e attraversare le Porte Cilicie. E altri quindici per arrivare, a piedi, a Beth Qadà. Non era stato nemmeno troppo difficile perché ricordava bene l'itinerario che aveva appreso da Xeno.

Appena ebbe concluso la narrazione avremmo voluto tempestarla di domande: tutto ci incuriosiva, avremmo voluto sapere tante altre cose che avevano sollecitato la nostra fantasia e che avevamo tenuto per noi non volendo mai interrompere il racconto reso ancora più bello e tremendo dalla sua voce incantevole che fremeva e vibrava, e tremava con le vicende degli uomini e della natura. Ma c'erano domande che premevano troppo alla nostra curiosità.

– Ma come ti sentivi – le chiesi – dopo una simile sventura?

– Pensavo che avevo comunque vissuto una vita che ne valeva mille. Avevo attraversato territori che nessuno di voi vedrà mai, conosciuto uomini e donne straordinari. Mi ero bagnata in fiumi la cui acqua proveniva da montagne alte come il cielo, da luoghi irraggiungibili, e la portavano a mari lontani mai solcati da una nave e al fiume Oceano che cinge la terra.

Avevo provato la calura soffocante e il gelo pungente e visto tante stelle nel cielo notturno come non ne vedrò mai in tutta la vita; fortezze solitarie arroccate su cime coperte di neve e ghiaccio, precipizi abissali e spiagge dorate, promontori coperti di boschi millenari, popoli sconosciuti dai costumi strani e affascinanti. Avevo visto il mondo con le sue meraviglie, e gli uomini con la loro gloria e la loro miseria. Ed ero stata amata...

– Che cosa pensavi tornando al villaggio? E che cosa credevi di trovarci?

– Non lo so. Pensavo che la mia famiglia mi avrebbe comunque accolto, che con il tempo forse avevano dimenticato ciò che avevo fatto. Pensavo che avrei chiesto perdono al mio fidanzato e avrei cercato di spiegargli il motivo della mia scelta irrevocabile pur sapendo che non avrebbe capito. O forse, senza rendermene conto, venivo incontro alla morte, incontro a coloro che mi avrebbero uccisa.

– Non ti hanno uccisa – disse la mia amica Abisag.

– Sì, invece. Perché è quello che volevano farmi. L'intenzione è ancora più forte delle azioni. Che io sia viva è un puro caso, uno scherzo del fato e un dono del vostro buon cuore.

– Abira... – intervenne Mermah – non ci hai detto che cosa ti ferì così profondamente quando Melissa ti lesse le pagine scritte da Xeno. Era davvero così terribile?

Abira ci guardò assorta, forse domandandosi se fosse lecito rivelare ciò che non era mai stato divulgato, ma poi rispose: – Due cose... – e restò in sospeso. Pensava a Xeno? Sì, certo, perché aveva gli occhi lucidi.

Il vento aveva preso a soffiare e faceva vibrare i cannicci del capanno, insinuava brividi di fredda inquietudine sotto le vesti mentre la sera stendeva le sue mani di tenebra sui tetti di Beth Qadà.

– Due cose – disse infine. – La prima è come aveva ricordato la morte del comandante Sophos:

*... intanto Cheirisophos è morto per aver preso una medicina contro la febbre.*

Tutto qui, niente altro. Dodici parole che ricordo una per una. Dodici parole per l'uomo che aveva scelto di obbedire al di là di ogni limite di umanità a una missione spaventosa: condurre i Diecimila verso il nulla ma restando sempre alla loro testa, pronto a immolarsi per primo, a soffrire lui ogni dolore e ogni ferita, a patire il massimo che un cuore umano possa patire, pronto a esserne il comandante fino in fondo. L'uomo che alla fine si era convinto a ribellarsi e ad accettare la punizione della disobbedienza, a pagare con la vita di passare il comando proprio a lui, a Xeno, perché guidasse l'armata verso la salvezza.

– Ma Xeno fece il suo dovere – dissi. – Non salvò forse l'esercito?

– Sì. Ma non piangere un uomo come Sophos, il suo migliore amico, con cui aveva condiviso ogni istante della marcia disperata, non trasmetterne un ricordo pari alla statura gigantesca, all'anima grande di luce e di tenebra, è di un cuore meschino. E non c'è dolore più grande che proferire questa sentenza per l'uomo che si ama.

Non riuscivamo a capire completamente ciò che stava dicendo perché lei si era abituata alla vicinanza di uomini che erano demoni e dèi allo stesso tempo, esseri che non potevamo nemmeno immaginare e che mai avremmo incontrato. Lasciammo per questo parlare il vento per lunghissimi, interminabili istanti, il vento che gemeva portando il primo freddo.

– E l'altra? – ebbe infine il coraggio di chiedere Abisag.

– L'altra? – rispose Abira. – L'altra riguardava me.

La guardammo attendendo con il fiato sospeso il seguito del discorso.

*Da qui Xenophon passò in Tracia avendo con sé soltanto un servo e il suo cavallo.*

– C'ero anch'io con lui – disse. E scoppiò in pianto.

Raccontandoci la storia del suo viaggio e di come lo aveva vissuto era come se Abira avesse svuotato il suo animo, avesse dissipato e dissolto nell'aria la propria energia vitale. Le avevamo restituito la vita con le nostre cure, il nostro cibo e il nostro affetto, ma ora non sapeva che farsene. Non voleva lasciarsi vedere malinconica con noi per non mostrare ingratitudine, ma a me sembrava verosimile che fosse tornata per morire e che l'averla strappata alla morte avesse solo differito un destino già segnato. Distrutto il suo sogno e la sua ragione di vita aveva comunque voluto comportarsi come i Diecimila che, partiti da un luogo, dopo infinito peregrinare, a quel luogo erano tornati. Aveva voluto chiudere il cerchio.

Le mie amiche e io parlavamo sempre di lei quando eravamo fuori al pascolo con le greggi e dei personaggi di cui ci aveva narrato. Ci sembrava di sapere tutto di loro e che li avremmo addirittura riconosciuti se ci fossero apparsi dinanzi. A volte Abisag, che era la più ingenua fra noi, immaginava che Xeno sarebbe potuto tornare. Forse si era reso conto che non poteva vivere senza di lei e a quell'ora stava seguendo le tracce di Abira lungo la via che portava alle Porte Cilicie e ai Villaggi della Cintura. Le piaceva immaginare che sarebbe apparso una sera al pozzo, risplendente nell'armatura con il suo cavallo scalpitante e l'avrebbe aspettata quando fosse giunta per attingere acqua. Le sembrava di vederli correre l'uno nelle braccia dell'altra per non lasciarsi mai più.

Abisag... dolce amica.

Passarono così altri giorni e il cielo si fece via via più scuro. Le giornate si accorciavano e a volte le tempeste che infuriavano sulle vette del Tauro si spingevano fino ai nostri villaggi sotto forma di un sibilo rabbioso.

Poi, una notte, mentre già eravamo rannicchiate sotto le coperte e pensavamo a lei sola e triste nel capanno sul fiume, udimmo il vento che romba! Il vento che annuncia un fatto straordinario.

Verso mattina, poco prima dell'alba, udimmo i cani guaire e poi abbaiare furiosi. Mi alzai e andai in punta di piedi alla finestra. Le case degli altri villaggi strette l'una accanto all'altra si stagliavano contro un cielo di perla.

Ma che stava succedendo? L'atmosfera che percepivo era la stessa di quella notte in cui avevamo strappato Abira alla morte. Sentivo un'eccitazione strana, montante, sempre più forte, incontenibile, mentre i cani abbaiavano ancora a presenze invisibili che passavano nella steppa.

Uscii così com'ero, con addosso solo la veste da notte e andai a svegliare Mermah e Abisag. Mi raggiunsero subito. Nemmeno loro riuscivano a dormire.

Assieme lasciammo il villaggio e andammo, strette l'una all'altra, verso il pozzo, guidate soltanto da una sensazione indefinibile, quel genere di premonizioni e di turbamento che si dice possano avere le vergini adolescenti che scoprono per la prima volta il mistero del loro periodo lunare.

Il vento che romba tacque all'improvviso cedendo a un soffio secco e continuo, teso come la corda di un arco, una tempesta di polvere che avanzava dalla steppa. In breve i contorni delle cose sfumarono, ogni forma reale divenne un'ombra nella foschia. Ci coprimmo la testa e la bocca con un lembo della veste e continuammo ad avanzare finché scorgemmo la sagoma di Abira, inconfondibile, ritta al limitare del suo capanno, le vesti incollate al corpo stupendo dal soffio del deserto. Ci dava il fianco, stava osservando qualcosa... Ci rannicchiammo al riparo di un ciuffo di palme per non farci scorgere e spingemmo lo sguardo nella stessa direzione.

– Guardate! – disse Mermah.

– Dove? – domandò Abisag.

– Da quella parte, alla nostra destra.

C'era una sagoma indistinta che avanzava verso di noi in direzione del capanno di Abira, una figura spettrale che prendeva via via contorni più definiti man mano che si avvicinava uscendo dalla foschia. E udimmo poco dopo lo sbuffare sommesso di un cavallo e un lieve tintinnare di armi.

Ci passò così vicino che avremmo potuto toccarlo: un

cavaliere rivestito di un'armatura splendente, coperto da un mantello candido, in sella a un poderoso stallone, nero come l'ala di un corvo. Dalla parte opposta Abira gli veniva incontro, con passo incerto come se cercasse di capire cos'era l'apparizione che le si parava dinanzi. Poi leggemmo lo stupore riempirle gli occhi quando si fermò immobile a guardarlo mentre scendeva da cavallo e si toglieva l'elmo liberando una chioma di capelli biondi e fini come una frangia di seta.

Mermah si mosse spezzando inavvertitamente uno stecco. Il rumore fece voltare di scatto il guerriero dalla nostra parte e lo vedemmo in faccia. Bello come un dio, con occhi grigio azzurri, penetranti: già la spada lampeggiava nella sua mano.

– È Menon! – disse sommessamente Abisag, la voce piena di ammirato stupore. – È lui.

... Lui che l'aveva ammirata e forse amata in segreto senza mai rivelarlo. Lui, la divinità nevosa che le era apparsa nell'imperversare della tormenta e l'aveva salvata dalla morte bianca, lui, l'apparizione incerta che fluttuava sui monti e fra i boschi, sempre troppo lontana, lui, che tutti avevano creduto morto assieme agli altri comandanti, l'unico che avrebbe potuto sopravvivere: Menon, biondo e feroce.

Abira gli si avvicinò e restarono a lungo l'uno di fronte all'altra, circondati ambedue dal grande mantello bianco agitato dal vento. Non udimmo parole, né vedemmo alcun gesto. Immaginai soltanto un profondo, intenso contatto di sguardi. Poi il guerriero l'aiutò a montare in groppa allo stallone, salì dietro di lei con un balzo e toccò i fianchi del cavallo con i talloni.

Uscimmo dal nostro nascondiglio e con le lacrime agli occhi li osservammo allontanarsi, lentamente sparire nella foschia.

# *Nota*

Questa storia è basata su una delle più famose opere della letteratura greca, l'*Anabasi* dell'ateniese Senofonte. Si tratta del diario della spedizione di diecimila mercenari greci ingaggiati dal principe persiano Ciro il giovane con l'intento di rovesciare il fratello Artaserse, Gran Re dei Persiani, e sostituirsi a lui sul trono dell'Impero. Accanto ai Greci sono schierati anche centomila soldati asiatici, ma sono loro la punta di diamante dell'armata, quelli che possono realizzare l'incredibile impresa.

La lunga marcia dell'esercito di Ciro inizia nella primavera del 401 a.C. a Sardi, in Lidia, e raggiunge il villaggio di Cunassa, alle porte di Babilonia, verso la fine dell'estate. Qui avviene lo scontro con l'armata del Gran Re, notevolmente più numerosa, in una pianura desertica sulle rive dell'Eufrate. I Greci caricano l'ala sinistra nemica, la travolgono e l'inseguono per tutta la giornata. Quando tornano indietro però hanno un'amara sorpresa: Ciro è stato sconfitto, il suo corpo impalato e decapitato.

Inizia così la lunga ritirata attraverso il deserto, le montagne del Kurdistan e poi sull'altopiano dell'Armenia in pieno inverno, tra bufere di neve e desolate distese ghiacciate, in mezzo a tribù selvagge, ferocemente attaccate ai loro territori. Ciò che più stupisce è come un esercito di fanti di pesante armatura, abituati a combattere in spazi aperti a ranghi serrati, sia potuto sopravvivere ad attacchi di guerrieri indigeni che applicavano le tecniche della guerriglia muovendosi con estrema agilità e velocità su un territorio aspro e montuoso che conoscevano perfettamente.

Alla fine, dopo indicibili sofferenze e perdite massicce, dovute soprattutto al freddo e alla fame, i superstiti giungono in vista del mare. Il loro grido di trionfo («*Thàlassa! Thàlassa!*», "Il mare! Il mare!") è entrato nell'immaginario collettivo come il suggello di un'impresa impossibile.

La lunga marcia di oltre seimila chilometri fra ogni sorta di pericoli e ostacoli naturali riempì di stupore i contemporanei e i posteri, ma fu storicamente poco rilevante se non per il fatto che dimostrò la sostanziale debolezza della più grande potenza dell'epoca, l'Impero persiano, e suggerì probabilmente ad Alessandro Magno l'idea della sua conquista. È stato dimostrato infatti che il sovrano macedone tenne presente con la massima attenzione l'*Anabasi* e ne seguì scrupolosamente l'itinerario almeno nella prima tratta anatolica e siriaca.

Chi scrive ha materialmente ripercorso con tre spedizioni scientifiche negli anni '80 l'intero itinerario dei Diecimila ricostruendone i passaggi con alta approssimazione e in molti casi con tutta sicurezza. E nel 1999 ha compiuto una ricognizione sul campo assieme allo studioso inglese Timothy Midford, che aveva localizzato sui monti pontici alle spalle di Trebisonda due grandi tumuli di pietre identificandoli con il trofeo eretto dai Diecimila nel punto in cui erano giunti in vista del mare. La ricognizione congiunta confermò in pieno la teoria di Midford, che già aveva realizzato un rilievo topografico di grande accuratezza.

Il romanzo però non si ferma qui. Narrando in modo emotivo la storia della lunga marcia suggerisce anche i contorni di un grande giallo internazionale della fine del V secolo, partendo da alcune scoperte già esposte da chi scrive in un saggio scientifico pubblicato dopo la conclusione della ricerca sul campo. Da questi studi erano emerse conclusioni importanti che inducevano a pensare a un coinvolgimento segreto e diretto del governo spartano nella spedizione ufficialmente organizzata solo da Ciro.

In primo luogo risultava che il comandante dei Diecimila, Klearchos, ricercato a Sparta per omicidio, era con ogni probabilità un agente segreto spartano.

Cheirisophos, unico ufficiale regolare spartano, suo successore nel comando dopo che Klearchos era caduto in un'imboscata assieme al suo stato maggiore, era molto verosimilmente stato avvelenato dai suoi stessi compatrioti quando aveva ricondotto l'esercito nei pressi di Bisanzio.

Senofonte ha quasi certamente tagliato tre mesi di cronaca della spedizione, proprio nel punto in cui l'esercito aveva perso la strada nell'alta Armenia finendo forse addirittura nell'Azerbaigian.

Come si spiegano questi fatti inquietanti? Sparta, che aveva vinto la guerra del Peloponneso contro Atene con l'aiuto dell'oro persiano, sapendo delle intenzioni di Ciro aveva pensato bene di giocare su due tavoli consentendo da un lato al giovane principe ribelle di arruolare i Diecimila, dall'altro di coprire l'intera operazione con il più rigoroso segreto. Nel caso l'impresa fosse riuscita Ciro sarebbe stato loro debitore della vittoria e del trono, se le cose fossero andate male il governo spartano avrebbe sempre potuto dimostrare ad Artaserse la propria estraneità all'intera operazione e mantenere con lui i buoni rapporti che ne garantivano l'egemonia su tutta la Grecia. In altre parole i Diecimila dovevano vincere o sparire. Si verificò una terza, inimmaginabile conclusione dell'impresa: contro ogni aspettativa i Diecimila riuscirono a emergere da una regione da cui nessun esercito era mai tornato e a ripresentarsi dopo due anni alle soglie del mondo greco. I contorni di questi eventi che Senofonte ha voluto lasciare avvolti nel silenzio e nel mistero non possono che essere oggetto di una narrazione romanzesca ma caratterizzata da un alto indice di verosimiglianza.

*Valerio Massimo Manfredi*

«L'ARMATA PERDUTA»
DI VALERIO MASSIMO MANFREDI
COLLEZIONE OMNIBUS

QUESTO VOLUME È STATO IMPRESSO NEL MESE DI NOVEMBRE 2007
PRESSO ARNOLDO MONDADORI EDITORE S.P.A.
STABILIMENTO NUOVA STAMPA MONDADORI – CLES (TN)

STAMPATO IN ITALIA – PRINTED IN ITALY

PONTO EUSINO
TRACIA
Kalpe
Eraclea
Bisanzio
Luogo
di concentramento
di Tibron
Sardi
Porte Ardenti
(Termopili)
Atene
Sparta
CATÀBASI
(RITORNO)